下河辺　淳

戦後国土計画への証言

日本経済評論社

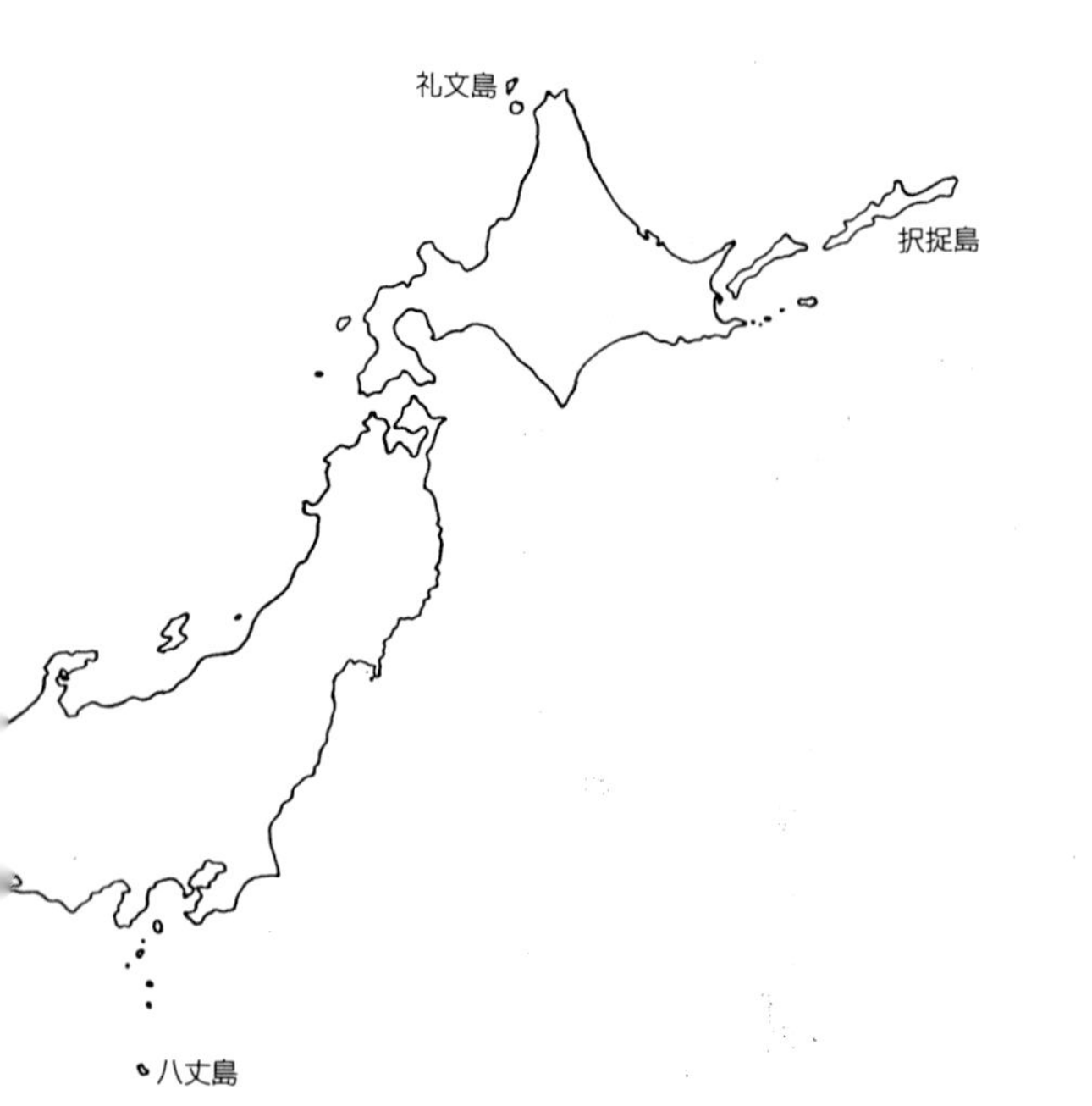
礼文島
択捉島
N
八丈島
鳥島
父島
硫黄島
南鳥島

日本の国土　3,778万ヘクタール（1992年10月現在）

・竹島

尖閣諸島

与那国島

石垣島

南大東島

沖大東島

1:16,000,000

0　300km

沖ノ鳥島

国土庁資料による。

はしがき

一九四五年終戦の日を迎え、絶望的な現実を前にして焼土と化した国土に未来を描くことに若い情熱をぶつけることが私にとっての戦後の国土政策の出発点であった。

今世紀初頭人口約四千万人で平均寿命四十二歳、労働力の七〇%が第一次産業で占められていた日本が、戦争を繰り返しながら世紀末には人口は一億二千万人を超え、平均寿命八十歳、第一次産業は一〇%以下に低率化するとともに、世界の経済大国となるという劇的な展開を示した時代がまさに二十世紀であったといえよう。

国土構造も激変した。東京一極集中構造を生み、人類未踏の三千万人の巨大都市東京が出現した。このような時代に国土計画の担当者としては緊張の連続を強いられ、定かな落ち着いた未来を楽観的に描くことは許されず、幾たびも国土計画の成否を問われながら策定に挑戦してきた戦後の半世紀であった。

こうした戦後の国土計画について正確な記録を作ることは、歴史上もこれからの未来に向けても、必要であることは論をまたないことであろう。正確な記録は専門家の間で作業が進められており、その成果を期待したいと思う。

そうした作業の過程で特に国土庁採用のプロパーの若い諸君から、私から当時の事情を聞いておきたいという希望が強くなっていった。月一回研究会を開催して若い諸君との交流を始めたのもそのためであった。その成果を出版してはどうかという話が出たが、私は否定していた。

私は私の名前で出ている出版物もあるけれども、私自身の著作は一冊も作るつもりはなかった。国土の上に絵を描くことはしても紙の上に文章を書くことはしないことにしていた。本当は人様に読ませるような文章を書く能力がないというのが本音かもしれない。それに仕事の上では利害関係が錯綜していて、具体的に真正面から書くことは極めて困難でもあった。国土計画の担当者としては、公人と私人の区別は許されないとも思っていた。しかし、私も胃の摘出手術を受け、七十歳の誕生日を迎えて、何かを記録しておかなければいけないのではと思い始めるようになった。

そこへ日本経済評論社から、国土計画についての出版の話があった。そこで相談して始めることにしたが、自力で書くことは相変わらず出来そうもないので、インタビューで語り続けてはどうかということになった。インタビューの総時間は二十時間を超えた。

このインタビューの速記を編集し、まとめたのがこの一冊の本となった次第である。準備もなく、ただひたすら私の記憶に頼ってインタビューに答えているので記憶違いもあるかもしれないし、私の偏見、誤解、弁解の部分もあったかもしれない。もしそうであれば深くお詫びするしかないけれども、戦後、国土政策に関心を持って生きてきた私が何かを語りたいとの思いを伝えることができれば幸いである。夢と現実の中で意図と結果の板挟みになりながら、国土の上に未来像を描く作業が、さらに戦後の国土計画の教訓に学びながら若い諸君によって受け継がれてゆくことを期待したい。また二十世紀の大都市文明、科学技術文明を超克して、二十一世紀の新しい文明を創造するために、人と自然とのかかわり合い、人と人との関係を風土伝統の上に重ね合わせながら、未来の国土（居住環境）を思考することが一人ひとりの人間にとって、世紀末最大の課題であることを思いつつ、この国土に居住するすべての人々に向けて語りかける機会となればと念じている。

本書の出版にあたってはインタビューで聞き役をつとめてくれた本間義人さん、御厨貴さん、檜槇貢さんと、日本経済評論社の清達二さんには随分御迷惑をかけ御苦労をおかけしたことにお詫びと感謝の意を表したい。

一九九三年十二月十六日　田中角栄氏の逝去の日に

下河辺淳

目　次

1

国土計画論

1　国土計画とはなにか

――東京一極集中や第一次産業の衰退による過疎の進行というなかで、一九九二年暮れに国会等移転法が成立し、国家の根幹的制度に関わる首都機能移転なども本格的調査に入ろうということで、国土計画のあり方が、つまり二十一世紀における国土像そのものが、いま問われているような気がします。

そこで、「国土政策とはなにか」、「国土計画とはなにか」ということをお話いただきたいと思いますが、その前にまず歴史を遡って、縄文・弥生時代からの国土を振り返って、今日的な国土政策、国土計画のあり方についてお話いただきたいと思います。

国土を論ずるということは、簡単に言えば、人と自然との関わり方をいろいろな角度から論ずることだろうと思います。その国土論に関して、政策的意図をどのように出すのか、というあたりで、国土政策論というものが成り立つと思っています。

縄文・弥生人の知恵

したがって、国土政策論を論ずる時にいろいろなアプローチの仕方がありますが、基本的には、歴史的に見るということは大きな見方の一つだろうと思うものですから、日本の国土政策論として何を私が注目していったかということを最初にお話したらいいのではないかと思います。

考古学者を含めて一般的によく言われていることは、縄文時代が日本列島で非常に長く続いていたということで、しかも、これが比較的、全国土にわたって集落が展開されていたということです。

しかし、集落の規模も人口の規模も小さいわけで、恐らく、全国で十万から二十万人というレベルだったのでしょうが、発掘してみると、縄文としての集落の共通性がいっぱい出てくる。つまり、食べるもの、狩猟の仕方、木材の使い方、生きるノウハウや技術にしても、考古学的な共通性というものが出てくるということに興味をもつわけです。そして、これがどうやって伝播していったのだろうか。単独の集落は、埋蔵文化財を掘り起こすことでかなりわかってきますが、交流というものがどうネットワーク化されていたかということになると、必ずしも十分はよくわからない。むしろ、考古学は、集落から出てきたものの共通性があれば交流があったに違いないとみなすわけで、どこをどういうふうにというところはよくわからないということがあると思うのです。

しかし、国土的に見ると、縄文時代人は、比較的、地層のいい丘陵部に住みついていたということがいえますから、日本列島に人間が関わってくる時の形は、全国土にわたって丘陵部の自然の条件のいい所を選んで人々が住みついてきたという歴史だと思うわけで、人々は恐らく、科学的知識があまりないままに、経験的に、あるいは住んだ実感として適地を選んでいったのだろう。

その結果、いま考えても驚嘆するほど上手に集落が選ばれて、現在の国土政策の中でも学ぶべき点がとても多いと思うのです。われわれが山の中に幹線道路や鉄道を敷こうと思うと、理想的な所には大抵縄文の遺跡にぶつかるということさえ経験してきています。弥生文化が入ってくると様相

▽——国会等移転法　一九九二年十二月二十四日公布・施行された議員立法であって、「国会並びに行政及び司法に関する機能のうち中枢的なもの」の東京圏外への移転の具体化を進める法律。また、その移転の検討にあたっては、地方への権限委譲、行財政改革と関連づけることも検討指針に含められている。

が一変して、畑作地帯、水田地帯ということに焦点が移り、必ずしも、縄文の丘陵部が適地ではなくなるということで、人と国土の関わり方に根本的な変化が出てくる時代になるわけです。

そうすると、人間は丘陵部と平地との境の所に集落をつくるようになっていったわけで、自分の家の裏は山で、前は畑・田んぼという光景ができるわけです。それから日本の国土が弥生型の構造になり、谷に住むということが出てきたわけで、丘陵ではないのです。これは今日の国土の利用さえも非常に規定するべき条件をもっていると思うのです。つまり、それ以降、日本は米文化の国になったわけですし、農村集落というものが中心でしたから、この時代からの伝統を持っている国土であり、そのための国土政策だということが言えるだろうと思います。

ただ、縄文と違って、稲作文化としての弥生文化だとすれば、稲の自然条件が影響していたに違いないということで、稲作に適しているか、適していないかということが、国土の自然条件との関係ではとても大きな選択基準になっていたのだろうと思うのです。稲という植物になると、どうも人間が農耕するということから、自然条件を選んだということは確実だろうと思うのです。でも、北海道にまで米ができたのは最近のことでしょうから、どこが北限であったかというようなことが、国土政策の上ではかなり重要だったかもしれません。

縄文時代だと、天の恵みで生きていくノウハウでしょうけれども、弥生になると、人間の知恵と労力で生きていくわけです。そうして、三世紀や五世紀ぐらいになると、人間がつくった産物の所有というテーマが出てきてしまう。だから、田んぼを誰が管理するかというので、新しい権力構造ができ始めて、それを支配する都とか、何々京というようなものができたり、どこがセンターで、弥生時代の農耕との関係をもつかということが初歩的に始まる時代なわけです。

そういう時代を経て、七、八世紀になると、国家的な枠組みや権力の構造がかなりできてきて、律令国家ができることになっていくのでしょうけれども、その時には、また再び、朝鮮半島なり、中国大陸からのいろいろな影響を強く受ける日本になるわけです。その受け方は、技術的にも、文化的にも、飛躍的な影響を受けていますから、国土がそれをどう受けるかというテーマになってきたと思うのです。

関西への一極集中と城下町

第一に出てきたのが、山陰地方とか、玄界灘とか、有明海という地域が、まず差し当たって国際化の先端的な地域になって、出雲とか太宰府から始まって、江戸時代の長崎に至るまで国土構造ができる時代がやってくる。そしてとうとう奈良や京都に都をつくる時期がやってくるわけで、それが主に中国の都市計画に学んで、それを模倣していく形になったのでしょう。

しかも、仏教がそれを精神的に支えていき始めた時代があって、これが権力のセンターになるためには、全国的に国府をつくり、郡をつくり、そして国分寺をつくる、つまり一極集中型のネットワークをつくるという国土政策を相当はっきりやっているわけです。東京一極集中構造は新しい話であって、日本列島というのは、京都、奈良の一極集中構図をつくっていたわけです。そして、それはやがて瀬戸内海が日本列島の一番文化的中心であるという時代さえもつくっていきましたし、末期には、日本海側の発展を関西がつくり上げていくわけです。ですから、日本海側の国土軸というのは、京都、奈良という関西一極集中構造がつくったルートの一つだと言ってもいい。だからこそ、日本海国土軸の素晴らしい都市は、皆、小京都といわれ、それをデザインすることを非常に重要な仕事にしていたと思うのです。

さらに、鎌倉を経て江戸までの東海道を開発していく。瀬戸内海を開発し、日本海を開発し、東海道を開発するということは、関西一極集中構造の国土政策から出てきたものと、私は思うのです。縄文から弥生にきて、そして北西日本から国際化が始まって京都、奈良にきて、関西という構造ができて、これが全国的な拠点を設けると同時に、国土軸の手を広げていくという構造で、今日まで影響を与えているという見方をしているわけです。

それができた後、実は日本は社会資本の建設期が遠のいて、むしろ、いわゆる日本文化を完成させる世紀がくるわけです。平仮名、片仮名の生まれたこともあるでしょうし、日本の文化といえるものがここで生まれる。つまり、アジア全体、東洋から受けた文化が消化されて出てくる時代がくる。その次にきたのが、十五、十六世紀の戦国時代であり、そして十六世紀、十七世紀ぐらいから、大阪を中心にしながら、全国に城下町ができる時代がくるわけです。

不思議なことだけれども、十六世紀前後は、世界中どこでも社会資本の蓄積期だというのはおもしろいと思いますが、日本でも、城下町が百以上もできてきます。どこにどういう城下町がつくられるかということが、政治の最大のテーマであり、それが国土政策の基本なんです。おもしろいことに、この時つくった地方都市が、明治維新後の主要な都市の基礎になる。いまの日本の都市は、十六、十七世紀にできた城下町が中心で、これはやがて江戸が管理することになるわけですけれども、一国の政治として、諸国、諸大名が存在して、多数の国ができて、それのセンターが城下町ということになっていく国土の構造が初めてできてきて、それらを統一するセンターとして鎌倉があった

徳川末期の城下町（5万石以上）

資料：『新訂・都市問題事典』鹿島出版会，1980年，83ページより。

り、あるいは尾張の国になったり、大阪の時代があったりしましたけれども、結局は、江戸中心の構造にかわるという時代なわけです。

その城下町ですが、私が非常に興味を持つのは、生態系の生かし方がまことに巧みだったということです。一つの国の土地利用を見ていくと、一番奥に山があって、山をおりると、森がずうっと続いていて、この森というのは、水と材木の供給をしているだけではなくて、信仰の対象でもあったという地域があって、そしてそれをおりると里山があって、里山というのは薪炭林の供給地であったり、あるいは小動物の生きる場所であったり、情緒的には小川のせせらぎとか、仲秋の名月のすすきであったりという情緒深いものがあって、そして紅葉があって、日本人の情緒を支えていた地域があって、それをおりると畑が出てきて、それをおりると水田があって、お米をつくって、しかも、おもしろいことに、大名の偉さを何万石という石高で表現するようになって、いい水田を持っていなかったらいい大名ではないというようなことになる。

水田を去ると、今度は城下町が出てきて、城下町は、軍事基地や行政が中心であったけれども、その周辺には、職人がいっぱい存在して、手づくり型の手工芸品のメッカだったし、文化や音楽の中心でもあった。そして、それをおりると海があって、船舶が経済をささえているという構造なんです。

つまり、いま申し上げた山から海までを一貫していたものは水系なんです。だから、上流から下流までの水系の一貫管理という形を土地利用として、こんなにうまくつかまえていたということは、すごいと思うのです。国土管理史に学ぶべきものはとても多いという感じがするわけで、そういう国土政策をやってきたという歴史があることは、もっと勉強すべきことだと思うわけです。

明治の国土政策

それが十九世紀末、明治維新になって、議論が違ってくるわけです。江戸末期は鎖国をしていましたから、海外に開く町は長崎以外には認めない時代から、だんだんに江戸に近づいて、認めざるを得ない状況に陥りながら、しかし、ヨーロッパ諸国からの、あるいはアメリカからのプレッシャーを非常に怖いと思って、国土の管理をどのようにするかというテーマがあったことは確かです。

そういう開国を伴った明治維新が始まったということは、日本の歴史としては大きいし、この時の国土政策は非常に革命的なものをもっていると思うのです。明治が採った国土政策をいくつか紹介しなくてはいけないのですが、非常に目立った動きとして言うと、富国強兵、脱亜入欧というスローガンのもとに強国たらんとするわけですから、先に選んだものは、鉄あるいは生糸といった、主要産業の国営化なんです。

国営産業を重要視したものですから、そういう重要産業の立地が、国土政策上とても大きなテーマになった。いつも話題になるのが、例えば、八幡に製鉄所をつくるというようなことで、八幡が立地上どうしていいかという論争を国土計画上やっているわけです。これは筑豊の石炭がとても大きな要素であったかもしれない。また、いい港湾を持っていたこともあるかもしれない。しかし、農民の強烈な反対があったことにみられるように、かなり強行しながら製鉄所をつくって、それがいまや世界の新日鉄になるという歴史的な大きさを持った仕事が、明治の官営工場という形で始まるというようなこともあります。

もう一つは、それまでの経済は船舶が主要でしたが、鉄道の時代を築くということを始めたわけです。ですから、明治政府は、鉄道建設が国土政策の基本であるとさえ言うわけです。どこへ鉄道を敷くか、どこに駅をつくるかは非常に大きなテーマで、これが今日まで、日本の国土利用を規定

▼——明治の官営工場　明治の初期には、近代産業の確立を目指して、鉱山経営の官営化や一八七二年（明治五年）設立の富岡製絲所をはじめとして官営工場が次々に設けられた。製鉄所は日清戦争も終わりに近づきつつあった一八九四年十二月に製鉄所の官設方針が決められ、八幡製鉄所が一八九六年十月に立地決定している。

1907年(明治40年)当時の鉄道網と師団司令部・帝国大学の設置場所

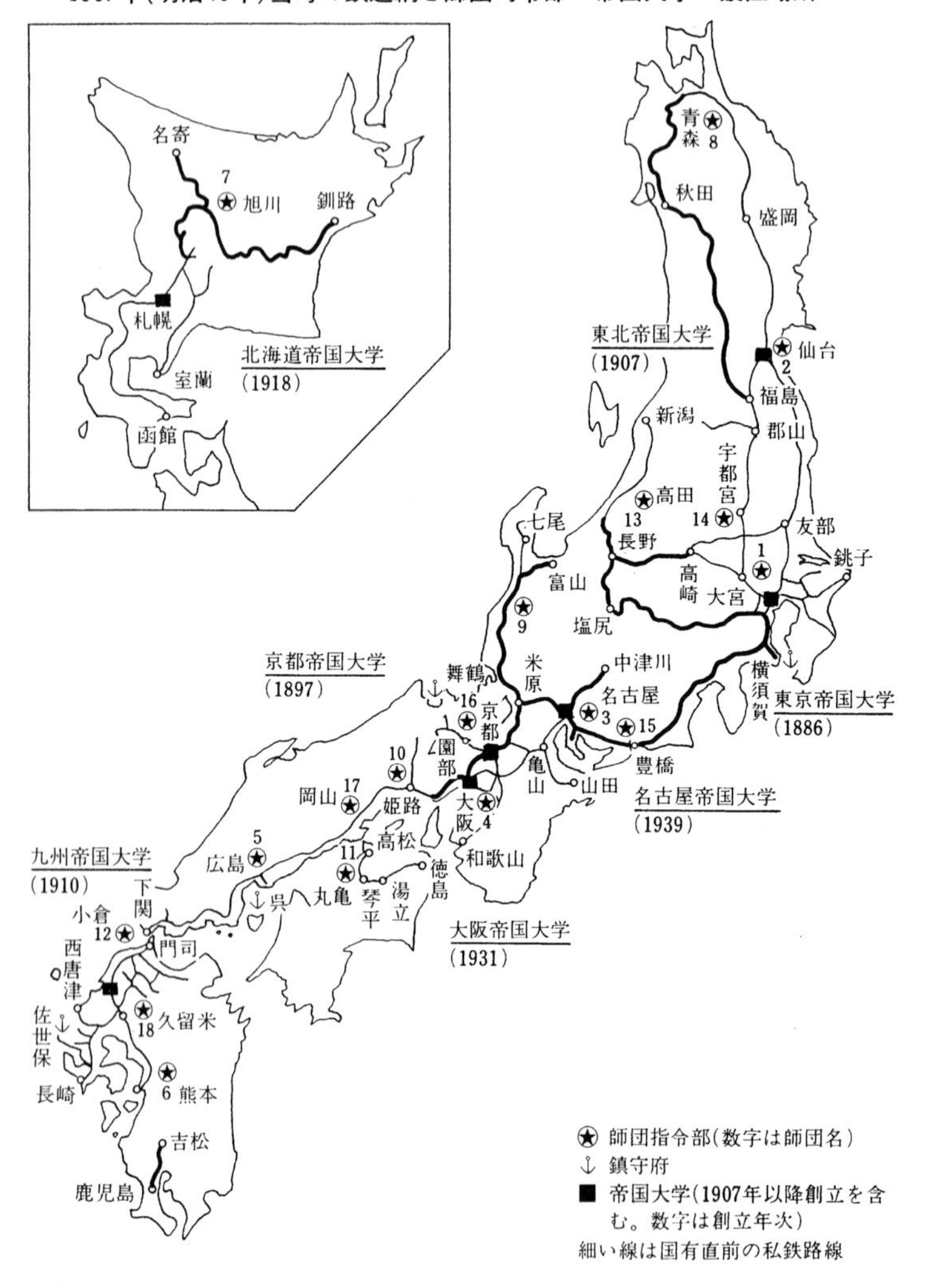

資料：原田勝正『明治鉄道物語』筑摩書房，1983年，175ページ等より。

している面としてはとても大きいと思います。中央線ができたことは、それまで考えられない土地利用への影響を与えたし、東北本線などでも違ってきたわけです。それまでは、河川管理的な土地利用しかなかったのに、鉄道管理型の国土政策が出てきたというのは、明治のとても大きな仕事だと思うのです。

さらに言うと、教育であって、近代国家に必要な人材をつくるための教育システムをつくろうとするわけです。これは東京に教育が集中することを全く考えないで、帝国大学を全国に、北海道から九州までつくるし、旧制高等学校を全国につくるし、その前提としての国民学校といいますか、尋常高等小学校を全村につくるというような教育のネットワークづくりをやったわけです。これは江戸時代の藩校が随分立派な教育をしているので、藩校が基礎にあったことは事実だけれども、農耕社会であった明治の政府が全国的に教育制度をつくったというのも、国土政策上は見落とすことができない仕事かもしれない。

ところが、おもしろいのは、治水事業なわけです。土地は私有財産だけれども、水は公有財産と考えたのは、明治政府の一つの選択だと思うのです。土地からは、人々が大いに働いて所得を上げてくれて、地租が政府に入ってくるということを期待するけれども、土地利用をコントロールする手段は水だということを、国土政策上、非常に明快にするわけです。

これは、先ほど言った江戸時代の国のシステムが水系一貫型だということと無縁ではないと思うのです。水を管理するものは国を治めるというふうに思ったわけです。ただ、江戸時代と非常に違ったのは、廃藩置県で、府県と市町村をつくったんですけれども、その新しい近代行政の境界線を水系に求めたのです。

そのためには、江戸時代のお国は、右岸と左岸両方が一つのお国のものなのに、近代日本は、右岸と左岸は違った公共団体という形を取り始めるんです。そして、水はお上が管理するというシステムだった。これは今日になって、いろいろな問題を残してしまっているかもしれません。

しかし、富国強兵策の中で、白米をたらふく食べるというのは国民の悲願でもあり、政府の政策ですから、水系を管理して、農業政策を農本主義のもとで開発していくという国土政策は、明治政府の基本的な政策といってもいいかもしれません。それでせっせと、生産性の高い稲作を始めるわけです。

余談ですが、江戸時代までは、稲の種類が数百種類はあって、人々はそれを食べ分けていたのが、日本の米文化なんでしょうけれども、貧乏人は粟や稗で、お金持ちは米でという構造をやめて、国民全部が白米ということを明治政府がテーマにした時に、数百種類の米を作付け禁止して、生産性の高い改良された品種に強制しはじめるわけです。そのために、米の生産量は増えるけれども、多品種米は、そこに失われるわけです。これは、今日になると極めて残念なことで、多品種米の米文化を復活してほしいというのが私の願いなんですけれども。

さらにちょっと都市的なことを言うと、明治政府は、江戸を東京につくりかえていく。東京は、近代日本の象徴であり、首都であるわけですけれども、江戸から東京へという意味は、江戸に東京が進攻してきたという見方ができると思うのです。特に薩長土肥の青年たちが、脱藩してまで東京へ来て、新しい日本をつくろうと考えた時のヘッドクォーターが東京であって、江戸は幕藩体制のヘッドクォーターで、完全に臨時政府が東京という名前で乗っ取ったという構造であって、しかも、乗っ取った東京の方は、ヨーロッパに学んだ近代都市計画を江戸の中に持ち込もうという努力を再三するわけです。成功したり、失敗もしたりしますけれども。要するに、ヨーロッパ型の近代都市としての東京ができるのも明治であった。それはやがて東京駅もできれば、丸の内、霞が関、銀座、日比谷もできるということになっていくわけです。

それと並んで出てきているのは、横浜と神戸なんです。単なる漁村的な町でしかなかった神戸と横浜に、開国日本の国際都市を建設したのも明治なんです。ただ、おもしろいことに、横浜、神戸も同じ都市計画を漁村の上にかぶせた。だから、港があって、元町があって、港の見える丘がある。本当は仙台の野蒜港にも同じ都市計画で元町まで入った絵をつくっているのです。野蒜港が土木工事の失敗で途中で止めることになったものですから。それがもしできて、神戸、横浜、仙台となっていたら、国土の構造が違っていたと思うのです。しかし、仙台が失敗したままなので、日本の国際港としては横浜、神戸の二つの都市になったというのも記録しておくべきことだろうと思います。

もう一つ、明治政府は私から見ると軍事大国を狙っていますから、全国に軍指令部をつくって、軍都というものを非常に重要視するんです。だから、全国的に軍都ができた。この軍部は、主に十五、六世紀の城下町を使ったというのもあるけれども、それ以外のものもあって、軍事都市が国土政策上とても重要な意味をもっていた。仙台や広島は、そういう生い立ちの面が大きいかもしれません。他に旭川や熊本など、いっぱい軍事都市的なものが地方都市としてあるわけで、日本の地方都市の一つのキャリアといえるかもしれない。

だから、明治政府がやった国土政策というのは、やっぱり今日に及ぶ大きな影響を持ったテーマです。

明治は、そういうことをしながら始まって、関東大震災くらいまで、ナショナルプロジェクトを国土政策論として展開していったと思います。しかし、明治四十年過ぎ頃から、第一次大戦の前後にかけて、日本も株式会社が成長してくる時期がきます。資本主義の幕明けがくるわけで、軍事政権の明治政府としても、それを了としていたと思うのです。そのために、企業みずからが町をつくるようなことがとても増えてくるわけだし、資源開発あるいは森林なんかも含めて、資源開発の企業も出てくるということで、企業社会のはしりが出てくる。そうすると、この時に初めて国土政策というものが、企業によるということを受けて立つ時代がやっとくるわけです。それまでは、国が一切を国土政策として実施していくわけですけれども、企業、株式会社が成立して活躍するに及んで、彼らの意図が国土に影響を持つ時期がくるから、国土政策論は国だけでなくなってくるということが特色として出るのです。その時、政府の方は、法律に頼る、つまり法律によって、企業や市民の動きをコントロールして、国民に対して権利と義務をはっきりさせるということで、明治四十年頃から、行政的法規制によって国土政策を考える時代がやってくるわけです。それまでは、法律に頼らないで、権力に頼って、国土政策を実施するということだったのが、だんだんと法律に頼るわけです。

だから、役所でも、プランナーとか、ビジョン屋さんが政府からいなくなって、どちらかというと、法律万能的な政府ができていく時代がやってくるわけです。そのあたりから、国土政策論というのは、少し内容が違ってくると思います。都市計画法でも、政府が都市をつくるのではなくて、企業や市民が町をつくることをどうやって管理するかという管理法的な都市計画法ができて、建築基準法もできるという時代がきた。そのあたりから、明治の初期ほど思い切ったビジョンはあまり出てこない時代がきてしまっていたのです。

ところが、幸か不幸か、その後、出てきたものは積極的な国土政策ではなくて、災害と不況対策が国土政策の中心課題になるわけです。そうすると、市民や企業を超えて政府が対策を講じなければならないので、一九二三年（大正十二年）の関東大震災後は政府の国土政策は主に災害と貧困といいますか、凶作があったり不況があったりするというので、マイナスに対してどのような緊急策を講ずるかということになっていった歴史なんです。

だから、戦前の道路政策は一九三六年が投資のピークですけれども、その中身を見ると、失業対策が大半を占めています。あの頃、「砂利をまく」という言葉があって、失業者が多かったり、不況なり凶作があると、砂利をまく予算がどんどんつくわけです。当時、水害もとても発生したわけです。

ところが、それを越えると、今度は戦争との関係に入っていってしまうわけで、凶作とか災害で痛めつけられたことが、軍事政権の一つの宿命的なものであったということがいえるかもしれないけれども、明治以来の軍事政策が、ここで一挙に動き出す時期がきた。「二・二六」から始まって一九三八年に「国家総動員法」ができてからは、日本の国土政策は、戦争への協力以外はないという状態になったわけです。

——戦時下の国土政策については改めて後で触れていただきますが、かつての平安、奈良時代のことを関西一極集中と指摘された点はわれわれの意表を突くというか、盲点を突くというか、そんな感じがしました。そこで下河辺さんは、国土計画とは人と自然との関わり方についてのグランドデザインだということを言われましたけれども、ここで国土政策や国土計画について簡単に定義していただいたほうがいいと思います。

国土を論ずるということは、人と自然との関係を論ずることであり、もっと丁寧にいえば、人と人との関係を論ずることであると思っていますが、その関係に関する対応は主体がいっぱいあって、政府であったり、地方公共団体であったり、企業であったり、市民であったり、場合によると外国人であったりということになると思います。

計画と政策との関連

そういう主体が複数であるから、コンセンサスという形は現実的には不可能に近い状態で動いていくのです。そういう諸関係を勉強しながら、国家は国家としての国土政策を論ずることになるのです。だから、当然、国家がつくった国土政策がいろいろな主体からの賛成や反対は避け難いことであって、この国土政策を国土計画という形にまとめることになると、民主主義的な手続きによって決めるという話と、可能な限り議論を繰り返して、考え方のコンセンサスを広げるという仕事の二つが組み合わさって国土計画が、政府の考える国土政策を裏づけるものとして生まれてくるという性質のものだと思います。

しかし、つくるのは人間ですから、万能ではない。だから、ある意味では強行することもあれば、計画を途中で止めることもあり、非常に複雑な経過をたどることになるわけです。私はよく「意図と結果」と言いますが、国土政策の意図を国土計画にするけれども、結果は意図どおりにはならないということを繰り返すのが国土政策なんです。これを賛成にしても、反対にしても、スムースにそれができることが理想的です。もう時代も変わっているのにこだわり過ぎたのでは計画にはならないし、信念をもたなければまた計画にもならないし……。だから、私たちにすると、意図をどのように持つかという仕事と、どういう結果を生んだかをチェックする仕事の繰り返しが国土政策だと思っているのです。意図と結果の間には、いろいろな影響といいますか、作用、反作用、副作用というものが生まれてきますから、これを絶えずチェックして計画を管理していないと、国土政策にはならないと思っているわけです。

2 国土計画策定の観点

――国土計画策定の観点ですが、下河辺さんは常々、それは三つあるのではないかということを言っています。一つは、国土構造論的な観点から。一つは、国土構成論的な観点である。もう一つは、地球環境時代というような状況の中で、二十一世紀の自然との関わりをどうするのか。この三つの観点があるわけですが、では、具体的に、政府が国土計画を策定するにあたって、今日的に自然との関わりをどのように考えて策定に携わっているのでしょうか。

三つの観点

第一番目の国土構造論というのは、縄文からずうっとお話したように、国土の構造が根本的に変化してきているわけで、現在では、東京一極集中構造という国土構造で、ツリーシステムというか、東京を頂点としてすべての都市や地方が樹木のように鈴なりになっているという国土の構造です。この国土構造があったればこそ経済大国になったという意味ではメリットは非常に大きいのですが、しかし、現実にも、また将来の新しい国のビジョンとして、そのシステムのままでいいかといえば、大きな課題が残っていて、根本的に国土の構造を変えようという考え方になってきたと思うのです。

そのために国土構造をどういうふうに変えるかが、現在の一つの大きなテーマです。この中では、地方分権論も出てきたし、国土軸論も出てきたし、あるいは廃藩置県で出てきた行政体それ自体の改造のことも出てきたということが言えるし、さらには軍管区的な十ブロック制をやめて、もっと違った地域性を意識したらどうかということも含めて、国土構造を二十一世紀のためにどうするかは、国家にとっては非常に大きな意味をもっていて、それは国民の生活に非常に大きな影響を与えるわけですから、どのような構造を選ぶか、これから議論しなければいけないというのが一番です。

二つ目は、地域の活性化のテーマといってもいいと思いますが、国土というのは、すべての地域が活性化してなければいけないという基本的な考え方が必要だと思っているのです。国土の構造という骨組みはしっかりしてもらわなくては困るけれども、一つ一つの細胞ががっちりしていないと困るわけで、どこかに癌細胞があったり、あるいは生成システムを失った細胞が出てきてしまうと、国土の管理はうまくいかないので、すべての地域の活性化論というのを一方できちんとやりたい。

これは国家が主導的にできるものではなくて、その細胞一つ一つがみずからの道を選んでいかないといけないというのは生物学的にも言えることだろうと思います。その議論をいまは地域の活性化論として考えて、一市町村、一億円というような仕事を試みたり、一村一品というようなことを試みたり、いろいろやり始めていて、どちらかというと、ボランタリーな形ですべての地域が活性化してほしいと思いますね。

これも経済主義に陥ってはいけない。活性化が経済ではかられること以上に、そこに住んでいる人たちの価値観に対して豊かさがどれだけあるかという尺度であって、細胞の一つの地域が活性化するのは、老人は老人、女性は女性、子供は子供なりに、ある生きがいを感ずるようなものでないと困る。これをつくるのにどうしたらいいかというのは、ひょっとすると、国土政策から外した方がいいのかもしれないけれども、現在の国土管理から見ると、そのことを指摘して、それを刺激しておくことは、国土政策の側からも責任がある。

三つ目は、人間と自然との関係であって、どうも二十世紀は自然を克服するということを考えて、安定した生活環境というようなことを進めたり、四季の変化なんていうことをなくしてしまうという方向で二十世紀の近代化が始まったというのがどうも問題があるのではないか。科学技術文明の限界ということを考えた時に、人間の人工系と自然系との再調和の姿を考えなければ、国土管理の方向が出ないだろうというのがテーマになる。しかもモデルとしては、江戸には水系主義があったのに、明治はどちらかというと交通主義になった。交通主義というのは、道路でも鉄道でも、日本の地形では海岸線に並行することが原則であって、水系と直角に交わる。そのことは、土地利用の混乱要因でもあるわけで、もう一回水系に戻って、森の管理から都市の管理まで考え直してみようという根本的な提案を国土政策としてはやりたいと思っているわけです。そういう発想から言うと、二十世紀の巨大都市主義を否定することにさえなっていくのではないか。巨大都市は、生態系がどうしても受けて立てない要素がぬぐい切れないという気があって、生態系と人工系が共存できるものはどんなものかを探っていきたいということを言い出しているのが三番目です。

原則的にはそういう三つの観点が、私には一番関心が大きい。

特に、意図をつくる時と結果をトレースする時と二つに分かれているのですけれども、結果をトレースする時にも、この三つの観点からのチェックは非常に重要ではないかと思うのです。意図の時は、その時代の特殊なテーマが出てきてしまうものですから、三つを十分に論争する点がちょっと不十分になる。結果を点検する時にも、そのことを十分に生かして、どうであったかという議論ができるかという点がなければいけません。

国土政策は時代を反映

国土政策の一つの特色は、その日のことを超えて未来を語っているわけです。人間の行動の中で、その日その日の積み上げが未来をつくるわけです。そうすると、未来に向けて意図を持とうとするとどういう問題があるかというと、決まってもいないことをいかにもやりそうに言うことへの非難が多くなるし、地元の了解も得ていなければ、アセスメントもしないのに、提案をまずしてみないことには論争にならないということがあるわけです。

政府は概要調査をして、さんざん議論をして、やると決まってから発表するというやり方をとるのです。そうすると、逆に、住民不在で強引に決定して押し付けたとなる。そのために、われわれとすると、未確定な未来に対して公開型の行政をしたいというのが、国土政策の上でどうしても必要になるのです。だから、新全総の時に一番骨を折ったのは、大蔵省から見ると、予算がついたものは具体的事例を挙げてもいいけれども、予算を決めていないものまで事例を挙げたのでは、予算国会に対してだめだという事務方の意見が出てくるわけです。それで、読んだ人には、すでに決まっているものだけが書いてあって、未来のことはただ、抽象的なものにとどまるのです。したがって、私は、国土政策の意図としてやりたいことを羅列させてくれということを大蔵省に折衝したのです。そのために予算がOKで、アセスメントがOKで、住民参加がOKになったらやるという前提に、国土政策上やりたいということで計画を閣議決定したのです。これは異例の閣議決定です。

その後、それは遵守されていませんけれども、私は非常に長期の夢を描く国土政策としては、行政的にはそういう手法をどうしても必要としているのではないか、ということで、今日プランナーとして考えた意図を十分いえる土俵が計画に欲しい。しかし、それは強行するというテーマではなく、コンセンサスを得るための事前の公開であるというふうに考えたいといまでも思っているのです。だから、思い切って言ってみようではないか。もう当然、反対があって当たり前ということです。しかし、実施するまで、強行手段を講ずるまで人々に知らせないということの方が問題だと言っているんですけれども、なかなか理解していただけない。それでかえって、アセスメントをしなくなったりする。

——そういう下河辺さんの考えは、必ずしも、三全総、四全総、あるいは現在の国土庁のプランナーたちに引き継がれてはいないようであると理解してよろしいですか。

それが、このような本をまとめることになった最大の理由なんです。ある程度後輩に語っておかないと無責任なのかもしれないと思ったわけです。それで結果から見ると、成功や失敗はたくさんありますけれども、掲げたテーマは、その時々に意味があったという、ある種のプライドみたいなものを持っていて、これがなくなったら、続けてやっていく元気がなくなってしまうでしょうね。
しかし、たまたま一全総から四全総まで、その時代を反映していたということは言えるかもしれない。ほかにもオールタナティブな提案があったでしょうけれども。

3 戦中と戦後の国土計画の関連

――話題はかわりますが、戦前、国土政策というのは内務省の国土局が担当していた。この内務省の国土計画論はナチスドイツの流れをくむ学者たちが相当指導した色彩があって、ドイツの地方計画をそのまま導入したように受け取られています。つまり、かなりの強制力を持っていたわけです。恐らく、戦時下の防空体制といいますか、戦時体制の確立ということと無縁ではないと思いますが、しかし、それにもかかわらず、戦時中においては国土計画法というものはできなかった。

戦後は敗戦という現実の下で、復員者を迎えて、日本人がどうやって食べていけるのかという、そういう視点からの工業、農業のあり方を主に国内開発を考えていかなければならなくなった。その後、ＧＨＱとか、片山、芦田内閣をバックにしたＴＶＡ型の開発計画論の導入などが行われて、一九五〇年の国土総合開発法の制定にいくわけですけれども、敗戦を境にしたわが国の国土政策、戦時中、それから敗戦直後の間の関連、相違点、そういったものについて語っていただければと思います。

戦時下の国土政策

時代区分はいろいろな考え方があるけれども、私は一九三八年の国家総動員法の制定以後というのが、戦時下という意味で考えてみることが多いんです。その基本は戦略物資の調達というのがテーマです。これは食糧から始まって、燃料、鉄・非鉄金属など戦略物資をどう調達するか。国内生産をどこでどれだけ、そして海外からどういう輸入をして、どの港から陸揚げするかということまで含めて、国土政策の中心的課題になるのです。つまり、物動的な要素が、国土の上でどうこなされるかというのがテーマになった時期になります。

これも考えてみると、太平洋地域が使えた時代から、太平洋が使えなくなってロシアなり、日本海から戦略物資が交流してくるというふうに、時代によって展開していくわけです。そのたびに、国土政策の方向がかわる。末期になると、日本海の港を急いでつくるということをやった時期があって、ドイツからシベリア鉄道経由で物資を入れる港をつくることが急がれたこともあったのです。もっと末期になると、例えば、笑い話みたいなものですけれども、戦闘機が足りないというので、木製飛行機を飛行場に並べるなんていう話さえ出てきて、その時に、ブナ材の搬出を急ぐんです。そうすると、日本列島のどのブナ材をどういうふうに切り出してくるかということも、国土政策の中のテーマになってきたりして、しかも、石炭を北海道から船で運んでいたものを、戦略上、鉄道に切りかえる。これも後にいろいろな影響を残すということもあるわけです。ですから、一九三八年頃、国土政策論というのは戦略物資的なテーマと決めつけてもおかしくはないと思うのです。

その時に、プランナーたちは、内務省なり企画院に入ってやっていたわけですが、一部の人は朝鮮、台湾、中国での仕事に参加して、国外へ出て行ったのです。日本では、あまり大きな国土政策のテーマがないし、都市建設のテーマがなくて、むしろ、朝鮮や台湾、満州で、自分の夢をやりたいという先輩たちもいたわけです。それでだんだんと、戦争末期になると、今度は疎開の仕事とか、都市の中の建物を破壊するようなことをやったり、防火建物にするとか、はては防空壕をつくるなんていうことまで国土計画屋がやらなければいけない時代がくるわけです。

一九三八年から敗戦の四五年までの間のそういう現実的な動きの中で、国土計画の専門家たちは、「戦争だから仕方がない。戦争が終わったら」ということでの基礎的勉強会を開くのです。有名になったのは、一方では英国型の田園都市論を勉強する、他方では、ドイツ型の非常に立体的な国土計画論を勉強するのですけれども、これは現実に結びつくよりは、陰の勉強と言ってもいいかもしれない。

それは戦時中の専門家たちの苦境を意味しているのかもしれません。戦争末期に私は大学の建築の学生でしたが、アメリカは日本の都市をどんどん焼くんです。私の家が焼かれたこともあって、アメリカはひどい国だと思った。もう敗けるのがはっきりしているのを、軍事施設でない都市をめったやたらと毎日のように焼いていって、しかも、抵抗もないのに計画的に焼いていくのです。これに若い私は憤りを持って見ていて、東京が焼夷弾で焼けるのを、図面の上に落とす作業をやっていたわけです。今晩どこが焼けるとかという予測を伴いながら、焼けた現場を歩いて地図をつくって、警視庁の一室に届けていくというような仕事をしたのは、私の学生の時の強烈な思い出なんです。そういうことで戦争が終わる。

それで戦後が始まるわけです。戦後は、最初はテーマとしては戦災復興一色なんです。ところが、全国の地方都市を全部焼き払っているので、全国の都市に応急的に早急に雨露をしのぐ程度の住宅をつくって、そして鉄道を回復してというようなことを考えたわけです。そうすると、地方がそれぞれの特色をもってなんていう悠長さは全くないわけです。もう絶望の中で、何とか最低の生活をと思うわけですから、古い内務省と、新しい戦災復興院の職員が、毎日徹夜のようにして、地方都市の図面を書いて応急措置を講じていくんです。だから、駅前広場の設計を見ても、住宅の設計を見ても、全く安上がりでひどいものを、全国画一的な設計でつくっていって、それでも使命感を持って、どれほど早く全国の都市を救済するかという思いでいっぱいだったんです。

敗戦と戦災復興

しかし、いまになってみると、それが美しい日本の地方都市を失う契機であったというのは、何か癪にさわる出来事ですね。そういうのが戦後なわけです。その頃、国土計画屋の若いのが集まっては、「二十年後の日本論」というのを繰り返しやったものです。そして、このまま敗戦国としてわが国が滅びるということを是としきれない、やっぱり素晴らしい日本をつくるためにここで、というので、若者が集まっては二十年後を語ったものです。東大でも、本郷を中心とした学園をつくろうなんていうので、南原繁総長が指揮して図面を書いたりしたものです。

それまでは火災と、土地だけ心配していたわけです。私は、東京の図面の端っこの方を一生懸命書いていますが、おもしろかったですね。とくに、木造住宅が焼夷弾で焼けたという経験が体に染みついているものですから、焼けない都市が最大のテーマです。だから、都市をつくるのには、もし土地がただだったらということさえ夢見たわけです。ところが、町は焼けただれたのに、土地の利権だけは残っていることが、都市計画上、苦痛の種なんです。この地主たちが利権を強調し始めたら、われわれの絵はポンチ絵だということを議論していましたが、全くそのとおりになりました。

しかし、いま考えると、その時の夢というのは全く小さなものだった。その当時、いまのような日本ができるなんて想像もできなかったわけです。でも、そうやって動いているうちに、朝鮮動乱が始まるわけです。朝鮮動乱頃から状態が変わってきて、特需景気というようなことから始まって、産業の動きが始まるんです。そうすると、産業の景気に対応する仕事が、国土政策の上にも少し出てくるという状態がきて、戦争により直接自分たちの上に火の粉がくるという発想よりは、朝鮮戦争の特需によって日本の産業が動くということへの関心が、毎日の仕事には大きかったといえるかもしれません。そういうことでずうっと動いていて、一九五四年頃になると、さらに議論が違ってくるのです。経済復興期を超えて経済成長を図るためにボトルネックになっている交通通信施設を整備することが緊急の課題となっていきました。

——改めて伺いたいのは、ドイツの立体的な地方計画、それからイギリスの田園都市を勉強したグループがあった。結局、ドイツの立体的地方計画を勉強していた方々の力のほうが強かったのはなぜか。もう一つは、明治、大正、昭和初めまでのインフラ整備というのは、恐らく、総合的に行われないできたわけです。つまり、個別開発計画で進んできたわけで、相互関連なんて全く省みられなかったわけです。それが戦時期において、特に「満州国」における国土計画などをきっかけに、内地でも全国的な視野が生まれて、そういうスタンスからの国土のグランドデザインを志向するような気配が出てきたと思うのですけれども。それは戦後の国土計画とやっぱり関連することになるのか、そのへんを話していただきたいと思います。

私が思っているのは、内務省の国土政策には、国土計画論者がいなかったということです。特権官僚達が権力の下で特定目的の政策立案して、それを実施する力を持っていたわけです。だからプランナーといいますか、国土計画の専門家は、むしろ、サブの状態に置かれていたと思うのです。

内務省から安本へ

ドイツ型の国土計画を勉強した人たちというのは、内務省の中でも国土政策のメインではなかったのではないでしょうか。そして、彼らは戦争に協力するということを少し避けながら、基本的な勉強をしていたということも言えるかもしれない。戦後になっても、その一派というのは、戦災復興院から建設院に移ってきたんですけれども、主流派でないのですね。独特の一派を成していて、日が当たってないのです。その一派には海外に行っている人も多くて、少しずつ引き揚げてきたというのがあるのです。ただ、一九五〇年の国土総合開発法ができる時に引き揚げ者も含めて、内務省の専門家たちに日が当たることになったと言ってもいいのではないかと思うのです。

それは内務省解体論とつながっているテーマなんです。だから、内務省で国土政策をメインにやっていた連中は、むしろ、戦犯になって、逆に国土計画を勉強していたグループが表に立ちはじめるんですが、私が、戦災復興院とか建設院に関係した頃は、まだ国土計画屋というのは裏側の存在でした。国土総合開発法をつくる時にどういう法律をつくるかというので、都留重人さんなんかがいたりして、経済安定本部（以下、安本）の人たちが話をするということになって動いていったわけです。だから、国土総合開発法というのは、内務省解体の片棒を担ぎながら出てきたという特色があると思います。その辺の理解についてはいろいろな考え方があるかもしれません。そのために、建設院に国土総合開発法を持っていかないで、安本へ持っていくということをあえてしているわけです。安本には、海外から引き揚げて来た優秀な人たちがいっぱい入って来て、その人たちが国土総合開発法を動かしていく時代がきたというふうにつながるわけで、内務省と経済安定本部と二股かけた国土政策論というのが、終戦後の一つのテーマだと思います。

——内務省は、地方局を中心にして大正から昭和の初めまでは田園都市だったのですね。

そうです。田園都市の頃はまだ内務省として本格的なんです。だけど、もう一九三八年あたりから、そのことは捨てるんですね。

——その後段についてはいかがですか。戦後の国土計画の原点みたいなもの、あるいは起源みたいなものが敗戦直前の国土計画などに求められるのではないかという気がしないでもありませんが。

物動計画という形に置きかえると、戦前からのつながりは非常に強いという気がします。戦争中の国土計画の基本は、作業ベースから見ると、物動計画です。どこで何を何トン生産して、どこへ何トン輸送するということを考えるのが国土計画でしたから。それは戦後の安本に受け継がれて、安本が物動計画の中心になるわけです。だから、国土政策をそっちの側で見ると、確かにそういうつながりとして意識できるでしょうね。

――幾つかお聞きしたいのですが、下河辺さんがよく言われる「意図と結果」という問題と、それから「予算と法律」という問題です。お話を伺っていてポイントだなと思ったのは、国土政策の問題というのは、予算と法律の網がかぶせられたとたんに非常にちまちましたものになってしまうわけです。それをどうやって打開していくか。その時に、実は戦時下の国土計画というのは、もちろん物動という側面が非常に強いのですが、物動をやりながら、疎開も考え、防空体制も考え、いろいろ考えて全国の都市を、今日で言うとネットワーキングさせるような、そういう動きに最終的にいったのではないか。もちろん、やっている人たちは皆、一生懸命、防空のために、疎開のために、現実の問題を解決するためにやっているのだけれども、そうやって駒を動かしている時に、戦後、つまり戦争が終わった後も、防空や何かということを考えなくてよくなった時にも、いわば都市同士のネットワークを考えることができるような基本的な作業ベースみたいなものが、その時にできたのではないかなという気がちょっとしましたが、その辺はいかがでしょうか。

新憲法のもとで

簡単に省略していまのことをお話すると、旧憲法下の旧道路法は、国道体系をどうやって議論したかという時に、交通論ではなく、政治体系論なんです。だから、東京とお伊勢さんをつなぐとか、軍事都市とをつなぐとか、鎮守府とつなぐという、国家というもののネットワークを意識してできているんです。それを、車が通れるように整備するということは予算の問題、工事ベースのことであって、道路体系というのは国家の体系として議論しているから、一級国道をどこにするかという議論は非常に特殊な議論をしていたと思います。

ところが、旧憲法から新憲法のもとで、新道路法をつくると、今度は産業配置型の道路網議論になって、生活の道路になるということをあまり思っていない時代がくるわけです。そのために物動計画にあわせた産業上の必要性を、道路体系の一級国道論にしようということに変わったので、意図で言うと、根本的に違うのです。それが最近になると、産業的な観点を超えた道路行政が必要になったために、また変わるわけで、国土政策の意図という点では、旧憲法の時、新憲法の時、現代と、やっぱり根本的に違うものがあるのではないでしょうか。

笑い話ですが、一級国道を新しい道路法の上で考えようという時に、簡単にいえば、交通量主義になるわけです。ところが、旧道路法の時は権威主義ですから、一致しないわけです。そうすると、学者や財界人は、交通量主義を徹底的に説くわけです。ところが、農村基盤の自民党にすると、交通量主義では都会だけで、田舎の道路を整備しないことになりますから、怒るわけです。旧道路法上の一級国道でやって欲しいわけです。この二つが国会で論争になった時に、われわれ事務方は何をやったかといったら、自動車交通量の予測を二倍に水増ししまして、田舎の道路もいっぱいになるという作業をして、大蔵省が騙されてくれたという形で、交通量主義として一級国道論をやった歴史があって、しかも、さらに笑いものなのは、二倍にしたものの現実は、またその二倍になったわけですね。だから、メーキングしたつもりが、現実の結果はそのまた二倍でしたから、何とも評価のしようがないのが一級国道の思い出話です。

——そうしますと、明治以来の国土政策はまず権威主義を背景に実施され、明治四十年代の後半からは経済合理主義が入ってきた。そして、この二つのものの見方が対立する中で、内務省型の権威主義的国土政策があらわれるという過程をたどったというわけですね。そのあとは経済合理主義が支配するわけですから、経済価値抜きの未来論が出てこない状態と見てよいでしょうか。

いま言われたように、内務省型の国土政策論というのが権威主義であると決めつけても、あまり間違いではないと思うのです。もちろん、必要性ということを考えていないではないのですが、権威主義的な要素が大きいわけです。ところが、戦後の公共事業は、社会資本という言葉が新しく出てくるんです。そうすると、資本扱いになる。資本扱いということは、費用と便益とのバランスを議論するということに追い込まれていったわけです。だから、田んぼ一つつくるのでも、道路一つつくるのでも、費用便益比率をテーマに、その必要性を論ずるという時代がきたわけです。これを正直にやっていたとは言いませんけれども、かなりそのことをやった時期で、思想的にも、公共事業が資本扱いになったというのが戦後の特色なんです。だけど、いまここで、それではだめだということが言われるようになったために、公共事業計画論というものが新しい議論を必要としているといっていいと思います。

私なんかは古い人間だからかもしれませんが、公共事業というのは資本扱いしてはいけないのだというふうに思うけれども、これは大論争点でしょうね。

経済原則で公共事業を考えるということを私は否定していますが、ある投資原理からいえば、合理性をもっていて、よかった面もあるのです。しかも、投資効率を重点化するということは、一方で必ず弱者救済を必要とするのです。だから、弱者救済策が政府の仕事に非常に多い。日本ぐらい弱者救済が成功した開発というのは世界でもあまり例がないのではないかと思ったりもしているのです。それがシビルミニマムという言葉になったり、あるいは弱者救済となったり、格差是正となったりしている。ところが、投資効率を上げる裏側では、弱者救済策を講じなければ完結していかないという認識はあったわけです。だから、国土政策がそっち側をかなり重く見た時期が最初、特に第一次全総計画なんかは大きいですね。この伝統はいまでも残っていて、ミニマムということに対する国民の注文は非常に大きい。ところが、豊かさというのはミニマム概念からは出てこない。そのあたりは、またこれからの新しいテーマになるのではないでしょうか。

4　わが国の国土計画の特徴

——改めて、わが国の国土計画の特徴を見てみますと、一つ言えるのは、こうした全国的な国土計画というのは、恐らく、わが国を含めて東アジアの国では一般化していますが、欧米ではないのではないか。先ほど下河辺さんは「世界にも稀な」という言葉を使われたけれども、世界にも稀な行政計画ではないかと思います。その辺も含めまして、わが国の国土計画の特徴といったものをかいつまんでお話いただきたいと思います。

海外で議論する時に、「ローマは一日にして成らず」と言われていますが、ローマがつくられていく歴史を見ていると、国土政策家が非常に優れていたのではないかと思うのです。ローマの七つの丘に都市をつくってみせたり、「すべての道はローマに通ずる」なんていうことをやっていて、アピア街道なんかすごいんですね。ですから、人間というのは地球上に住む限りにおいては国土政策と無縁ということはあり得ないのだろうとも思うのです。

それからヨーロッパの都市を見て、素晴らしい都市だと言う人が多いですが、われわれが専門的に見ると、その背後にどれだけの植民地政策や、ひどい搾取があったことを思うと、国土計画家としては不思議な見方にさえなる。それも、ある意味ではその時の権力者の国土政策論なんでしょうね。

イギリスが第二次大戦末期から後にかけて、バーロー報告（王室産業人口分散委員会報告）ということで、失業多発に対して人口分布とか、産業分布を政府が徹底的にやろうとした時期があるんです。それはある意味では国土政策の原点でもあると思うのです。フランスも、戦後、領土計画といっていましたけれども、フランス領土内の国土政策論をやった時期があるのです。これは、やったけれども、閣議あるいは議会で正式に決めるには、意見が多様でできなかったようですが。

私がいま興味をもっているのは、朝鮮半島と中国、台湾など漢字文化圏は、「国土」という言葉が共有できますから、国土政策ということで思いが一致するんです。ところが、ヨーロッパには「国土」という言葉自体がない。領土とか土地とか大地という言葉はあるけれども、国土という概念の言葉はそう簡単にはないこともあって、国土政策とか、国土計画というと、漢字文化圏かなあという気もしているわけです。けれども、国土政策論というのは、もう地球上、人間が住む限り共通ではないかという感じがあります。

もう一つ言えることは、新憲法ができた時に、内務省型の官僚の権限を制限したわけです。つまり、ある民主的な手続きを経た計画に沿って官僚の権限があるのであって、計画なき官僚の権限は認めないというのが新憲法なんです。だから、新憲法のもとで行政計画が乱立する状態になったわけです。国土計画も、国土政策を実施するにあたっては、閣議決定しなければいけませんとなったから、無理やりにでも閣議決定するのは、世界ではあまりない話かもしれません。一言で言えば、日本の行政法は、計画行政といっていい。これは人間がつくる計画というものは頼りないものだという議論をし出すと、計画行政それ自体を問うことにもなる。だから、エコノミストに言わせれば、計画よりは市場の方がいいなんていう人までいるわけで、行政だけが計画ができる可能性をもっているんですかという根本論はあるでしょうけれども、戦後のわれわれの仕事は、計画行政のもとで国土政策を論じた。国土政策の方は失われることがないけれども、計画行政の方はこれからもうちょっと、何か進歩がないとだめなんじゃないでしょうか。

——最近、計画という言葉、概念についてのアレルギーが、特に経済学者の間では大きくなっていますね。市場優先という考え方が一般的になってきたようです。

特に問題なのは、国土計画の観点の二番目の地域という点では、地域ごとの多様性とか特殊性を認める方向で議論しています。だけど、国土政策の国土構造のところは、多様に選ぶということにならないですね。一国の構造を論じなければならないのです。その時に、価値観が一つになる可能性はゼロなんです。そうすると、どの価値観に基づいて決めるかというようなことについてはどうやっていいのか。多数ならいいのか、少数意見にこそいい意見があるのかはよくわからない。それから計画行政の手続き上の問題が大きいように思うのです。その時に、総理のリーダーシップなんていう話ではカタがつかないと思っていて、どうやればいいのかなというのは後輩たちに頼みたい大きな宿題ですね。

——どういうふうにしてコンセンサスをまとめて、それを実現するかというのは非常に大きな問題ですね。

そうですね。そして多数意見がいいとは全然感じないと思うんです。むしろ、先見性のある少数意見の中に未来を語るものがあるなと思うと、行政は本当にどうしていいか。

——これまでのわが国の国土計画は、概して多数意見のもとに、時の政治権力のリーダーシップのもとに策定されてきたというふうに特徴を見てよろしいですか。

そうだと思いますね。

——そうなってくると、では、少数意見の中に先見性がある。その先見性というのを誰が判断するのか。しかも、その先見性を判断したとしたら、先見性なるものを実現していくためには相当大きな権力を必要とするという逆説になるのですね。そうすると、内務省時代に権威と権力で伊勢神宮と道路を結ぶという話がありましたが、それがいいかどうかは別にして、少なくとも、そこには一つの国が描こうとした絵があって、それは国民とは全然関係ないところで決められているわけですが、今度先見性ということで決めていく時には、また逆に権威と権力と、それからいまあるデモクラシーとの、いわば、政治と行政のしきりのところをどう考えるかという非常に大きなテーマになると思いますね。

なりますね。その時にいままで歴史的には神のお告げというような言い方とか、提案した人物のディグニティとか、オーソリティとかというのを信ずるとか、あるいは宗教的な信仰から出るとかと、いろいろなパターンがあるのです。現代社会で見ていると、マスコミ型の情報量が決定的な時代でもあるのです。だから、少数の識者の意見を、マスコミが興味を持つか持たないか、というあたりは意外と勝負なんです。

多数というものが、結果的には必要ですが、多数派工作をするためのメディアが必要ということで、少数意見が立派だと自分が信じたら、それを多数派に持っていくべき方法論を自らやらなければいけない。それはマスメディアかもしれない。議会というのは決定する時は必要でしょうけれども、少数意見が生きていく方法論が今日的に何か必要なのではないかという気がして、それはまだ未開の地です。そのシステムがないと、人間は賢くならないのではないですか。

――マスコミによって、少数も多数になるというのは確かに本当だと思います。多数派というのは実は多数派ではなくて、無関心なひとまで全部入って、何となくそうだと言っているわけですから、少数派の意見というのはこれだぞという感じで出始めると、急遽そっちへ回るということがあるものです。

国会でも、「世論」「国民の総意」という無責任な言葉がいっぱい出てくるんです。世論って何ものなんかは誰もよくわからないけれども、簡単なアンケート調査に頼って「世論が示している通り」なんて、皆、言うでしょう。世論ならいいかという……、僕はちょっと不思議な感じがするんです。

日本のテレビを見ていると、情報の多様性というのがない。だから、情報の量が人間を支配しちゃうんです。政治献金問題でも皆、同じパターンで頭に入ってくるでしょう。それから外れたことを言うと、非常識みたいでね。怖い面もあります。

2

全総計画以前の国土計画

1　戦災復興計画とＴＶＡ型開発計画

――最初にお伺いしたいのは、戦災復興計画とＴＶＡ型開発計画についてです。全総計画というのは一九六二年にスタートした全国総合開発計画（一全総）が皮切りになって三十年、四次にわたる計画が展開されてきているわけです。ここでは、それ以前の国土計画について論じておきたいと思います。

先ほど敗戦直後の一九四六年に内務省が設定した復興国土計画要綱について触れましたが、その後、主として戦災復興を主題にさまざまな行政計画が策定されてきますね。その流れを要約しますと、内務省の仕事として戦災復興院へいき、それから建設院から建設省へという流れが一つあって、四七年に地方計画策定基本要綱がまとめられる。特定地域開発計画ですが、もう一つの流れに経済安定本部（以下、安本）があって、ＧＨＱのイニシャティブによるＴＶＡやアメリカをモデルにした戦後復興のための全国レベルの経済計画があったというふうに私たちは理解しているわけです。

そこで、安本の人たちはそういう経済計画の中に国土計画を位置づけようとしたと思います。恐らく、そこにアメリカンデモクラシーの理念をも拠りどころにしたグランドデザイン的な要素と、ＴＶＡという河川総合開発とを結びつけるという構想があったと思います。つまり、内務省、建設省が考えた中央計画等とは、水と油の関係と言うくらい全く違う部分ではなかったかと思います。

全総計画以前の国土計画を見る場合、戦災復興院を中心にした戦災復興計画を立てて、応急対策を講じていくという一連の話はそれで一つあると思います。区画整理事業とか、応急簡易住宅ということで一生懸命やったわけで、そういう意味では、戦災復興計画は戦後の特殊な時期の特殊な仕事だというふうに考えた方がいいだろうと思っているのです。

それに対して少し長期的な日本を考える時に、各国の事例の中でニューディール政策を学ぼうとした時期があったり、あるいは経済学者のハンセンなんかが言っているような、財政による住宅投

▽——復興国土計画要綱　一九四六年九月一日に内務省が発表した戦後はじめての総合的な国土復興計画で、当時のインフレ進行のなかで、乏しい資源の有効利用方策を実施するとともに、施設・国土・人口等の配分を計画化しようとするもの。計画期間は五年、目標人口八千万人。重点におかれたのは、大都市からの工場移転、戦災都市・軍事都市・新興工業都市等の地方都市の育成等である。

▽——地方計画策定基本要綱　一九四七年三月二十四日内務省が発表したもので、復興国土計画要綱をふまえての府県の総合計画や二つ以上の府県間の振興の計画策定を指導するもの。具体的には、地方計画の目的、種類、内容、作成機構、確認、調整機構等が指示されている。

▽——特定地域開発計画　一九五二年の国土総合開発法改正をふまえて、翌五三年二月以降に総合的地域開発の計画が閣議決定された。経済安定本部等の立案者の意図としては、アメリカの恐慌対策のＴＶＡにならって、只見川と北上川の総合開発事業を行うものであったが、全国から五十一もの地域が名乗りをあげたこともあって、そのうちから当初は十九地域に絞られ、最終的には二十一地域がその対象となった。なお、この特定地域開発地域の指定にもれた地域は調査地域と位置づけられた。

資の経済への影響論とか、いろいろ言われて議論になった時期が最初あるんです。そのうちにGHQが国土総合開発法をつくろうと言い出したあたりから、国土総合開発論になっていくわけです。

その国土総合開発論というのは、どちらかというと、計画の手続き的な法律で、しかも、国から地方まで体系的にということを予定した制度といえると思います。しかし、実際問題としては、国も県も市町村も計画が立てられるような状況ではなかったので、国土総合開発法の出発点というのはあまり明るいものではなかったのです。非常に形式化したものという受け取られ方をしていたと思うのです。

そのこととは別に、ニューディール政策やTVAの問題を勉強しているグループが、河川総合開発計画を実施しようとしたんです。河川を中心にして、風水害対策と水田開発と、水力発電の開発とをもった総合計画として、TVAに学びながら、ニューディール政策をやり出したわけです。それを特別立法しようとした。これを一九五〇年に制定された国土総合開発法とは別にやりたいということで動き始めたわけです。それを政府は、結果としては国土総合開発法の改正によって補おうということにして、五二年に、国土総合開発法の改正をして、それで河川総合開発計画を、国土総合開発法の体系の中で実施することを決めたわけです。

その時に、河川だけではなくて、特定地域対象ということでこの五二年の改正をしたという経緯があるのです。そのために、体系的な国土計画を立てることをそっちのけにして、特定地域の方が国土総合開発法のメインの仕事になっていくわけで、五一年に特定地域をスタートさせるわけです。二十一地域を順次指定して、指定しきれない所は調査地域なんていうことまでやって、おもしろいと思うのは、瀬戸内海と東京湾を調査地域にしたのです。特定地域にできなかったわけです。これが後の東京湾と瀬戸内海の開発のための基礎資料になったということで、後へつながったということはありますけれども。そういうことで、河川総合開発を中心とする二十一の特定地域論ということが、国総法のメインのテーマになったわけです。

しかも、担当する省庁が非常に複雑になって、建設省河川局関係もあるけれども、通産の水力・工業用水もあるし、農林省の農業用水・農地開発もあるし、厚生省の水道用水の開発もあるしということで多省庁間の調整という形でつくることになります。それで調整費という予算がついて、各省庁間の事業の進捗状況を調整すべき予算を組んだという時代がやってきて、恐らく、五三年から六三年頃まで十年間ぐらい、その仕事が中心になっていたと思います。

その時に、総合開発の構想をつくろうということが出てきたのは、五〇年に法律ができたのに、計画がつくられていないのは怠慢であると、お叱りを受けるようになったわけで、国土総合開発法は特定地域だけではないよということがあって、安本型の物資動員計画というような形の総合開発の構想をつくるというふうになっていったのです。

▽──総合開発の構想　一九五四年に国土総合開発法の全国総合開発計画として、経済審議庁が作成した政府の基礎資料。この構想の基準年度は一九五二年度で、目標年度は一九六五年度である。この構想は、「増大する人口の雇用への吸収と生活水準の若干の向上を図るために必要な開発、利用、保全の規模を描いたもの」となっている。その内容は作業当時の悲観的経済情勢を反映して控え目なものになったが、計画方式はその後の経済計画や国土計画に引き継がれた。

この国土総合開発の構想は、政府のやるべきことはほとんどなくて、民間のやる生産部門なり、輸送部門を指導するような形でのマクロ計画であって、閣議決定しないまま終わったというのが、国土総合開発という仕事の出発点だったかもしれません。

2　国土開発をめぐる経済安定本部と建設省

——恐らく、安本は相当な自信を持っていたに違いないし、建設省は旧内務省の流れを汲んで、これまた自信を持っていたに違いない。両者の間に相当な緊張関係があったのではないかと思いますが。

そうですね。内務省の組織法が分解されて、厚生省なり、自治省なり、港湾局も運輸省にいってしまうという時に、国土計画に関することは、建設省に設置法上は移管したのです。ですから、本来だと、建設省が国土総合政策をやるべき役所であったわけです。それでは安本は何かといったら、国土総合開発法だけを特殊法として担当することになった、というのが立法経緯なんです。そういう意味では、総括する親元は内務省であり、それを受けた建設省であって、安本は国土総合開発法という特殊な法律を担当しているに過ぎないという見方が正論だったと思います。

私は建設省にいた時に、法制局から聞かれてそういう解説をしたら、極めて明快であるということで、その解釈論は終わっていたけれども、その後私が偶然にも経済企画庁へいくことになったものですから、法制局の担当者もかわってしまいまして、再び、それが議論になった時に、今度は私が全然違ったことを言いまして、国土総合開発法は国土政策のすべての基本であって、経企庁が担当するもので内務省から建設省に移管されたものは建設事業に限られているというようなことを言ったわけです。

そしたら、「そうかもしれない」という話になって、少し様子が変わったわけです。それで最後は、国土庁ができる時に、国土総合開発法だけではなくて、すべての国土政策は、国土庁所管と決めたわけですから、それで建設省の設置法を変えまして、建設省行政に係る国土計画に限るというふうに改正したのです。だから、とうとう一九七四年に国土庁ができた時に、内務省の伝統は建設省から全部切れた形に展開していった。

建設省と安本の関係があって、建設省にくると公共事業的ですが、安本へくると産業政策的という特色から始まって、河川総合開発計画という具体的なプロジェクトの調整機能として経企庁の開発局が動き出したという三つに分かれている思います。

——両者の緊張関係というのは、一九四九年頃、国土総合開発法の制定の動きが非常に活発になる、その頃がやはりピークだったのですか。

そうですね。ピークだったんですけれども、建設省の中で、国土政策一派というのは冷飯状態なんです。戦災復興、道路整備とか、河川の人々が中心の役所ですから、国土政策屋が冷飯状態なんだから、勝てる状況にはなかったと言っていいでしょうね。しかもGHQにすると、内務省を全部縮小していく方向でしか考えていませんから、安本でそれはやった方がいいだろうという感じ方が強かったです。

――国土総合開発法という法自体に、それぞれの役所なり、それぞれの人が託した夢と、またこうあってほしいという多様な願望というようなものがあって、立法についての措置なども、かなり官僚が自分たちに有利なように解釈する余地が多分に残っていたのだと思います。それは法律のできる時の経緯としておもしろいのですが、もう一つは、建設省ができた時に、建設省というのは大きな政治力を当初から持っていたわけではありませんが、あの役所がいわゆる技術系の人たちの地位を上げていったということですね。これは戦前の土木局からずうっとつながっている議論がありました。それで結果として、建設省は、技術屋さんの声がだんだん大きくなっていくわけですけれども、安本の方は決してそういうわけではなくて、技術屋さんよりは事務官の方が多いのです。そういう技官と事務官との違いによる国土規制を考えていく発想の違いがあったのではないかという気もしますが、その辺はいかがでしょうか。

内務省と安本とを比較した時に、事務官本位の内務省で土木の専門家というのは、公共事業の国営事業としての専門家でしかなかったのです。だから、内務省を解体されても、土木としての専門家は生きていく道があったわけです。事務官の方はどちらかというと、それまでの内務省の責任を背負っていくというような要素があるわけです。だから、戦後になって戦災復興院になり、建設院となり、建設省になるプロセスで、事務官と土木技官が対等の位置を占めてきたということは言われるとおりでしょうね。そのうちに、土木の技術屋さんたちが官僚として成長すると同時に、政治家の道を歩き出したりしてから、土木の人の力というのは、事実、行政、政治にわたって非常に大きなものになっていったことは確かです。土木の技官で次官になった人が政治家になって大きな影響を持っている。

ただそのことは、おもしろいことに河川行政を中心としているんです。さらに一九五四年頃から道路行政に日が当たり出すと、道路の技術屋さんたちも広がっていった。

私たち建築屋の場合には、そういう話にはならなかったわけです。建築屋の仕事の場所は、住宅と、官庁営繕ですけれども、そのうち官庁営繕については、それは政策論よりは営繕でしかないですから、メインではなかったわけです。その点住宅政策は大きくなっていったけれども、内務省の住宅政策は厚生省へ移管されていたわけです。だから、戦災復興院として初めて住宅局をつくったけれども、応急住宅を建設することでしかなかった。それが一九五〇～五一年に住宅金融公庫法、公営住宅法が制定され、一九五五年ですか、住宅公団ができて、2DKということがキーワードになってから建築屋の仕事ができたんですけれども、それは政策の中心であるよりは、やはり建設をしていく段取りとしての専門家ということにしかなりませんでした。

私のことを言うとちょっと変ですが、大学の建築を出て次官になったのは、明治以来、私一人なんで、非常に異常だとさえ言えると思います。土木の次官はいっぱいいますけれども。そういう意味で、建築と土木とはちょっと性格が違って、建築屋の場合にはもっと官離れしていて、土木の方は官そのものみたいな要素があったでしょうね。

――当時、安本では都留重人さんとか、大来佐武郎さんとかが国土計画にタッチされて、それなりの役割を果たされていましたが。

大来さんが国土計画に関連してきたのはちょっと後だったんです。都留さんも安本というよりも、GHQとの関係として関わっていましたから、ちょっと違うかもしれませんけど。

建設省では国土政策の課が一つしかなかった時代で、計画局の中で開発課が一つあって、そこへたまたま入った時に歓迎会で言われたことで非常に印象的なのは、「おまえは建築屋であって、しかも、オールラウンドプレーヤー的な仕事をしているから、われわれのような土木を中心とした国土政策の部局に来るということは仮の住まいだろう。だけど、国土政策は仮の住まいではできないので、こういう人事に期待できない」というようなことを先輩諸公から言われたことです。私はその頃、国土政策を本気でやろうという感じよりは、むしろ、都市のことに興味がありましたから、「そうなんですが」と言っていたんです。それがいつの間にか、私が国土政策をやるようになったので、今ではその時が運命の分かれ道だったと思ったりしています。

つまり、このことは、国土政策をやる建設省のグループは、省内で一部分でしかなかったということを示しているのです。その中で、われわれの親分格になっていたのは落合林吉さんといって、群馬県の土木部長から副知事にもなった人です。彼は土木屋で、国土建設のわれわれの事実上の指導者で、彼がもっとも力を発揮したのは埋め立てです。河川の浚渫から始まって、東京湾なり何なりの海の浚渫にいったという、浚渫土木技術の進歩とともに国土計画を論じていったというパターンを教わったわけです。この土木技術が日本の高度成長のコンビナートをつくる時の原点なんです。

特定地域の調査地域で東京湾と瀬戸内海を調査しているということと、落合さんたちの浚渫技術の進歩に伴う対応策とがドッキングして、高度成長時代を開いた臨海工業地帯につながったということにはなりました。彼らは省として見ると、冷飯食っているんだけど、結構個人的なプライドを皆持って生きていたんじゃないですかね。

3　国土総合開発法制定の意味

――さて、先ほども触れましたが、一九五〇年に国土総合開発法が制定され、五二年に一部改正されます。ここでは全国計画があって、地方計画、都道府県計画があって特定地域計画があるという実体的な構造が一つの法律で明示されるといっていいと思いますが、しかし、この法律ではなお全国計画と地方の計画の関係が明確化されたとは言い難い。むしろ、特定地域計画の指定ということのみ走り出した。しかしながら、これはやっぱり安本と建設省の対立から生じた妥協であって、その結果が、この法律だというふうに解していいのでしょうか。それと、そのことが、わが国の国土政策上果たそうとした意義をどう理解すればよいのでしょうか。

国土総合開発法の全国計画と都道府県計画を考えた時に、事務的に言うと、全国計画は経済企画

▽――落合林吉　一九〇〇年（明治三十三年）栃木県に生まれ、一九八三年没。一九四八年七月から建設省特別建設局監督第三課長、五六年四月から群馬県土木部長、六二年五月から群馬県企業管理者。京浜運河建設事業を臨海工業地帯造成事業の一環として施工したこと、利根川の総合開発の推進、特定地域開発や都道府県総合開発計画等への寄与等の業績がある。

庁の開発局で扱う。しかし、都道府県計画の指導は建設省で扱うというふうに分けたわけです。そのために、建設省の方は都道府県計画への指導要綱を再三出すわけです。ところが、都道府県が県への計画要綱にそって計画をつくるんですけれども、建設省はそれを受け取ってから何をしていいかよくわからないわけです。そうすると、一つの考え方は、経企庁が全国計画をつくらないから調整をする尺度がないという意見があって、経企庁が全国計画をつくらないことが責任として問われた時期があるわけです。だけど、一方では全国的な計画は都道府県計画をベースにしてつくるべきだという考えが当然あるわけですから、鶏と卵みたいな話を建設省と経企庁の間でキャッチボールしていたわけです。

経企庁としては、「総合開発の構想」を練った時などに、閣議決定の限界を感じているんです。それはどういう限界かというと、物動計画の範囲を超えないと、公共事業との関係がダイレクトに出てこないのです。しかも、公共事業のことに触れると、関係省庁が怒って触れさせない。ですから、経企庁の開発局が全国計画をつくることとの限界を感じているというのが長く続いている。そういう関係で推移していくのです。

所得倍増計画ができた時に、その計画を達成するためにというところで、やっと全国計画の足がかりができるのであって、それまではそういうことができなかったんです。それまで建設省は都道府県計画を毎年集めて集大成する作業を繰り返していたわけです。足し合わせて全国を超えるというのは変だなんていう幼稚な話をしていたわけです。四十六都道府県の人口を足すと一億五千万人を超えちゃうなんていう……。そして人によっては、それは当たり前ではないか、自分の県はこうしたいというのが出てきたのだから、足して日本の人口に合わなくて当たり前なんていう人がいたり。それでは行政基準にならないから、一億二千万人ぐらいまで査定しようじゃないかという作業をしたこともあるわけです。

都道府県計画が、もしコンセンサスが得られれば、地方交付税だろうが、公共事業だろうが、すべてのものの配分の基準にしたいと思ったことは事実です。ところが、何回やっても、トータルが全国にあわないというあたりでもめる。

——そうすると、都道府県計画を全部足したところで、全国をどうするかという、ワンランキングが上がったところのイメージというのは出てこないわけですね。

そうなんです。皆が陳情的な要素と、都道府県が自分でやることと、市町村に期待することとを混ぜた県計画を出してきますから、足し合わせるといっても、そう単純なことではない。だから、足し合わせるものは人口と工業の出荷額ぐらいしかなくてそれらを合算するのですが、人口と工業出荷額の単純なトータルでは信用されないとかということを繰り返しています。

——それを毎年やられたわけですね。

毎年やりました。

——それはもっぱら都道府県の能力によるわけですか。それとも建設省の指導が曖昧だったからですか。

どちらもそうでしょうけれども、いまでもそれをやれと言われても乗り越えられないし、乗り越えない方が正解なんでしょうね。わが町、わが県はこうしたいということを、その地域を代表するものが言うことを査定するなんていう感じはないだろうと思います。

私が実際に三全総をやった時は、各都道府県の定住性のための人口計画を県とやり合ったわけです。そして、人口配分をある程度誤差の範囲ぐらいまで揺さぶろうとして、各県と何回も会議を開いたわけです。相当近づいたのですが、最後に残ったのは、若者が足りなくて老人が余るということをこなし切れない。各県に老人をもうちょっと背負えとか、若者が多過ぎるよといって揺さぶりをかけるんですけれども、高齢化は嫌だとか、若者がいなくては経済が発展しないということで、揺さぶりに限界を感じましたね。

――一般的に計画の策定過程というのは、下からの、地方からの計画を積み上げていって、それで全国計画を策定するという方法が一つ。もう一つは、全国計画でバッと網をかぶせる。そしてその中で地方、あるいは都道府県、市町村といった計画を策定するというやり方があると思います。下河辺さんの考えは後者の方ですね。

行政的にはブロック計画が出てきたわけですが、ブロック計画というのは国土総合開発法の体系ではないのです。別個の方法をつくったわけで、その時は、実は財政の特別法としてつくったわけです。財政赤字ということに対して重要な建設を特例にしようということから始まって、そのためには、全体の計画がなければオーソライズできないということで、ブロック計画が始まったわけです。これは国土総合開発法の地域計画とちょっとイメージが違うんです。

そのために特別の課や室ができて、地元の県の計画を積み上げげて、全国計画を見ながら、全国の方もブロック別に割っておいて、調整を図りながら、不十分な状態のままブロック計画を閣議決定してきたということになりますから、計画の中身を見ると調整が取れていないけれども、考え方としては、ブロックのところで上と下とをドッキングさせようというふうに法律は考えていたと言っても悪くはないかもしれません。

しかし、現在だと、国土計画の視点と地方の視点というのは、全く一致しないことの方が当たり前かもしれないわけですから、全国と地域の調整というのは一体どういうことかということは、また別の哲学を必要としているのでしょうね。そうしないと、地域の多様性とか、特性を認めるというシステムになりません。

——全国計画ができる間に、都道府県計画自身も、それだけ長い時間かけてやりますね。それはどんな役割を果たすわけですか。各県から国に対して上がってくる陳情のまとめみたいな意味合いとして政府サイドは取り扱ったのかどうか。

出発点では、都道府県計画は四十七揃わなかった時代がだいぶ続くんです。だから、つくるということは知事の一つの考え方があって、わが県はつくろうというようなことをやっているうちに、建設省が毎回ヒアリングするとなると、つくらない県がだんだんなくなっていった。それではできた計画が直接的に行政に影響したかというと、本当はあんまりそんな影響はなかったのではないか、むしろ、各県の縦割り部をつなぐために必要と考えている知事が多かったのではないでしょうか。それでたまたま陳情の時にそれを持っていけば、全体との関係もわかるというふうな利用の仕方を知事はしていたのではないでしょうか。

——ボーリングアップになっている点もあるんですね。

ところが、それを繰り返してやればやるほど、県計画のキーワードが四十七都道府県とも共通になっちゃうんです。いまでも、本当に幾つかの言葉の中に全部入ってしまうのではないですか。豊かさとか、地球に優しいとか何とかになるでしょう。

――一九五〇年に国土総合開発法ができてから一全総が策定されるまでに十二年かかっています。なぜ十二年もかかったのでしょうか。

十二年間もかかったのは、作業が困難だったということを一番言いたい。なぜ作業が困難かというと、十年後、二十年後を言うことの難しさがあって、五〇年以降の動きが激しいんです。朝鮮動乱が起こるなんて読めるわけではないし、この戦争がどう終わるかもわからない。突然、朝鮮特需が出ると、この調子で十年延びるといっていいかとか、とにかく読みづらい時代なんです。だから、物動計画が自信を持って作業できる状態でなかった。そこへもってきて統計が不備でした。いまのように統計が豊かでないし、コンピュータがあるわけではないし、作業は難渋を極めているんです。私がその頃の作業で得意であったのは、手回しの計算機で四十七都道府県の最小二乗法をたちどころに答えを出せた。やることは最小二乗法ぐらいしかない時代でしょう。だから、それを見て、政策化するということは、自信がそんなにはなかった、ということは言えるでしょうね。

石炭の増産一つがどうなるかわからない状態でしょう。にもかかわらず、放置できないために、時々政治的に無責任だという指摘を受けるわけです。そうすると、慌ててまとめようとする。慌ててまとめたところで、それがオーソライズされるような状況にはならなかったわけで、それでどうにもならないというので「総合開発の構想」という印刷物をつくって、われわれはやるべきことはやっていますということを言ったのが現実でしょうか。

4 「新長期経済計画」と「国民所得倍増計画」

――「総合開発の構想」というのが文書にされたのが一九五四年(吉田内閣末期)です。恐らく、これは戦後国土計画のその後の骨格を示したものではないかと思います。目標年次一九六五年(昭和四十年)における労働力人口の完全就業を目標に掲げて、それを吸収し得るGNPの規模を推計し、それを可能にする経済循環と物的施設整備の計画を立てています。物的施設として挙げられたのが、工業等生産施設、港湾、鉄道、道路、通信。この時点ではまだ物的施設をどう地域的に配置するかという空間的な計画までには至っていないですね。

▽――新長期経済計画　経済計画としては、経済自立五カ年計画に次いで二番目につくられたもので、一九五七年十二月に閣議決定されている。そのねらいは国民生活の安定と完全雇用のためにできるだけ高い経済成長率を持続的に達成することにおかれた。この計画課題は輸出の拡大、資本蓄積の増大、基礎部門の拡充、産業構造の高度化、農業生産構造の近代化である。また、この経済計画は公共投資との関連を原単位方式に求めていることが一つの特徴である。

▽――国民所得倍増計画　一九六〇年十二月に閣議決定されたもので、その目標を国民生活水準の顕著な向上と完全雇用の達成におき、社会資本の充実、産業構造の高度化(重化学工業化)、貿易と国際経済力の促進(輸出の促進)、人的能力の向上と科学技術の振興、経済の二重構造の緩和と社会的安定の確保を課題に掲げた。この計画では当初の三年間の経済成長率を九%とする十カ年の長期計画が選択された。

その空間的計画が形を整えるは、昭和三十年代に入って、一九五七年の「新長期経済計画」と、一九六〇年の「国民所得倍増計画」。つまり、経済成長率を一段と引き上げるために既存工業地域を含め、いわゆる太平洋ベルト地帯を結ぶ高速自動車道と新幹線を建設するという空間構造がスタートしました。ここでようやく一全総の方向みたいなものが示されたわけですね。

雛型は「総合開発の構想」にあるといってもいいと思います。新長期経済計画でも、その頃の経済計画は五カ年計画なんです。五カ年だと、国土計画の目標にしづらいわけです。ところが、国民所得倍増計画の時に、経済計画が初めて十年計画を閣議決定したわけです。そこで、五年ではだめだけれども十年ならいいというので、所得倍増計画のフレームをそのまま受けて、総合開発計画の構想を練り直したという形なんです。だから、原点は、「総合開発の構想」にあるのですけれども、開発畑では全く読み切れない未来のフレームに対して、所得倍増計画が十年後のフレームを与えてくれたというところで一気に作業が進んだわけです。所得倍増計画がなかったら、やっぱりできなかったというのが一全総なわけです。

――昭和三十年代の前半に、総合開発のための審議会がありました。その記録を読んだ時の印象を言いますと、審議会に出ている先生方は、皆、戦前の流れを引いている人たちばかりですから、結局、そこで議論されていることは、いま下河辺さんが言われたことが全面的に批判されるんですね。つまり、経済計画などと比較して、国土計画を考えるのはけしからん。国土計画というのは独自の政策、独自の哲学を持つべきであって、独立したものだったら、すぐにもできるはずだという議論が、戦前の内務省のお役人の立場の中でワーワー出されてきた。

そうですね。まさに一つの国家の国土政策が、経済主義に陥ることについては専門家たちが肯定しなかった点です。ですから、所得倍増のためのサポートの計画に陥ることについては、経企庁だからできたわけで、内務省ではできなかったと思います。

ただ、非常にテーマになったのは、所得倍増を前提にしたといいながら、所得倍増の閣議決定の時に、自民党からクレームがついたんです。それは、成長性の高い方向への開発というのが所得倍増のテーマですから、地域格差が拡大してしまって、産業配置が太平洋ベルト地帯に偏ることについて、政治的なテーマが出てきて、所得倍増計画が但書きみたいに、格差に関して十分な配慮ということになったわけです。だから、国土計画としては、そのことをどう入れるかがテーマになった。所得倍増を達成するためという第一義的なものにプラスして、格差ということに関心を持つということを入れたのです。

そういう意味では、単なる所得倍増問題だけではないといえるけれども、しかし、基本的な百年後の国家のためにという思想は、一全総からはなくなっていったと言っていいのではないでしょうか。

——所得倍増計画は、その第一の方向として産業基盤施設の整備であるとか、社会資本を最小限度確保しなければいけないと述べているわけですが、そういう考え方を受けて、一全総として、ハード面中心といいますか、施設重視の考え方を打ち出すわけです。その辺が、その後の国土計画を大きく制約する一つの考え方になり、結果的に言うと、ソフト面、非物的施設が軽視される原因になったのではないかと思いますが、その辺はいかがですか。

それは一全総から四全総まで共通した悩みなんです。つまり、国土政策は、あくまでもインフラストラクチュアの範囲を超えないという哲学があるのです。宗教だろうが、美術だろうが、その国土というインフラの上に一人一人が自由に行動するものであって、自由に行動するものを計画対象にしてはいけないという哲学が一方ではあるんです。だけど、土木工事だけやれば一切いいのか、という非難はいつも受けたわけで、立派な建物を建てるといい大学か、なんて言われますよね。しかし、国土政策が大学制度まで言うかというと、ちょっと躊躇するんです。せめて議論したのは、広大なキャンパスを持った大学を全国に立地させることと、大都市では市街地大学をつくることというようなことは、国土政策上議論したいと言った時もあるんです。しかし、それは大学当局から見ると、国土政策屋が大学制度に口出すことを喜びはしなかったわけです。

ですから、大規模大学の新増設を禁止するなんていう国土政策論というのは、大学制度に立ち入らない前提なんです。大学が拡大しようが何しようが、大都市の特定地区で建物だけ建てなければいいという制度、そういう意味では、ハードとソフトの接点が難しいのでしょうね。ただ、三つの視点の中の地域の活性化とか、三番目の環境なんていうふうになると、ちょっとわけが違ってきて、ハードとソフトに分かれるという問題は残っているかもしれません。

――もう一つ、新長期経済計画と所得倍増計画は、国土計画から地域開発政策をブレークダウンさせていったという方式を確立させた。この方式はまた地方の側として地域開発を考える時に、地域の実態よりはむしろ、国家的プロジェクトに乗った方がいいと。いかに国家プロジェクトを導入するか、あるいは導入可能かという観点からのみ探るようになった一つの問題点。これは後々お話していただくつもりですが、新産業都市とか、テクノポリスとか、最近のリゾート構想に至るまで、この新長期経済計画と所得倍増計画の方式がちょっと国土政策にとって足を引っ張るようなマイナス要因になっていると考えているのですが、その辺はいかがでしょうか。

言われた要素はあります。しかし、その方法が経済大国への道に対して合理的であったかどうかというと、合理的であったのではないかと思います。経済大国になったことの是非論というと、またいろいろな議論がありますけれども、経済大国への道を歩むプロセスとして見ると、合理性を持ったプロジェクトが実施されていくことの意味があって、したがって、逆に中央から見ると、すべての都道府県が中央のテーマに全部なびいてしまうことを非難してきたわけです。鉄鋼といえば全国どこでも、石油といえば全国どこでも、木材といえば全国どこでもとなって、テクノポリスというと全国どこでもとなるでしょう。その自主性のなさを嘆いている状況で受けて立っているのです。その中でうまくいかないのと、うまくいくのとがあって、うまくいったものの集大成が、経済大国のインフラを成しているというのが現実なんです。

その意味では、客観的には、何かまさにそういうシステムで動いたのです。これがいつまでも続くかといえば、全く否定的だけれども、ここ十年、二十年と見ると、そのシステムだからこそ、経済大国になったのだという言い方は可能だと思います。しかも、一全総というか、所得倍増の時に思うことは、非常に矛盾しているんだけれども、GNPが十年で二倍になるというのが三倍になったわけです。三倍になったために、インフラが全然間に合わなかったということは確かにある。だから、三倍になったのを喜んではいけないので、二倍にとどめてほしいということをインフラ整備側はだいぶ言ったことがあるわけです。

ところが、三倍になったために、地域格差の是正に成功したのです。地域格差が世界で稀に見るほど、その高度成長期に縮んじゃうわけです。一人当たり所得の低い県と東京との関係でも、多くの県で五〇%を超えて成長するようなことというのは、三倍になった成果といってもおかしくはないというので、二倍が三倍になったことをインフラの点では嘆き、格差是正の点では喜ぶという矛盾した関係にあるわけです。

一全総というのは所得倍増計画のもとで、地域格差是正論を取ったことは、私は成功し過ぎと思っているんです。なぜ成功したかといえば、要因は複雑であって、工業配置も手伝ったけれども、地方への財政の交付が非常に効いているとか、生産性の低い産業を保護したとか、災害があったとか、いろいろな要因で財政のトランスファーがあったから、一人当たりの所得が均衡化したし、とくに決定的なのは、人口が東京へ移動したので、一人当たり所得が地方で上がったのが大きいのです。だから、東京へ集中したことが地域格差の是正に役に立って、東京になぜ集中したかといえば、GNPが二倍の予測が三倍にもなったために吸収能力ができたという不思議な状態なわけです。だけど、環境論から言うと、二倍のつもりの社会資本が、GNP三倍ではかなわないわけです。車は本当に想像を絶するほど増えたでしょう。だから、社会資本の不足は、その所得倍増の二倍から三倍になったことがベースになって今日まで続いているわけです。

——しかしながら、所得が三倍増になった背景には、インフラ整備のために、それまでの明治、大正、昭和戦前の七十五年間のトータルの公共投資額に相当するぐらいの投資額が、この時期に投じられてもいるのですね。

そうですね。その投資額の大きさは、前に言いました七、八世紀の時の山とか、十六世紀の山に匹敵する大きさなんです。だから、日本列島の社会資本の蓄積期の一つであったことは間違いないのです。

それから二十一世紀は、そういう蓄積がない文化的な時代という位置づけも、歴史から言うとできるのではないかと思います。

——全総計画が始まったところでおもしろいと思うのは、まさに所得倍増というキャッチフレーズが出て、要するに、政治や行政の中でキャッチフレーズがわりと受ける時代になったことです。岸内閣の時には逆にアンチキャッチフレーズばかりの時代でしたが、ついに池田内閣になって、自分の方から低姿勢とか、凡庸とか何とか言いながら、結局、「所得倍増」というのをバッと出せた。一全総についても、例えば、拠点開発方式とか、全総計画の中に受け入れやすいキャッチフレーズを盛り込んで、説得していくという線。それまでは、キャッチフレーズは全部反体制というか、反対側から付けられるんだけど、ここで初めて体制の側からキャッチフレーズを付けてどっと出て行ったという、その辺のおもしろさを、私は歴史的に見ていて思うのですが、そのあたりはかなり意図的だったのでしょうか。

それは相当意図的ですね。ただ、おもしろいことは、所得倍増で二倍になることに確信を持った人はあまり多くはなかったのではないかと思います。池田首相は勇敢で度胸があるという評価があって、下村治さんという経済学者が「絶対にそうなる」ということを言いましたけれども、エコノミストの中でも、独特の考え方だという評価があったと思います。ところが、やっているうちに、二倍どころか三倍という雰囲気が出ると、所得倍増計画は有名になった。もし、あれが翌年から経済成長が下がったりすると、たちどころにそのキーワードは消えたでしょう。だけど、ずうっと生き続けて、池田さんが亡くなるまで所得倍増というテーマは国際的なキーワードになったわけです。それは後の新全総ではどうか、三全総ではどうかという話につながっていくと思うのです。私たちから見ると、国土政策論が経済というものを前提にしたのは、一全総だという見方をしていて、あとはまたちょっと違ってくるということを思いますけれど。

——戦災復興計画の話に関連して個人的なことをちょっとお聞きしますが、戦後すぐ下河辺さんは大学を出て役所に入られたわけで、それで戦災復興計画の仕事を与えられるわけですが、役所に入られるいきさつとか、動機とかいうのはいままでお話になっておりませんので、ここでそれを伺いたいと思います。

私は実は建築学科に行きましたから、当然、建築家になろうと思っていたわけです。そしたら、戦争末期の大学生の時に再起不能の病気になりまして、大学病院が「三カ月しか命がない」と告知したものですから、休学届を出して家に帰ったのです。そしたら、「命がないと諦めた青年がいるなら、医学的実験に使わせろ」という医者が現われて、「やってください」と言ったら、偶然助かったわけです。それで終戦になって大学に戻ってきたわけです。

大学という所が、戦争中だからでしょうね、私の休学届が紛失してないから、いまさら出してもらっても書類上困るので卒業してくれと言われました。こっちは就職運動を何もしていませんから、それでは大学へ残るというので高山研究室に残ることにしたんです。それでまた家に帰って寝ていたんです。そしたら、戦災復興院から、面接の時間を言ってきたのです。私は飛び上がるほど驚いて、希望もしないのに面接時間の通知が来るというのは何だというので大学へ届けたんです。そしたら、就職が決まっていない者全員に出したという。それで行くか行かないかは自由だけれども、大学としては戦災復興院に協力しないわけにはいかないので、就職未定学生に全員出したと。それでどうしますかと言ったら、先輩が言ってきたことだから試験だけは行ってくれというので、しょうがないから面接に行った。そしたら、「なぜ希望するか」と言われたので、「希望なんかしていない」と言って大笑いになって、それで帰ったら、採用通知がきたわけです。それでまた大学に送りまして、行かないというのに採用通知は何だと言ったわけです。そしたら、高山教授が、「しょうがないよ。数年行って大学に戻れば義理も立つし」というので、戦災復興院に行ったわけです。

それが数年ではなくて、三十二年勤めたわけです。だから、人間の運命って、変ですよね。そういうことで入ったものですから。それでもなおかつ、都市計画の範囲を超えようとは思ってなくて、建築家として都市計画をやると思っていたわけです。

——一九四七年ですね。その時期の東京というのは下河辺さんのような方にとっては非常におもしろい、まあおもしろいと言うと語弊がありますが、興味あるいは関心を深めざるを得ない対象だったでしょうね。

大学の学生の末期の方が、そういう夢を描いた時でした。一九四五年から四八年頃は、さっきもちょっと話に出ましたが、焼け跡を白紙のように思って絵を描いたものです。それが行政的な計画にならないことを一生懸命に非難したり、嘆いたりした。しかし、夢は持っていた。戦災復興院に入ったら、それどころではなくて、現実の応急対策に追われて忙しいという一点張りで、それからはかなわんというので、建設省のいまでいう建築研究所で都市計画の勉強を少ししていたわけです。そしたらある時、本省の方から、経済審議庁へ行ったらどうかという声がかかったのです。後になって知ったのですが、その頃、安本がつぶれた後の経済審議庁という所に行こうという事務官や土木屋さんのエリートは一人もいなかったんですね。それで建築屋を捜したら、暇そうなのはあいつだけだというので、私に声がかかった。そしたら、ある先輩が、「行くのもおもしろいよ」と言うので行ったのが、道を誤るもとになって、一度行ってからはだんだん国土計画の方へ曲がって行ったわけです。

——池袋の焼け跡なんかを歩かれたのは、戦災復興院におられた一九四八、九年頃ですか。

そうですね。その頃は建築家としてはスラムということに一番私の関心が大きかったので、東京中のスラムを歩き回って、この住宅問題をどうするかというようなことを考えた時期でしてね。北千住あたりのスラムはもう惨たんたるものでしたし、羽田沖の漁村のスラムは、いまでは想像することもできないような凄惨なものでしたね。戦災で焼け跡になったというテーマだけではどうも済まされないという気があって、その辺にだんだんのめり込んでいってしまったという感じなんです。

いま思えば、終戦後というのはいろいろな思い出があります。それがだんだん国土という大げさな話の方にいく初期の状態なわけでしたけど。

3

工業開発促進の時代——第一次全総計画

1　全総計画策定の意義と狙い

──国土総合開発法が制定されてから十二年経ちました一九六二年に、ようやく全国総合開発計画（一全総）がスタートするわけです。この計画は、工業開発促進の時代で拠点開発方式を通じて、日本列島の過密・過疎と同時に地域格差を解消するのを主題としたわけですけれども、この一全総の策定過程をまずお話いただきたいと思います。

前提として、一九四七年から四九年にかけて、経済安定本部の中に三つの会議が設置されて動き出すのです。その三つというのは、資源委員会、経済復興計画委員会、総合国土開発審議会です。この総合国土開発審議会が非常に張り切っていまして、戦後の日本の国土について、今の臨調と同じで年中会議を開いて活発にやるのです。そして、全国計画的なものをつくって提案しようとするのです。また、この審議会はＧＨＱとの関係も出てきて、五〇年に国土総合開発法を制定する母体にもなっていったのです。

いま言われたように、国土総合開発法ができて、その中で全国計画をつくろうと決めたけれども、会議はすれどもなかなか決め切れないでいて、やっと四年経って五四年に、先に述べた「総合開発の構想（案）」を報告書としてまとめるというところへ漕ぎ着けたのです。けれどもこれは、閣議決定には到底いかないもので、論争のまま終わってしまったという経緯があるのです。その最大の理由は、社会資本計画の上でも迷いましたけれども、根本的には、日本の将来の経済の構図が見えてこない段階で、意見が百出してビジョンが安定しなかったことだと思います。

それで六〇年になって、所得倍増計画ができた時に、国土計画と所得倍増計画をドッキングさせることで、何とか国総法の全国計画を閣議決定しようというふうになっていったのです。

それでも、さらに経緯があって、所得倍増計画は六〇年に策定されたのに、一全総が六二年に閣議決定されるわけで二年かかっているのです。ですから、所得倍増計画が柱であっても、なおかつもめたわけです。そのために、六一年に全国総合開発計画の草案というのを閣議決定しているのです。それを肉づけして六二年に、正式の第一次全総計画にしたということなのです。

その時のテーマは何かといったら、社会資本の各省の縄張り争いということもあったけれども、経済合理性を考えるか、社会的な安定性を考えるかということが論争点になりました。それは所得倍増計画の閣議決定の時に、太平洋ベルト地帯構想で合理的な工業立地を進めるということをした

▽——資源委員会　一九四七年五月に経済統制再建強化等のために経済安定本部の抜本的体制強化が打ち出され、その一環として、同年十二月に安定本部内に資源委員会が設けられた。

▽——経済復興計画委員会　一九四八年三月のドレイパーの来日やストライク報告をふまえて、国内の経済復興方針を審議するための委員会。委員長は内閣総理大臣、副委員長は経済安定本部長官で、この委員会で一九四九年度を初年度に、五三年度を目標年度とする経済復興計画作業が進められた。

▽——総合国土開発審議会　一九四七年三月に復興国土計画関連の調査・審議の機関として、内閣総理大臣直轄の国土計画審議会が設置された。その後、内務省解体により四八年一月から建設院がその事務を引き継ぎ、四九年五月には総合国土開発審議会に改称された。なお、五〇年五月の国土総合開発法により「国土総合開発審議会」に変更になり、さらに五四年三月に他の審議会を統合し現在の「国土審議会」となっている。

一全総の策定，新産業都市の建設に関する経緯

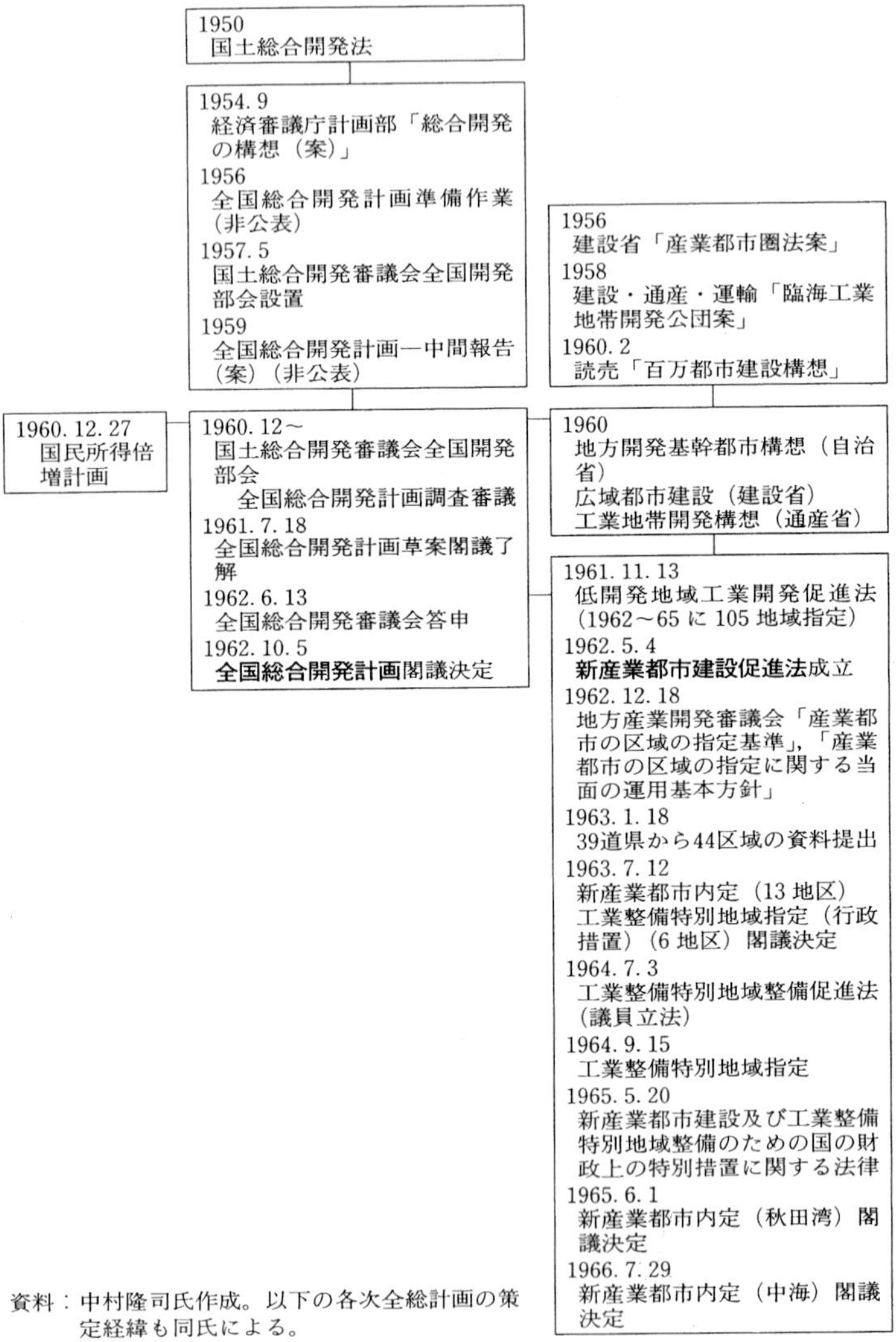

1950
国土総合開発法

1954. 9
経済審議庁計画部「総合開発の構想（案）」
1956
全国総合開発計画準備作業（非公表）
1957. 5
国土総合開発審議会全国開発部会設置
1959
全国総合開発計画一中間報告（案）（非公表）

1956
建設省「産業都市圏法案」
1958
建設・通産・運輸「臨海工業地帯開発公団案」
1960. 2
読売「百万都市建設構想」

1960. 12. 27
国民所得倍増計画

1960. 12～
国土総合開発審議会全国開発部会
全国総合開発計画調査審議
1961. 7. 18
全国総合開発計画草案閣議了解
1962. 6. 13
全国総合開発審議会答申
1962. 10. 5
全国総合開発計画閣議決定

1960
地方開発基幹都市構想（自治省）
広域都市建設（建設省）
工業地帯開発構想（通産省）

1961. 11. 13
低開発地域工業開発促進法（1962～65 に 105 地域指定）
1962. 5. 4
新産業都市建設促進法成立
1962. 12. 18
地方産業開発審議会「産業都市の区域の指定基準」，「産業都市の区域の指定に関する当面の運用基本方針」
1963. 1. 18
39道県から44区域の資料提出
1963. 7. 12
新産業都市内定（13 地区）
工業整備特別地域指定（行政措置）（6 地区）閣議決定
1964. 7. 3
工業整備特別地域整備促進法（議員立法）
1964. 9. 15
工業整備特別地域指定
1965. 5. 20
新産業都市建設及び工業整備特別地域整備のための国の財政上の特別措置に関する法律
1965. 6. 1
新産業都市内定（秋田湾）閣議決定
1966. 7. 29
新産業都市内定（中海）閣議決定

資料：中村隆司氏作成。以下の各次全総計画の策定経緯も同氏による。

のに対して、クレームがついてしまって、所得倍増計画に、「後進性の強い地域の開発促進ならびに所得格差是正のため、速やかに国土総合開発計画を策定し、その資源の開発につとめる」という但書きがついたものですから、草案の時も本式の決定の時も、そのあたりが尾を引いて難しい問題になってしまうのです。

それから、財界の人とか学者の人は、どちらかというと経済合理性に向いて発言するし、農村基盤の自民党はもっぱら社会的な安定性、国土の均衡ある発展論の方を強調するということで、なかなか調整がつかずに六二年までいってしまったという実態なのです。

特に注目すべきは、新産業都市の指定は、第一次全総計画の拠点開発方式によることは当然なのですけれども、一全総の閣議決定前に決まっているのです。それは、草案をベースに指定したからです。そして、翌六二年に全国計画ができた時には、それに従って新産業都市とやったというあたりが、正確に言えば、少しずつズレながら問題が処理されていったという歴史だと思うのです。

――この一全総は目標年次が一九七〇年です。計画期間八年、ちょっと中途半端ではないかと思ったのですが、どうして七〇年を目標にしたのですか。

それは所得倍増計画に合わせただけなのです。「昭和四十五年を目標とする計画である」ということに合わせることだけがテーマだったわけですから、短い期間の計画になるということだったのです。

2 拠点開発方式の意図

――第一次全総計画というのは拠点開発方式を取って、太平洋ベルト地帯よりも、むしろ後進地域に目を向けたと前に伺いましたけれども、これは、太平洋ベルト地帯の集積のメリットにいささかでも懐疑的だったからかどうか。あるいは、前に打ち出した特定地域計画に引きずられたためだったのか、その辺もちょっとお伺いしたいと思います。

いろいろな要素に分けて議論したらいいと思うのですが、何といっても基本は産業立地論で、あの当時議論になったのは、臨海工業地帯における重化学工業の展開をどう見るかというのが、所得倍増計画の産業構造上の大テーマだったと思うのです。そのことを考えると、戦前まで日本は、国内の乏しい資源を、石炭でも鉄鉱石でも石油でも、細々と国内資源を開発して加工するというのが産業立地論のテーマだったのですけれども、この所得倍増計画の時代になると、国内資源を全部切り捨てるということを明快にした時期なのです。だから、石炭も石油も、鉄鉱石も銅山も斜陽化するということと裏腹に、輸入資源を臨海部で加工・処理する時代に変わるのです。

そうすると、工業基地の立地論がそれまでと全然違ってくるのです。資源と結びついた立地論から、むしろ輸入資源の加工・処理に便利な立地論、となりますから、工業基地が完全に変化するのです。そのときに選択されたのは、東京湾、伊勢湾、瀬戸内海の三つなのです。つまり、内海の方が、輸入することも処理することも容易だという見方をしたから、それで、太平洋ベルト地帯構想になっていったわけです。そういう地点は大都市の消費市場も近いから、市場とのつながりもいいし、輸入資源の入り方もいいし、そこへ埋立地ができて処理もできるということで、素晴らしい構想ということで考えられて、太平洋ベルト地帯構想を進めようということにはなっているわけです。

ところが、それをやると、地域格差が拡大するということを心配するのは、政治としては大きなテーマですから、一全総としては、太平洋ベルト地帯の合理性を追うだけでは不十分であって、やはり全国的な工業配置を考えるべきだという議論をしたというのがもう一方の特色なのです。

ですから、一全総は全国を過密地域と整備地域と開発地域の三つの地域に分けて、整備地域だけやればいいということではなくて、開発地域の工業開発もしなければ格差が拡大してしまうということを、一全総では言ったということが特色ではないでしょうか。

ところが、私が心配したのは、第一は、東京湾と瀬戸内海と伊勢湾というのは、内海であるために、港としては良港だけれども、汚染にとっては問題があるのではないかとか、船舶が増えて航行の安全が維持できるかということでした。

もう一つ問題なのは、一九五一年から始めた国総法の特定地域として、東京湾と瀬戸内海は外してあって調査地域にしてあり、その調査報告書は、全部、小規模工業基地が内海に提灯行列のようにできるという内容のものなのです。そして、売れる当てがないので、新聞を見るとペンペン草が生えて、売れもしなくてけしからんという非難だけが記事になる時期がずっと続いていたわけです。

それが、所得倍増で太平洋ベルト地帯ができたので、日の目を見るという形になったわけです。

ところが、その日の目を見たときに私たちが苦痛に感じたのは、希望が持てないまま計画したもの

の推移

第三次全国総合開発計画	第四次全国総合開発計画
昭52年11月4日　閣議決定	昭62年6月30日　閣議決定
おおむね10カ年	昭61年～75年（平成12年）
基準年次を50年とし，昭75年を展望しつつ昭60年(65年)を目標年次とする。	昭75年（平成12年）
①　高度成長から安定成長へ ②　人口の地方定着化，産業の地方分散 ③　地域の総合的格差 ④　資源制約の顕在化 ⑤　国民意識の変化	①　東京圏への高次都市機能・人口の一極集中 ②　地方圏での雇用問題の深刻化 ③　道県単位の人口再減少 ④　技術革新・情報化，高齢化，国際化の進展，産業構造の転換
〈人間居住の総合的環境の整備〉 ①　限られた国土資源を前提とする。 ②　地域特性，歴史的伝統的文化を尊重する。 ③　人間と自然との調和をめざす。	〈多極分散型国土の形成〉 ①　東京一極集中の是正 ②　地方圏の戦略的，重点的整備。
〈定住構想〉 大都市集中抑制，地方振興型の人口の定住構想に沿い，人口の定住性を確保することにより，過密過疎問題を解消し，均衡ある国土利用を実現する。	〈交流ネットワーク構想〉 地域主導による地域づくりを推進することを基本とし，そのための基盤となる交通，情報・通信体系の整備と交流の機会づくりの拡大を目指す。 交流ネットワーク構想の推進により多極分散型国土を形成する。
①　自然環境，歴史的環境の保全を図る。 ②　国土の安全性と国民生活の安定性を確保する。 ③　居住の総合的環境（自然，生活，生産）を整備する。 ④　教育，文化，医療等の機会の均衡化を図る。	①　安全でうるおいのある国土の形成。 ②　活力に満ちた快適な地域づくりの推進。 ③　新しい豊かさ実現のための産業の展開と生活基盤の整備。 ④　定住と交流のための交通，情報，通信体系の整備。
モデル定住圏の整備	多極分散型国土形成促進法（昭和63年）に基づく国の行政機関等の移転等，振興拠点地域制度，業務核都市の整備

だから、規模が零細過ぎて所得倍増時代の大型企業が入るインフラが整っていないのです。当時でも、数万トンでも夢物語と言われたのですが、実際には数十万トンの船が入るなんていう話になる

項　　目	全国総合開発計画	新全国総合開発計画
策定時期 計画期間 目標年次	昭和37年10月5日　閣議決定 昭35年～45年 昭45年	昭44年5月30日　閣議決定 昭40年～60年 昭60年
背　　景	①　戦後復興から高度成長へ ②　地域的課題の顕在化 (1)　過大都市問題 (2)　地域間の所得格差の拡大 ③　所得倍増計画の策定 太平洋ベルト地帯構想	①　高度成長経済 ②　人口・産業の大都市集中 ③　地域の所得格差 ④　資源の有効利用の促進
基本目標	〈地域間の均衡ある発展〉 ①　都市の過大化の防止と地域格差の縮小 ②　自然資源の有効利用 ③　資本，労働，技術等の諸資源の適切な地域配分	〈豊かな環境の創造〉 ①　長期にわたる人間と自然との調和，自然の恒久的保護・保存 ②　開発の基礎条件整備による開発可能性の全国土への拡大・均衡 ③　地域特性を活かした開発整備による国土利用の再編効率化 ④　安全，快適，文化的環境条件の整備保全
開発方式	〈拠点開発方式〉 目標達成のため工業の分散を図ることが必要であり，東京等の既成大集積と関連させつつ，開発拠点を配置し，交通通信施設によりこれを有機的に連絡させ相互に影響させると同時に，周辺地域の特性を活かしながら連鎖反応的に開発を進め，地域間の均衡ある発展を実現する。	〈大規模プロジェクト構想〉 新幹線，高速道路等のネットワークと大規模プロジェクト方式により，国土利用の偏在を是正し，過密，過疎，地域格差を解消する。
重要課題	①　過密地域においては，工場等の新増設の抑制，移転，都市機能配置の再編成を図る。 ②　整備地域においては，計画的に工業分散を誘導し，また中規模地方開発都市を設定する。 ③　開発地域においては，積極的に開発を促進する。	①　交通・通信ネットワークを先行的に整備する。 ②　ネットワークに関連させながら大規模プロジェクトを実施する。 ③　広域生活圏を設定し，生活環境の国民的標準を確保する。
主な施策	新産業都市建設促進法（昭和37年）及び工業整備特別地域整備促進法（昭和39年）に基づく新産業都市及び工業整備特別地域の整備	国土の主軸の形成 大規模開発プロジェクトとしての苫小牧東部地区，むつ小川原地区の整備

資料：地域振興整備公団編『地域統計要覧』1992年版および国土庁資料による。

でしょう。だから、小学生の洋服を用意して待っていたら横綱が着ることになってしまったというようなもので、悪戦苦闘したわけです。

そういうズレがありながら、太平洋ベルト地帯では現実には産業立地がずっと進む。したがって、環境問題で苦しむことになるわけです。

3 新産業都市の功罪とその反省

――新産業都市建設促進法（以下、新産法）が一九六二年にでき、続いて工業整備特別地域整備促進法ができます。後者は相当な政治的圧力の下で議員立法としてつくられた法律です。この結果、いま言われたように太平洋ベルト地帯まで復活して、計二十一カ所もの工業都市が日本列島に生まれることになるわけです。これは、プランナーにとっては相当な誤算ではなかったかと思うのです。つまり、実態として、プランよりも企業といいますか、産業の方が先行して張りついていって、一部では計画以上の集積が現われるようになった。その具体的な例としては、四日市なんかの名前を挙げることができると思うのです。

前にも下河辺さんは、「そもそも四日市には、あれだけの企業が張りつくだけの規模のものは予想していなかった」のだということを言っていたことがありますけれども、そういうふうに結果として、プランナーが考えていた拠点開発方式がなし崩しというのか、あるいははち切れてしまったというのか、そういうような経過をたどったと思うのです。

新産業都市・工業整備特別地域指定状況図

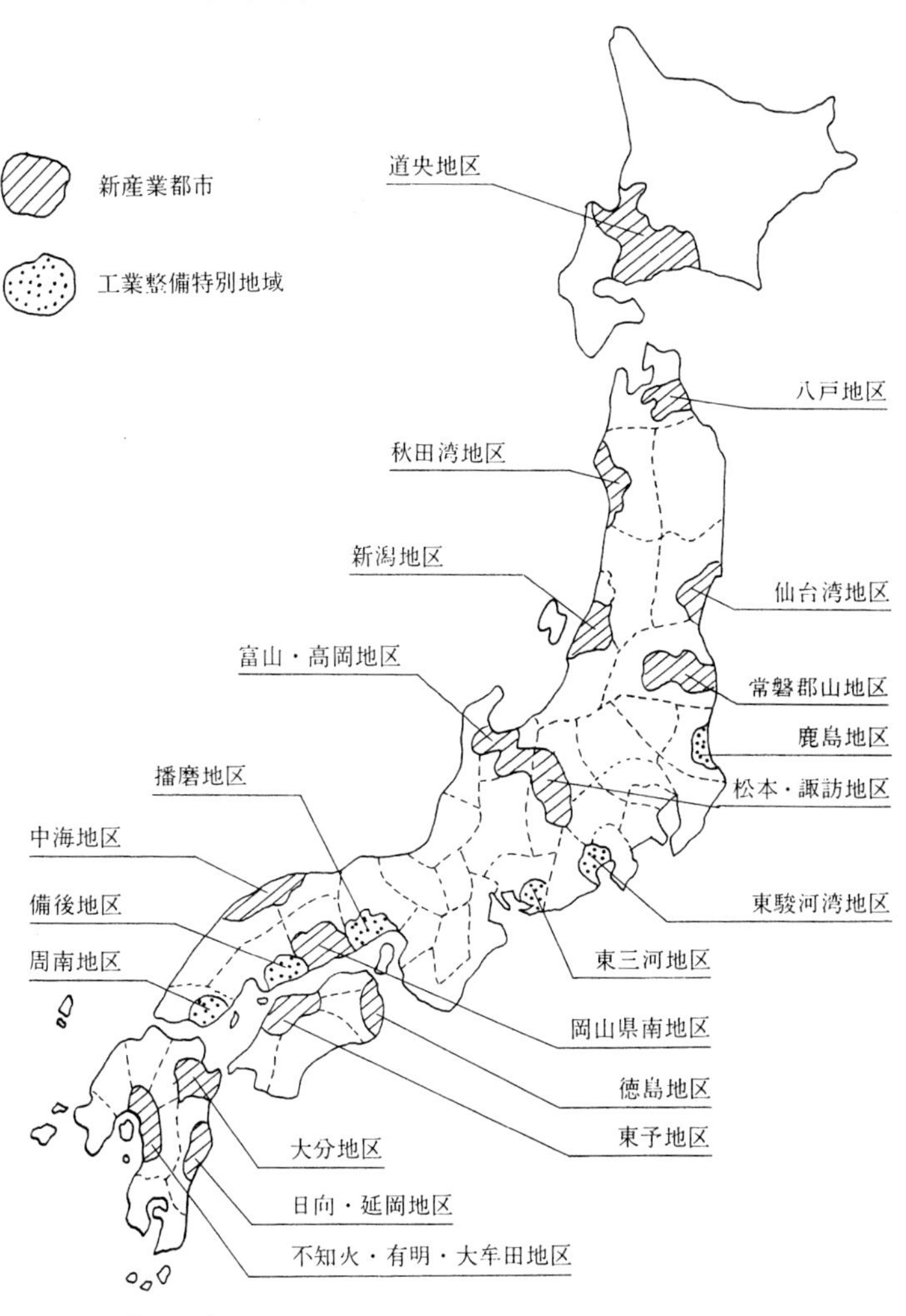

資料：地域振興公団編『地域統計要覧』1992年版より。

一番苦しさを受けたのは、前述したように、所得倍増計画が十年でGNPが二倍と思って用意してきたら、実績は三倍になったことによるものです。経済政策者はあるいは喜んだかもしれないけど、インフラを担当しているわれわれの方は、苦杯をなめさせられてしまうのです。二倍分が三倍になりますと、政策をはるかに乗り越えてしまうのは当然でしょう。そのために環境上は大変な議論になるわけです。

それでは新産業都市はどうだったかというと、新産法を立法した時の行政の考え方は、太平洋ベルト地帯の工業地帯を整然とつくっていきたい。そして、生産とインフラとのバランスを調和させることが新産法の狙いなんです。だから、時には制限をしながら、インフラと生産とがバランスすることをやりたいといってつくったわけです。

ですから、岡山の水島と大分の二つがその対象である、ということを国会でも前提して法律案が通っていくわけです。ところが、一全総が一九六二年に閣議決定される頃は、二つはむしろいきさつ上やめるわけにはいかないから、モデル的にやるのであって、新産法の狙いは、開発地域に工業拠点をつくることであるということになり、法律が立法の時と運用の時とで違ったことは確かです。それを結果的に見た時に、二倍が三倍になった急速な大規模化というものが、太平洋ベルト地帯にもっと重荷をかけたので、六カ所の工業整備特別地域をやっても、なおかつ間に合わないような実態が一方で出た。それは誤算と言えば誤算だし、そうなってはいけないと思っていた点では、誤算というよりは何か敗北した気分といいますか、わかっていて負けてしまったような感じもあるわけです。

それでは開発地域の方はどうかというと、やって成功だったと思っているのです。新聞紙上では失敗と言われているけれども、やらなかったらもっと大変になったと思うわけです。

ただ、残念なことがいくつかあるのは、政策的な立地行政というのは企業の市場性になかなか勝てないということを実証したように思うことですね。それだからといって、無限に国営化に近い企業論をやることにはならないだろうし、やるとすれば、税制・金融というようなことで対応していくことになるわけです。だから政策減税、政策金融、そして社会資本を先行投資するという話と、公共団体に補助をするという行政手段で企業の立地を誘導しようとした。それはあまり十分でなかったということは言えるかもしれない。けれども、新産業都市をやらなかったよりは分散したと思うのですね。明らかに工場は分散していますから。

ただ、もう一つの間違いは、労働の生産性を見誤ったことです。生産量の拡大がはやくて、工業基地をつくっているのに間に合わないほど早くて三倍にもなったというもくろみ違いとは別に、スケールメリットがきいて立地企業がわれわれの想像していた労働生産性よりもはるかに高かったのです。そのために新産法の生産計画よりも困ったのは人口計画です。そんなに人は要らないという話になってしまったわけです。そうすると、地方の雇用のためと言っていたのに、人の要らない工場がいっぱい立地してしまった感じなんです。これは誤算だった。

その頃は、産業関係の人でもそんなに労働生産性が上がると思っていなかったと思うのです。われわれの方が空想的なほど労働生産性が高いなんて通産省に非難されていたぐらいですから。それがもう想像を絶するものになったでしょう。だから、人口集積が全然狂ったというのがある。これは工業が誘致できなかったよりももっと深刻な打撃なのです。

しかも問題なのは、工業が行かなければよかったのに、行ったばかりに、その刺激を受けて農村人口の脱農化が早くなってしまった。工業の人の生活を見たら、農業をやっているのがばかばかしくなってしまうのですね。そのために、新産都市で工業が成功した地域ほど脱農が早いのです。そのために、また周辺人口が減ってしまった。

だから、その新産業都市でわれわれが苦杯をなめたのは企業誘致が第一歩だけれども、それに伴う人口の流動性が計画と違ったというのも、新産法について非常にテーマだと思います。

――プランナーとしては、例えば労働生産性がだんだん高まりそうだとか、あるいは、そういったことに伴って脱農化が進みそうだとかいったような予測をすることは不可能だったのでしょうか。

一九六四年ぐらいにはわれわれはそれに気がついたわけです。六〇年の時の感覚と六四年では全然違うのです。しかし、もう間に合わない。だから、新聞で非難されるままに推移していって、新全総につなげなきゃいけないという方向へ行っているわけです。

4　プランナーのあるべき姿

――よく下河辺さんは、計画に失敗はつきものである、試行錯誤は当たり前だというようなことを言っています。これはプランナーに対して誤解を招きやすい言葉ではないかと思いますが。

住民に対して迷惑な話だということは、われわれプランナーにとって最大の悩みです。だけど、プランニングを専門にする人間がプランニングを担当した経験が少しでもあれば、十年後が自信持てるなんていう心境にはないと思います。やはり一歩一歩築くしかなくて、閣議決定した翌日から新しいことに気がつくというのが担当者でなければいけないと思うのです。だから、担当者が自信が持てるなんていう状況にならないのではないか、というのが私の実感ですけれど。

これをいまの国土庁の若い連中にも一生懸命講義しているのですけど。要するに、言い方を換えると失敗の繰り返しなんです。成功したら、自分に関係がなくなるのです。「成功したのはあの人がやってくれたから」なんて言う人はいないですから。だけど失敗したら、「あの人がやったから」と。返ってくるのを受けて立たなければならないというのがプランナーだと思います。だから、いま若い人は、命がけで取り組もうということにならない傾向が少しあるかもしれません。

――多分いま言われたような「計画に失敗はつきもの」というのは、世界のいずれの地域計画もそういうところはありますが、しかし、とりわけ日本の場合、高度成長との歯車がうまくいかなくて、それで失敗を繰り返してきた。その部分が、いわば経験則になって、下河辺さんがいま言われたような話になると思うのです。

逆にこの時期、一九六二、三年、まさにその高度成長の時に一緒にその計画をつくっている段階で、まずプランナーであるという自覚を持って計画に取り組んでいたというのは、下河辺さん以外に何人ぐらいいたと思いますか。いわゆる組織上ではなくて、人物としてですね。経済企画庁におられた人が皆そう思っていたというわけではないと思うのですね。しかも、多分、戦前からの流れのいわゆる括弧付きのプランナーが大体ここでおしまいになって、戦後派のプランナーが出てくる新旧交代の時でもあったと思うけれども、その辺について少し教えていただきたいのですが。

一言でいうと、「新産業都市」前後の工業基地づくりのプランナーは、地方公共団体にもっぱらいたわけです。そして、地方公共団体にその県で生まれて県庁に入って、生え抜きのプランナーの獰猛な連中がいっぱいいたわけです。その人たちはかなり命がけで提案して事業もして、先走って埋め立てをして売れなくて、クビになるなんていう人まで含めて、獰猛なるプランナーは県庁にいたというのが私の印象です。

中央官庁では古い人が去りながら新しい人が生まれるけれども、アイデアはあっても仕事としては未熟な人たちでいるわけです。だから、その頃、私の経験では、地方の獰猛なプランナーに鍛えられていったという感じが一全総の実感です。だから、霞が関で中央の役人が地方の役人に殴られた事件なんていうのも起きたわけです。「おまえら何言うか」と言って地方から怒られてしまって、それで驚いて勉強し直したというような関係が一全総当時のプランナーの構造なのです。

それで、その状態に対して新産法が制定され、新産都市計画が策定される頃から、中央からの天下りが県の開発部局に入り込む時期が来てしまうわけです。そうすると、一全総の獰猛な連中が定年期を迎えたこともあり、県庁のプランナーが様変わりしていくということにつながっていったわけです。

だから、当時、開発部長会議を四十七都道府県で開くと、半分以上が自治省か建設省ではないでしょうか。その前の部長会議は、国の役人は一人もいません。しかも、知事選挙か何か手伝っているような人たちで、すごいのですよ。意見もしっかりしているし、自分で実力を持って動きますから。

――いまのことに関連するのですけれども、当時都道府県の段階では、各都道府県がそれぞれで開発計画を練っているわけですね。国の方ではここは過密だ、こっちが中心だと言っているけれども、各県はそれぞれの振興を狙っているのですから、どちらかと言うとまとまりのない状態がずっと続いている時に一全総を実施されるわけです。

そうすると、全国計画の初めての経験が日本国中にバッーと広がるのですが、政府の中では縦割りが続いていたのではないかと思います。そこではいま言われたようなプランナーの話というのは、どちらかというと新興の勢力であって、実際に行政あるいは投資を動かしている人材はどの程度いたのでしょうか。

少数といいますか、各県にそういうプランナーと言えるかどうかわからないけれども原動力みたいな人がいて、その人が陳情してくるのを中央が受けるという感じの仕事が、中央官庁の開発行政の基本になったことがずっと続いていて、それを受ける時に一人で受けられる人というのは本当にいなかったと思うのです。

私は乱暴だから受けていましたけれども、必ず関係省庁会議を開くというような受け方なわけです。昭和三十年代つづいていた十省庁による工鉱業地帯整備協議会などよい例だと思います。だから、関係省庁会議というのが一人の地方のプランナーの提案を受けるという受け皿として動いてきた。縦割り行政をそういう形で整えていったといってもいいかもしれません。その時に、関係各省庁会議は往々にして十数省庁会議になるわけです。ともあれ、それをリードする人が本来はプランナーであってほしいのですが、それを取り仕切れる人はあまりいなかった、というのは指摘されたとおりかもしれません。

また、生まれてからすぐにそういう能力を持つ人はいないので、その場で訓練しなければだめなんです。一般に国では二〜三年でかわる人事だから、そういう人はできっこないのです。だけど、出世する人ほどなぜか人事のタイミングが早いでしょう。それが人材が育たない最大の理由なので、私のように十年も続けてやらされれば、プランニングができるようになりますよ。そんな難しい話ではないのです。専門なんていう難しさよりも、相手の話をよく聞くことがプランナーのテーマなんです。それで納得のいったことだけ言えばいいので、自分にアイデアなんて要らないのですから。それは十年くらい訓練すれば誰でもできると、いま国土庁の若手にも言っているのですよ。ただ、十年もバカバカしいことをやる元気があるかどうかだけが選択の問題で、そんなことを選択する人がいなかったというだけでしょう。人材がいないというテーマと違うということを言っているのですね。

これは行政全体にも言えるのかもしれません。いま臨調が内閣の総合調整権と言っているでしょう。あれも、いま言ったような継続性を考えないとできないと思います。何か調整官が任命されて座ると調整できるかといったって、そんなわけにはいかない。自分の利益をきちんと言う人たちがたくさん集まるのですから、調整する方が能力がなかったら、だめでしょう。その能力は継続して一定の任務をする中で培われるほかはないですよ。

後藤田正晴さんが強かったのはそのためですね。後藤田さんは、次官をやった後、官房副長官の時代が長くて、後藤田さんが号令すると、各省庁震え上がって従いましたから。開発のプランナーでもそれぐらいの人材が何人か出てこないと困る。

5　中央と地方の関係

——先ほどのお話で非常におもしろかったのは、地方からとにかく陳情等を受ける。受けている間に、受けるばかりではなくて、今度は人を出そうというふうに流れが変わる。つまり、いまの下河辺さん的な考えでずっと貫けば、恐らく、陳情等を受ける人材が中央にたくさんできて、地方からは相変わらずいろいろな要求をする。そこに新しい仕組みができたのではなくて、要するに、では受けるくらいだったらこっちから人を出してしまえということになる。また、各地域でもいままで横並びで、それこそわが地方の発展策はこうあるべきであると議論してきた人たちが、そういうことをいちいちやっているよりは、中央から人をいただいてうまくルートをつけた方が早いというふうに動く。そこのところは地方利益のいわば環流過程が、人を受け入れるということによって変わってくるという側面がありますね。

これは、日本の中央と地方の行政上の一番おもしろいテーマだと思うのです。このようなことは医療とか教育でも起こっているにもかかわらず、それがあまり議論されていない。開発行政について私が直接知っているためにそういうことを言っているのですが、新産法が明らかに逆転現象のポイントなのです。それはなぜなのか。そして、そこでのプラスとマイナスが何かというのはもっときちんと勉強すべきですよ。

新産法は、それまでの法律に比べてずいぶん違うのです。何が違うかというと、地方が自ら申請して動くという行政なのです。国が指定して国が計画するという直轄型の開発行政ではなくて、地元中心型のものなのです。ただ、国の財政に依存する点で、国の承認を得るという構造にしてあるわけです。

だから、ビジョンを描くプランナーの仕事は、地方中心で行うこととして新産法ができているわけです。そのために、自信のある陳情がいっぱい出てしまって、政府が調整に困るということになったわけです。それでも計画を決定したら、今度は実施段階に入ると、国の財政支出に依存し、それ次第で違うという実務が入ってくるわけです。そこで国の人が行けば国とつながりやすいというので、国も希望したし、地元も熱望して、部長を国の人にすると中央とつながりやすい。その頃から自民党が、「中央と直結する政治」というようなこともテーマにしだして、戦後の行政がそこでちょっと変化するのです。だから、官選知事の時代から地方選挙の知事になって動き出した後、一九六二、三年頃からちょっと様子が変わってくるということは、行政史上はおもしろいテーマです。

いまは、それがまた再び変化してきているのではないですか。だからいまの分権化は、そこら辺の議論もしないといけないのです。いまは単なる業務の分業論だけやっているでしょう。分権化というのは分業論と違うと私は思うのですけれども。

——地方に凄腕の地域開発計画を立てた方々がいて、霞が関はそれをむしろ受ける側だということを言われました。例えば、新産都市構想の二十一カ所の中には二県にまたがるような所がありますね。熊本と福岡にまたがった不知火・有明・大牟田地区ではないかと思いますが、これは例えば、霞が関が調整に苦労した結果なのですか。あるいは、霞が関が主導した結果、二県にまたがるようになったのですか。

新産法が地方主義的な要素を入れた第一歩だと言いましたけれども、知事にすべての権限を預けた法律なんです。知事が申請するのが基本で始まりますから、すべての地区は自分の県内の地域だけしか申請はなかったのです。だけども、福岡と熊本の不知火・有明・大牟田地区は、どう考えても一つの市街地なわけです。だから、別々に申請というのはおかしいという指導は、私も一生懸命やりました。計画なんだから行政区域でやってはおかしいといって、二県知事の共同申請ということをやりなさいと。指定の時もそのことが大きな話題だった。これも行政法上大テーマなのですけれども、新産法には二県共同申請という予定をしていないのです。そのために二県が共同して申請する方式は、地方自治法まで戻るのです。自治法上の二県の協議体として新産法を実施するという形に法律上はなってしまう。

そうすると、地方自治法上は、どちらかの知事が代表する手続きを必要とするのです。A県の知事が代表権を持つと、B県のことをA県知事が決裁するのですが、それは政治の実態に馴染まないのです。困ってしまって、自治法上はできるのに実務上はどうも政治が絡んでできないというので、熊本と福岡の場合はものすごいトラブルで、私は猛烈に骨が折れました。当時の福岡県知事が社会党の知事、熊本県知事が自民党の知事で、二人が共同というのは政治の構図として難しいのです。だから、陳情では一緒に指定してほしいという点では一致していてわれわれに言うのだけれども、申請書を出す手続きができないわけです。われわれは一本で持ってこなければ受け入れられないと言うでしょう。そうすると、彼らは別々に出すから一緒に指定してくれと言うのです。それは新産法上できないというのでもめて、熊本の知事はしょうがないから地方自治法に沿って協議して申請しようと言うのだけれども、福岡の知事は「うん」と言わないのです。

それで弱りまして、福岡の知事に会って話し合ってみますと言って、私は出かけて行ったわけです。そうしたら飛行場に福岡県庁の職員が来ていて、「この問題であなたが知事に会うことは知事自身が避けようとしていて、もうちょっと時間を貸してくれ」と言うのです。「どうするのだ」と言ったら、「きょうはここで申し訳ないけど帰ってくれ」と。飛行場に出迎えに来たのではなくて、追い返しに来たんです。それで私が、「わかった。それじゃあ知事に会うのはやめるけれども、せっかく来たのだからうまいものぐらい食わせろよ」と言って、彼らはおっかないベテランの連中でも元々は仲間ですから、夜一晩御馳走を食べて、そしてホテルで寝て、翌日帰ると約束しておいたのですけれども、早朝六時頃、タクシーで知事公邸に行ったんですよ。そしたら、知事はまだ寝間着姿でいました。飛び上がるほど驚いて、「下河辺さん、どうしたの」と言うから、かくかくしかじかで、県庁の人はあなたを心配して私を会わせないと言うけれども、私は会わないで帰るという子供みたいな使いでは嫌だから話をしてくれと言ったら、知事はしょうがありませんよね、応接間へ入れてくれた。

それで、一時間も話していたら、県庁の職員が私がいなくなったといって探し回って知事公邸へ来て、「ひどい」と言って怒るわけですよ。そしたら知事が、「まあ、いいじゃないか。よく聞いてみよう」と言ったので、職員もホッとして、それで知事と話をしたわけです。そうしたら、どうしようかということになりまして、協議の起案というのが必要なのです。ところが、起案者は誰かというのが自治法に書いていないのです。どちらからも起案者は嫌だと言うのですね。熊本の起案で福岡で決裁するというのは嫌だし、福岡の方の起案で熊本が決裁することも嬉しくない。では、誰が起案者になるかとなってしまった。それで私が、「私が起案者になる」と言ったのです。そうしたら、政府にはその資格がないのではないかと言う。だから、経済企画庁の人間としてではなくて、下河辺個人の資格でやるということを言ったわけです。そうしたら、そういう不思議なことはあるかなということになったのですが、知事もそれが一番認めやすいと言うのですね。

その時に私は、「ああ、俺は開発プランナーだな」と思いましたね。役所を離れて、専門家としてこういうことが許されるのかと思いながら起案を書きましたよ。「両県にまたがる地域を、新産業都市について指定を申請する件」というのでザッと書いて、そして「これでどうか」と言ったら、「しょうがないでしょう」というので、熊本に言ったら、熊本もびっくりしました。けれども、まあしょうがないというので、両県議会にかけて議決して、知事が決裁して、それで共同申請書を熊本県が代表で持って来たのです。熊本と福岡でどちらを代表にするかを争ったわけですけれども、福岡の県議会の自民党に、「ここは熊本の知事に譲った方がいいんじゃないの。あなたの方は社会党知事なんだから」というようなことを言ったら、「では目をつぶる」なんて言って、代表を熊本にすることがうまくいくいって、熊本の知事が両県を代表して申請するという手続きが終わって、それで来たから指定したわけです。

　指定した後がまた大変なんです。会計法上どちらか一本に絞らなければいけないのです。新産都市の業務で出張する時の出張旅費は、福岡県は熊本の会計で行うというふうになるのです。これが、またちょっと容易ではない。代表県の方に新産法の会計を持たないといけないでしょう。そういうので、二県にまたがる行政論というのは、いま何かやたらに連合がいいとか何かあるでしょう。アイデアとしてはいいけれども、やり出すと私以上に骨折るよと思って、楽しみに見ているのですよ。

　ただ地区ごとに事情は違っていて、福山と笠岡の場合は岡山と広島ですけれども、福山が岡山県の西の端なものですから、「広島県によろしく」ということを知事が言ったので比較的スムーズにいったのです。水島地区で、岡山県は忙しいですから。ただ、制度論としてみると未熟な状態です。だから、府県の連合なんていう形はそんなに簡単ではないと思います。

　――新産・工特は二十一カ所もできたわけですね。地方の相当な政治的な圧力があったと思いますが、この新産都市が、以降の国家プロジェクトにぶら下がれば地域は大丈夫だというような、全国横並び的な開発思想というのですか、何かそういうものをつくったきっかけになったのだと思うのです。

　きっかけは、むしろ一九五一年の特定地域です。五一年の特定地域論というのは、戦後復興経済のナショナルプロジェクトとしてきちんと打ち上げていて、地方には相談するだけで、国が直轄型の計画をつくって実施するというものです。だから、各県は国に陳情することが通常の業務となった時代なんです。それを新産業都市の時に、地元中心型に切りかえようとしたわけです。

ですから、歴史的に言うと、少しずつ地方型への移行の第一歩というふうに、私は見ているわけです。しかも、いまこれはできないと思うのですけれども、新産法は、国の出先機関が知事の指揮下に入ってしまう法律なわけです。それは珍しい体制だと思うのです。

ただ、実際には形骸化したから意味はないのですけれども、法律論として言うと、国の出先機関が知事を会長とする地区協議会の構成員になっているというおもしろいテーマです。だから、そこで決まると、国は義務づけられているはずなのです。

だから戦後からいうと、戦災復興都市計画があって、それが特定地域になって、新産法になってというふうに動いてきたと私は思っているのです。

6　一全総を振り返って

――国土計画三十年を振り返って、拠点開発方式の一つの手段だった新産都市というのは、国土計画上、一九六〇年代半ばからの高度成長を支えるため必要だったのかどうか。そのへんはいかがですか。

地域格差縮小と大都市への集中

それを議論するためには、なぜそういう工業再配置をやったかと言えば、市場に任せたままで経済が動けば、地域格差が拡大するということを政治問題にしたというのが出発点です。だから、地域格差がどうなったかというのが総括すべきテーマなのです。一言でいうと、日本の高度成長期ぐらい地域格差が縮小したことは世界に類例がないです。だから、私はそこでは大威張りして、「想像以上に格差が縮んだ」と言っているわけです。統計的にも、一九六〇年という年は東京都民一人当たりの所得を一〇〇とする時に、五〇以下の県が三十一県もあり、六〇以上は東京ほか六都府県にすぎませんでした。それが七五年になった時に、五〇以下がなくなるわけです。

地域格差是正ができた理由の一つは、工業の再配置に成功したことです。だから、その限りでは新産法があってよかったということではあるわけです。しかし、それだけではなくて、総花的で非能率で不必要と言われた社会資本の先行投資なんかが有効に利いている。新聞を見ると、自動車のない所に道路をつくっているなんて盛んに悪口を言われたけれども、その先行的な公共投資の有効需要が利いているのです。さらに言えば、農業補助金とか生活保護とか、失業対策というようなものがトランスファーとしては非常に利いているのです。

基本的には、地方交付税が再配分効果として非常に機能していて、総合的な政策のもとで地域格差が世界で例を見ないほど縮んだという結果が出たわけです。だから、私は地域格差是正のために工業再配置をやったと思うけれども、それが唯一の理由では絶対にないわけです。工業開発をやっただけでは失敗したかもしれないけれども、総合政策としては成功したと思うわけです。

最近になると、農業保護をやめようとか、臨調等で規制緩和等が言われているでしょう。だから、また格差が拡大しつつあるわけです。それをどう思うかというのが、これからの国土政策のテーマになりますけれども、第一次全総計画が狙ったものは、総括的には成功したと言いたいと思っているわけです。

――しかし、一方、成長のテンポが早過ぎた結果、巨大都市への集中というのも激しくなるわけですね。

そのことが所得格差が縮まる非常に大きな要因なわけです。過剰人口が全部都会へ流出したわけです。地元は、過疎ではなくて過剰というテーマだったわけです。次三男が多過ぎるとか、就業先がないとかいうので、人口の流出値を高くしたことが格差是正の要因のかなり大きな部分だと思うのです。モビリティがなかったら、停滞人口が多かったら、一人当たりにしたら低いものになった。沖縄がその一番いい例だと思います。あの島には人口の流出のモビリティがないわけです。そのために、いつまで経っても、一人当たり所得が伸びてこない。それがいいか悪いかは別ですが。

日本が幸いなのは、そのモビリティの対象になる人口が一千万人ぐらいのオーダーなんです。これは経済が吸収できる規模だから助かっているわけで、中国のように、一億人、二億人が流動すると、経済で受けて立てないから、都市に浮浪者やホームレスがいっぱいできて、都市の治安が悪くなって経済が危なくなるという構図は、中国に限らず世界の常識です。日本の場合には、その流動性が一千万人くらいであって、それを軽く受け入れるだけの経済力があったのですから、こんな幸運なことはないでしょう。私は、総人口が百年で三倍以上にもなった時に、その三倍増の部分は大都市が受けてくれたので助かったという言い方さえしたいと思います。

――地域間の所得格差というのは縮小された。しかし、その原動力になった大都市への集中が進んだ結果、日本列島の人口構造は過密・過疎の色分けがさらにくっきり色濃くなった。高度成長の思想だと、そういう見方になるのではないか。つまり、大都市が成長型で、山村は過疎型で沈滞型だと決めつけた。五全総では、ちょっと違った価値観で議論しています。今では東京がいいとは誰も思わなくなってきているんじゃないでしょうか。一全総の頃は、東京は憧れの町ですからね。

――さて、また新産都市の話になりますが、新産・工特二十一カ所、成功、失敗いろいろな例があるわけですけれども、プランナーの目から見まして、ここは合格点が与えられるだろう、成功例だろうと言えるような所はどこですか。

成功か失敗か

先ほども言ったように、成功と失敗が同居しているのであって、どちらかと言われる質問が一番答えづらいんです。例えば、よく世間で、「新産法は水島と大分はいいけれども」という話が気楽に出るでしょう。私たちにすると、そんなに簡単に、水島、大分はあれでよかったとはとても言えない。不安の材料が残るわけだし……。だから、「失敗じゃないですか」と言われると、「もっともです」と言うし、「成功ですね」と言われると、「もっともです」というだけになっています。

それでは、地方で、鉄鋼基地がくると思ってこなかったということで、「失敗ですね」と言われると、「そうですね」となる。ところが、「鉄鋼基地がこなくて助かりましたね」と言われると、また、「そうですね」となる。プランニングをした時には、鉄鋼基地誘致を一生懸命に地元が考えたことも正直なことだし、くればきたなりの雇用もあったかもしれない。しかし、重化学工業が中心ではない時代がくる時に、もし、建設していたら大変だったという気も残るわけです。

——といいますのも、新産都市の問題点というのが、後の国土総合開発法の全面改正につながるのではないか。そういうふうに取られているものですから、そこでお伺いしているわけです。

それは一全総から五全総まで全部そうなると思うのです。前の計画の欠点を補う必要があるからこそ計画が継続しているわけです。成功していて問題がなかったら、次の計画をつくる必要がないのです。だから、いつでもプランナーは総点検作業を続けているのです。その総点検結果を総合的にまとめるのは、適時にすればいいのですけれども、総点検は、一日も欠かさず継続するわけです。だから、新産業都市ごとに、例えば、八戸地区は今日では、むつ・小川原開発として全然違った議論になってきています。それでは、富山の掘込み港はどうかとなる場合は、これはまた全然違った議論になる。

しかし、新産業都市が失敗だから、ということを必要としていないのです。次の時代に向けて考えるというのが地域問題なわけです。過去の計画に失敗したら、地域はそれでもうお葬式を出しなさいという楽観的なことにはちょっとならないと思うのです。

——視点をかえて言うと、こういうことでしょうか。仮に成功、失敗という考え方はちょっと置いて、いつの時点でいつの事業を振り返るか。いつの時点でいつの地方を振り返るかで随分違ってくるのでしょうね、一つは。

それからもう一つは、その地方にとって幸いであったかもしれないけれども、日本全国にとっては不幸であったかもしれない。またその逆であったかもしれない。日本全体の国力や産業の発展と、その地域の発展というのは必ずずれているはずですから。そうすると、どの時点でどの産業をとっていうか、ということによって随分評価というのは違ってくるのであって、恐らく、むつ・小川原にしてもそうですけれども、仮にその新産・工特を見た場合に、評価は変転極まりないというところで、これはおもしろかったという言い方をむしろした方がいいのでしょうね。そういうところがあったら挙げていただきたい。やはり、思ったとおりになった、あるいは、全然思わぬ方向にその後、進んでしまったと。

私自身の経験で言うとしたら、一九六一年で申請陳情騒ぎをやって、四十四カ所が出てきて、その四十四カ所を私は一つ残らず非常に詳細に地元の案を聞きました。そして、ものすごい激しい批判を四十四全部にしました。その時の批判というのが、結果から見て私にはとても勉強になることです。

それはまず簡単なことから言うと、四十四カ所の中で、何カ所だったかな。鉄鋼基地が二十何カ所できるような計画なのです。そんなことはあり得ないでしょう。そうすると、どういうことを地元に言うかというのがテーマですよ。私は一、二の鉄鋼基地を除いて全部、これは無理だという話をします。ところが、地元としては手続きを経て持ってきているのに、担当者が「やめます」と言えないわけです。

思い出話として、今ではものすごく楽しく話し合いますよ。「あの時、やらなくてよかったですね」というようなことになるわけです。それは有明海の干拓もそうだったし、周防灘の工業基地もそうだし、皆、地方主導性を拒否した中央での仕事であったわけです。こういうものをどう評価するかはちょっと難しいのでしょうけれども、プランナーにも中央は中央なりの役割があって、将来への先見性があって、地方を指導するという要素はあるなとは思います。

だから、新産法の地区でも未だに付き合っている県は多いけれども、申請当時の話なんていうのは、担当者で知る人もいないほど変わる。地元に行って、新産法の話をその地域についてできるのは、県庁の職員より私の方が詳しかったですよ。おもしろいですね。

——話が変わりますけれども、一全総のテーマは産業都市つまり拠点開発と中枢管理機能都市ということがあったわけですが、一全総の展開過程を見ますと、後者の面が非常に陰が薄くなっています。その辺はどういうところに理由があったのですか。中枢管理機能をつなぐという話をしていただきたいと思います。

中枢管理機能都市

一全総では、産業基地づくりというのはサブのテーマだった。一番のメインは、中枢管理機能システムを国土の構造にあわせてどうつくるかというのが、国土計画のインフラを専門にした計画の中心だというふうに見ていたのです。もっと簡単に言えば、交通・通信計画をつくることであったわけです。交通・通信をつくる時に、その頃、新幹線や高速道路はありませんから、鉄道の電化・複線化や、一級国道の整備、電話をダイヤル即時で積滞率を下げるなど、その次元で交通・通信論をやるのです。その施設のインフラ整備の優先順位を論ずるのです。

その時に、東京を起点にして北は仙台、札幌、西は名古屋、大阪、広島、福岡を軸にしよう、日本海としては新潟、金沢を中心にしようということで、日本列島の骨格をつくることが一全総の非常に大きなテーマなのです。それをフィジカルに言うだけではなくて、情報機能論としても議論したのです。その頃は「情報」という言葉がなくて、「中枢管理機能」という言葉でした。

だから、計画論的に言えば、ツリーシステムを国土につくったという感じがあるのです。東京が一番上にあって、大阪、名古屋があって、札幌、仙台、広島、福岡などがあって、各県庁都市があって、三千三百の市町村があるという立体的なツリーのシステムを完成するというのが一全総の、国土プランナーが一番やりたかったことなのです。それが完成すれば、産業もひとりでに誘導されるだろうと見ていたのです。

ところが、産業側の方から陳情が激しくなったので新産業都市で受けるようになって、一全総というのは拠点が産業都市のように言われてしまったけれども、拠点開発方式といった時の拠点は、中枢管理機能都市のことを言っていたはずなのです。

それがなぜだめになったかといえば、陳情の華やかさと新聞での記事の量で決まったわけです、われわれとして選択したのではなくて。中枢管理機能の記事なんて、恐らく、本当に専門の記者でもない限り書いてくれないですからね。

それでいながらわれわれの仕事は、中枢管理機能都市の方が実は実務としては重要で、ある意味で成功したと言えるかもしれない。一点集中型の拠点開発方式を整えたのは中枢管理機能だと思うのです。一全総の中枢管理機能論というのは、将来情報化社会へつながるべき先見性のあるテーマだった、と私は思うのです。

ただ、そのネットワークのつくり方が、東京からの江戸時代の参勤交代道路と同じような思想であったところは現実的でもあるし、理想的でなかったとも言える。非常に現実的だからこそ、日本の国土は完全に今そうなっているのではないですかね。だから、一全総が中枢管理機能で大成功と言ってくれる人がいてもいいのではないかと思うのですよ。

——例えば、地域的に中枢管理機能が集中していた方がいいのか悪いのか。山口県とか埼玉県は、県庁所在都市にそういった機能はあまり集中しないで、同じ程度の規模の都市が分担するような形になっています。

そういった地域のあり方のほうが、地域間競争、あるいは地域格差をなくすという意味のバランス論からいっても好ましいのではないかと思われるのですが、最近、山口県や埼玉県でも、「県庁所在都市にもっと集中すべきだ」というような動きが出てきて、ちょっとこれはどうなのかと思うのですけれども。その辺はやはり来るべくして、山口も埼玉もようやくそこへ来たというふうにご覧になるのですか。

流れとしてはそうですね。そして、法律も中核都市論なんていうものを、建設省でもどこでも言っているものを聞いていると、その傾向をバックアップする政策として語っています。それを否定するという政策ではないです。

だから、それは戦後以来のそういう傾向に対して、行政が反応しているというふうに私は見ているわけです。しかし、五全総の段階になると、その流れからは出てこない、新たなテーマになってくるというのは明らかでしょう。

——確かに日本列島は東京に一極集中しているし、各ブロックはブロックの拠点都市、札幌とか仙台とか福岡に集中しているし、各県域は県庁所在都市に集中しているし、そういった図式が、三十年の間にほぼ固まったわけですね。

完成したわけです。だから、その意味では成功と言ってくれる人がいてもいいと思う。ただ、成功という時には、必ずそれの欠陥を議論しなければならない。いまはむしろ欠陥の方がテーマでしょうけれども、だから成功したと言ってほしくないけれども、狙いは当たっているわけです。

――所得倍増計画の仕掛人といいますか演出者は、下村治さんというエコノミストではなかったかと思うのですけれども、この下村さんの印象と、どういう形で所得倍増計画を彼自身が国土計画に重ね合わせようとしたかをお尋ねしたい。

下村治さんのこと

下村さんはいろいろな仕事をされたけれども、私たちがよくお会いしたのは、開発銀行で仕事をされる時でした。当時平田敬一郎さんが副総裁で、国土開発に非常に熱心で、所得倍増計画や第一次全総計画の時も、平田さんの役割というのは大きいのです。その時に同じ開銀なので、私が年中下村さんの話を伺うわけです。そうすると、下村さんだけでしたね、所得が二倍になることに確信を持ってしゃべっているのは。ほかのエコノミストは、二倍は雇用から考えて理想だけれども、いろいろ問題があるということで議論していたものです。そして、それを国土計画につなげるという話は、平田さんが全部仲介してきたというのが私の感じです。二人とも亡くなったから、思い出に追悼文を書きましたけれども、今でも印象的ですね。

この動きは一全総の裏の部分だと思うのです。それで、あとで怒ったわけです。あの時三倍と教えてくれたら国土計画は違ったと。そうすると下村さんは、「本当にそうかもしれない。だけど、三倍になってよかったかどうかはいろいろ議論がありますね」と。彼はいつでも冷静です。だけど平田さんは、現状にあわせてどんどんやらなければだめではないかと一生懸命に言ってくれましたけれども。

下村さんとは、亡くなる寸前まで月に一回食事をしたりするご縁があって、その当時のことを懐かしがっていました。新全総になった時も下村さんにだいぶ伺ったのですけれども、最近になると下村さんは経済成長は無理というので、これはまた激しいのですよね。あんなに成長に自信のあった人が、「成長の自信はありません」と言い続けて、四全総の時も困ったのです。下村さんが「こんな楽観的な見通しでやっておくのは危ない。日本の経済はそんなにいかない。まあ二~三%成長で御の字ではないか」ということを言われたのです。これにはショックでしたね。

いまは下村さんが亡くなってしまったので、私も経済企画庁や国土庁には、「もう二~三%成長で国土デザインをしようではないか」という話をしはじめています。ただ、依然としてエコノミストは、四~五%ぐらいないと平和な状態が維持できないという思想ではないでしょうか。

——下村さんは、独特の国土計画観を持っていたようですね。沖縄返還の時にあの方が言った言葉を覚えているのですけれども、「沖縄は国が贖罪の意味で幾ら投資しても、沖縄から人口というのは逃げて行く。そんなに産業だって興らない。むしろ、沖縄にとって一番いいのは金をかけないことだ。投資しないことである。そうすれば、少なくとも、自然だけは残るではないか」ということを言った。それが非常に印象深く残ったのですね。なるほど、いまから考えてみるとそうかもわからないと。これは独特の国土計画観だと思いました。

下村さんに文句を言ったことがあって、私が沖縄の復帰の仕事を始めた時に、下村さんに相談したら、下村さんはそう言われたでしょう。沖縄でそんなに工業が入るわけはないし、砂糖キビがうまくいくわけないから、恐らく、人口流出になるのではないかと言うのですが、その時に、私が開発の検討をしてみて、沖縄の子供が流出しないと言ったのです。現に、大阪とか関東に就職して連れて来た子供が帰ってしまうんですよ。それは言葉のこともあるけれども、生活習慣や考え方が日本離れしていて、全然違うんです。だから、政党にしても労働組合にしても何にしても、全然違う。難しいですね。沖縄の歴史が生みだした沖縄の特性ではないでしょうか。

4

列島改造の時代——新全総計画

1　自民党「都市政策大綱」との関連

――それでは新全総＝二全総（新全国総合開発計画）による「列島改造の時代」の話に移りたいと思います。

一九六九年に新全総がスタートしますね。第一次全総計画末期を振り返ってみますと、六七年に田中角栄氏のリーダーシップによって、自民党に都市政策調査会が発足するわけです。これは自民党が党として初めて国土政策、都市政策に取り組んだもので、彼らによる「都市政策大綱」の策定と、経済企画庁による新全総計画策定というのがちょうど時期的に重なっている。両者はもちろん、独立した構想ですし、意図も異なりますけれども、随所に重複する主張も見られますし、有機的に連動しているように見えるところもある。

そこでまず、この自民党「都市政策大綱」と、全総策定との関連についてお伺いしておきたいと思います。

自民党の「都市政策大綱」が何であるかを簡単に言うと、一全総以来の動き、とくに新産業都市の動向を見ていると、縦割り官庁の弊害という議論と、自民党が政策立案能力がないということが大きなテーマになったのです。政調会長になった田中角栄がそれを克服しておかなければ、将来まずいということを強く言ったのです。つまり、日本にとって一番重要な政策は、官僚を頼らずに自民党の手で政策を立案すべきだということを強調したんです。

その時に、田中角栄は、都市政策が日本の内政の基本だということを言っていました。それでは、日本の政策はたくさんあるけれども、都市政策で一度、自民党が自らの力で政策をつくってみようということになったのが出発点なんです。

そこで、まとめ役は田中さんの事務所の秘書たちがやることになって、秘書を充実しようということにもなった。具体的には早坂茂三さんと麓邦明さん二人が選ばれて都市政策を論ずることになった。そして政府の縦割りには、都市政策を担当するセクションがない――建設省は都市建設だけで都市政策をやっていない――ということになって麓さんと早坂さんが、関係省庁の若手を呼んではヒアリングをすることから始まったわけです。そして、そのうちの来てくれた何人かを集めて勉強会を開いて――私もその勉強会のメンバーの一人だった――それで麓さんがもっぱら執筆してまとめたのが、この「大綱」というわけです。皆が出したペーパーも参考資料に載っていますが、主文は麓さんがもっぱらつくり上げた。そしてこれからの日本は、国政の中で都市政策が最重要課題であって、しかも、市民が主人公であることを前提にするとまで言って、住民参加のもとで都市をつくる。その指導性というのは、地方にあるということも含めて、都市政策大綱をつくっていったのです。

▽――都市政策大綱　この大綱は一九六七年三月に自民党内に設置された都市政策調査会（田中角栄会長）において検討・審議されたとされているもので、六八年五月に党議決定された自民党の最初の国土開発政策。大綱作成の背景には、官僚主導の縦割り行政が都市づくりの適正な展開を乱しているという認識の一致があったともいわれている。なお、都市政策調査会は九三年八月に一定の使命を終えたとして廃止されている。

新全総の策定に関する経緯

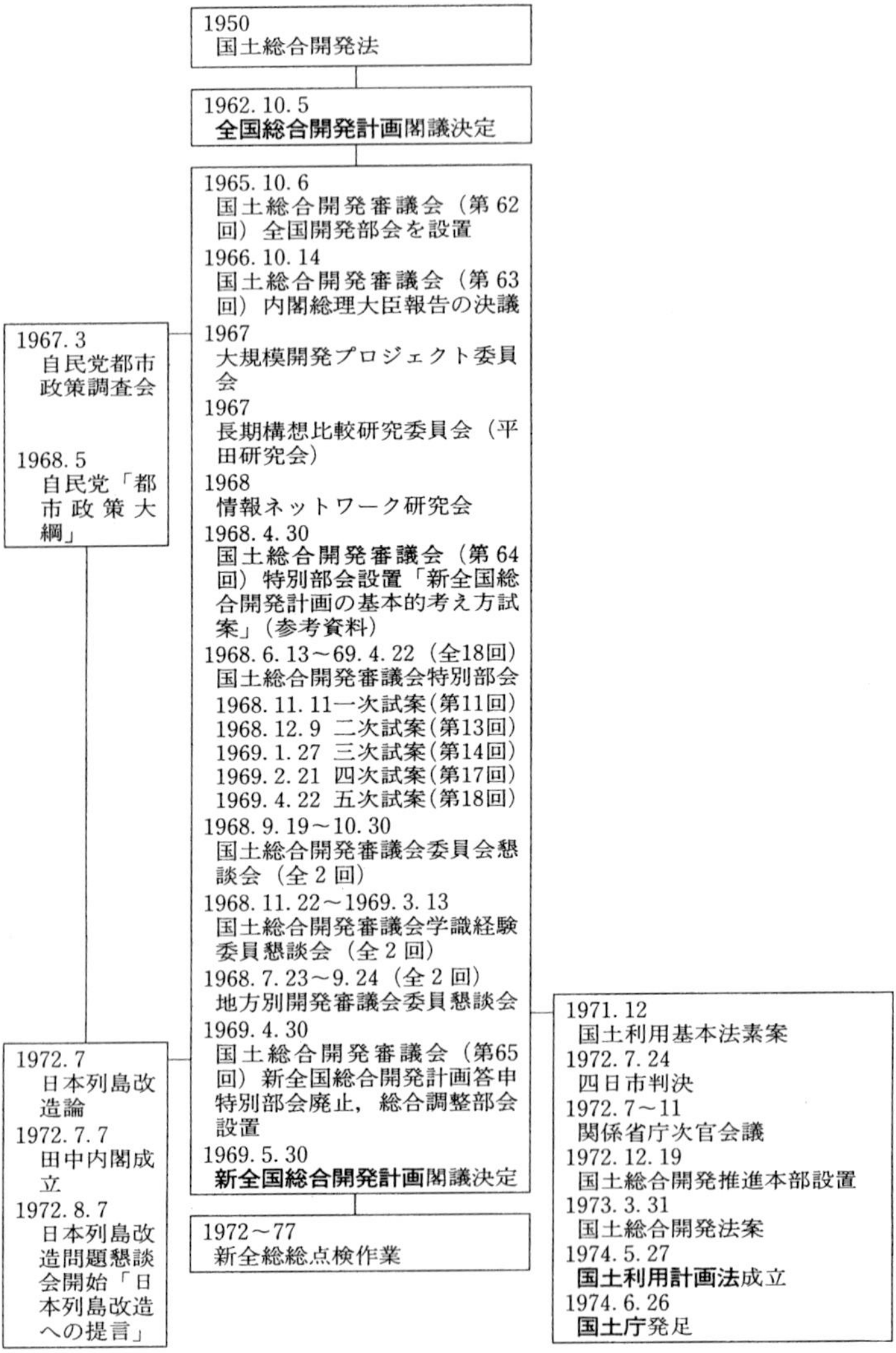

1950
国土総合開発法

1962. 10. 5
全国総合開発計画閣議決定

1965. 10. 6
国土総合開発審議会（第62回）全国開発部会を設置
1966. 10. 14
国土総合開発審議会（第63回）内閣総理大臣報告の決議
1967
大規模開発プロジェクト委員会
1967
長期構想比較研究委員会（平田研究会）
1968
情報ネットワーク研究会
1968. 4. 30
国土総合開発審議会（第64回）特別部会設置「新全国総合開発計画の基本的考え方試案」（参考資料）
1968. 6. 13～69. 4. 22（全18回）
国土総合開発審議会特別部会
1968. 11. 11一次試案（第11回）
1968. 12. 9 二次試案（第13回）
1969. 1. 27 三次試案（第14回）
1969. 2. 21 四次試案（第17回）
1969. 4. 22 五次試案（第18回）
1968. 9. 19～10. 30
国土総合開発審議会委員会懇談会（全2回）
1968. 11. 22～1969. 3. 13
国土総合開発審議会学識経験委員懇談会（全2回）
1968. 7. 23～9. 24（全2回）
地方別開発審議会委員懇談会
1969. 4. 30
国土総合開発審議会（第65回）新全国総合開発計画答申
特別部会廃止，総合調整部会設置
1969. 5. 30
新全国総合開発計画閣議決定

1972～77
新全総総点検作業

1967. 3
自民党都市政策調査会
1968. 5
自民党「都市政策大綱」

1972. 7
日本列島改造論
1972. 7. 7
田中内閣成立
1972. 8. 7
日本列島改造問題懇談会開始「日本列島改造への提言」

（右欄）
1971. 12
国土利用基本法素案
1972. 7. 24
四日市判決
1972. 7～11
関係省庁次官会議
1972. 12. 19
国土総合開発推進本部設置
1973. 3. 31
国土総合開発法案
1974. 5. 27
国土利用計画法成立
1974. 6. 26
国土庁発足

そして、それに具体性がないと言われるたびに、各省の政策をちりばめたりしたために、本来の趣旨が少しわかりづらい面はあるのですが、この大綱に従ってやろうということに、自民党としては決めたわけです。

われわれとしたら、その頃、もう新全総の作業をしていましたから、新全総の中で都市政策大綱をどう生かしていくかは大テーマだったわけです。どうやらお互いに都市政策研究所が必要だというところが、結論的なコンセンサスだった。それで新全総でも、都市政策大綱でも、実は国土政策研究所をつくることが最後の落ちみたいになっていると思うのです。

新全総が六九年にできるわけですから、六七年から六九年までの間は、新全総と都市政策大綱との関係は絶えず議論になりました。それと同時に、明治百年というテーマが別途あって、その議論と、都市政策の議論とがドッキングされる形で、新全総ができているという形になったと思います。そういうことをやらないと、一全総の拠点開発だけの仕事ではだめというのがあって、市場性を乗り越えるのはやはり明治百年という思想から、国土の根本的構造をつくることがない限り、市場の動きには勝てないという反省がかなり強く出たと思います。

2　新全総の意図したもの

――新全総の特徴は、まず計画年限が二十年というロングタームにあることだろうと思われます。この長い期間内に日本列島の再構築を公共事業中心でもって行おうとしたわけですが、その中心を大規模工業基地と、交通・通信ネットワークといったところに置いて、全国的に建設しようとした。

それでお話の明治以来のインフラを再整備しようということですが、いま言われたように、そういう機運ですか、必然性が政府部内にふつふつと沸き起こって、そういったものを受けて新全総になったと理解してよろしいですか。

新全総＝大規模工業基地は一面的

そうですね。その当時、高度成長というもののインフラストラクチュアは、戦後につくったインフラのお陰ではなくて、明治がつくったインフラの上に花を咲かせたという見方が一方にあって、その明治期につくったインフラが、老朽化して、限界まできて、更新期にきているという見方もあったわけです。だから、二十一世紀に向かって、新しいインフラをつくることが必要だという認識なんだけれども、これは経済計画の思想と違うんです。百年後のためにというのは、経済政策ではついてこれないわけです。それで二十年というのは工事期間を言っているのであって、二十年やった工事の結果が、百年後にどう影響するかという論争は経済の視点からだけでは何も出てこない。一全総は長くて十年という経済計画とそりを合わせたけれども、新全総は、経済計画とお別れをして、独自の道を二十年計画という形で歩み出したというのが、いいか悪いか問われるところになるわけです。それでいま言われたようなことになったのだけれども。

ただ、一全総の時に、中枢管理機能都市と産業都市ということだったけれども、中枢管理機能都市が忘れられたと同じで、新全総を大規模事業と理解することは非常に一面的であって、生活圏のことを強調しているのです。だけど、そっちは情報化されなかった。しかも、まずいことに、それは国で考えることではなく地元の問題でしかないと決めつけたところから、情報化されなかったんです。

いまでも私はその方が正しいと思っているわけです。車の両輪で、ナショナルプロジェクトを国がしっかり言うと同時に、地域ごとに生活圏をつくるんですよというのを明らかにして、しかし、生活圏は地域の問題ですよというところから、国としてはナショナルプロジェクトをきちんと言いますということに仕分けしたところが、きちんと伝えてもらえなかったというのが、私の嘆きなんです。車の両輪の片一方だけで、新全総のように言われたことがどうもおもしろくないと私は思っていたわけです。

それからナショナルプロジェクトは大規模工業基地だけのように言われたこともまた問題で、むしろ、基本的には一全総が国鉄で言えば複線化・電化であったものが、新幹線レベルの話になったとか、道路は一級国道とやっていた一全総が、新全総では高速道路になったとか、電話の積滞量とか、ダイヤル即時通話というのが終わって、もうコンピュータ時代の情報化時代に入るというものでした。「情報化」なんていうことが閣議決定になったのは、新全総が初めてなんです。

だから、自民党に説明した時に、「情報」というのはスパイ活動としか思わない代議士がいっぱいいて困ったものです。そのようなことが、実は新全総のナショナルプロジェクトの中心テーマです。それに対して、大規模工業基地をなぜ言い出したかというと、一全総のところで話したように、国内資源ではなくて輸入資源の処理・加工の基本は、内海型という時代が過ぎて、外海に出さなければだめということを言いたかったわけです。

内海は、もう許容いっぱいだから制限したい。そしてやるなら、外海で大規模工業基地をやらなければだめだと言ったところが評判が悪かったわけです。汚れている所に対しては寛容な人がいるけれども、汚れていない海で工業基地をつくることには、誰だって神経質になるという意味では、反対は極めて当たり前なことなんです。

しかし、瀬戸内海とか東京湾を見ている時に、これでいいと思えないわけです。そうすると、海外という話がすぐ出るけれども、海外なら汚してもいいとは、われわれとしたらどうも合点がいかない。だから、もし日本の経済が必要ならば、国内に基地をつくろうと。しかし、その基地は小規模な生産で、大規模な基地ということを一全総の経験から言い出したわけです。大規模工業基地の「大規模」というのがどうもイメージとして悪かったんですね。一全総は大規模な生産に小規模な基地ということで苦労したわけですから。大規模工業基地というと、「また、あれ」と思う人が多かったわけです。ところが、われわれは、これまでの経験から、大規模な基地をつくって、小規模な生産をして、環境と馴染ませないと、外海には出られませんということを言ったんだけれども、むしろ、企業からも反対にあったんです。そんなお金のかかることはできないとなった。財界はそれに反対しなくても、反対運動が全部やってくれるのでいいなんていう人まで出たわけです。それで、非常に錯綜した議論を最初続けていたというのが現実です。

本格的な大規模工業基地としては、むつ小川原地区と苫小牧東部地区に建設することを考えていました。両地区とも資金計画の上で難航していますが、二十一世紀にそなえて長期構想を実現するために努力が続けられています。

——広域生活圏についてはまた後で触れたいと思いますが、交通・通信の全国的ネットワーク、例えば、高速道路、新幹線、電話等について、あまり触れられないのは、恐らく、それがすでに現実のものになって……。

成功したら話題にならないのは当たり前ですね。

——いま大規模工業基地だけが取り上げられるのは、それが成功しなかったということですね。

成功しなかったというよりも、理解の仕方がはっきりしていないと思いました。

——大規模工業基地をどのように考えられていましたか。

大規模工業基地論の前提

実は大規模工業基地論の前提に四日市問題があるのです。

戦時中、内務省が四日市に海軍燃料工廠のための臨海工業基地建設を実施したのです。戦時で農民、漁民、市民との調整も不十分で四日市の都市整備が行われないままに、埋立工事が始まり、石油プラントが建設されました。しかし終戦を迎え中途半端なものとして残されてしまいました。この跡地を戦後、民間石油等企業に払い下げることになったんですが、港湾機能をもっている四日市の埋立地は、企業の激しい払い下げ事件となり、政治も介入して長年にわたり払い下げ決定ができずに推移していたのです。

結果としては、多数の工場に細分化した土地として払い下げてしまうことになりました。この時、小さい工業地に大きい生産という関係が生まれ、拡張がむずかしく、周辺にスプロールする傾向があり、かつ公害防止のために十分な環境を整備することも困難でした。そこで吉田勝太郎四日市市長が一九五八年に四日市の総合的都市計画を策定することを考え、大型の研究会を設置して望ましい都市ビジョンを作成することとしてその報告を受けています。しかしこの報告が行政計画に生かされるよりも、現実の公害被害への対応が先決問題となっていったんです。公害事件に攻める側と守る側に分かれ争うことになり、四日市公害裁判とその判決に結びつけられていきました。

この頃、私は三菱油化の池田亀三郎氏の発言に注目し、再々意見の交換をしました。その発言は、コンビナートは大きな基地で小さい生産ということでなければならない、というものでした。さらに、内海の小さい港を利用することは、プラントの大型化やオイルタンカーの大型化に対応しきれないということでした。

そこでまず、鹿島コンビナートの建設に挑戦することになったのです。各分野のすぐれた専門家を選び、討論を重ねてマスタープランを作成しました。四日市と比較すれば鹿島は、世界に紹介し得る程度の基地を建設することができたと思いました。しかし池田亀三郎氏は満足しなかった。外海性ではあっても掘込み港湾では不十分であり限界があること、用地は将来の拡張のために必ずしも十分でない、と。

その頃、新産業都市として八戸地区の問題があったんです。新産業都市計画として青森県が策定し、国に承認を求めてきた中には、鉄鋼、石油の総合的コンビナートをむつ小川原湖周辺に建設するということが含まれていたんです。しかし国としては、八戸地区の計画を承認するにあたって、むつ小川原湖周辺の大規模な開発は今後検討すべき問題として処理することになりました。

ところが新全総の作業の過程で再び、むつ小川原湖周辺の大規模な開発が検討課題となったのです。このことは鹿島に学びながら、さらに大きな基地に小さい生産が問題になり、その検討候補地としてむつ小川原湖、苫小牧東部、秋田湾が取り上げられました。石油と鉄鋼のコンビナートとして三地区とも提案が出されていたんです。そこで苫小牧東部については、北海道開発庁、北海道庁で検討することになり、むつ小川原湖と秋田湾は経済企画庁と青森県、秋田県で検討することになりました。

その結果、秋田湾については、鉄鋼基地として討論しましたが、今後の検討課題として打ち切ることになり、むつ小川原湖は、鉄鋼基地は取りやめ、同時にむつ小川原湖を大規模に開発することをやめることにしたんです。そして石油系コンビナートを造ることにまとまっていった。

この時、石油系コンビナートを造るために大きな基地と小さい生産ということで計画することになったのです。それとともに重要なことは、むつ湾内での工業港は取りやめることにして、太平洋側の外海性の港湾とすることになったんです。それでも外洋に大堤防を建設するということが問題になりました。そこでオイルシェル・カンパニーの繋留ブイによる給油システムの研究を始めることにしました。この研究の結果、外海を汚染することなく、陸上とタンカーの間で給油することが可能であり、このほうが海岸線によい影響があるという結論を出したのです。すでに池田亀三郎氏は世を去っていましたが、むつ小川原には賛成していただけるのではないかと思いました。

しかしむつ小川原は時代の推移とともに石油備蓄基地にとどまり、最近では原子燃料処理基地として展開してきています。これから石油化学工業の再編成問題や、東京湾内の石油プラントの更新問題、石油系資源使用の抑制問題のことなどを考えると、また新しい事態が出てくると思うんです。

二十一世紀に向けて、大きな基地を管理していくことの難しさは大変なものですけれども、四日市から始まってむつ小川原地区までの道のりは無駄にされてはならないと思っています。

——そういうことで、大規模工業基地がいまもって話題として語り継がれていると思います。例えば、反対運動のことですが、志布志では、スモッグの下でのビフテキよりも、太陽の下で梅干を食いたいという考え方をもった人々による反対運動が起きて、かなり出鼻をくじかれたわけですか。

志布志をめぐって

いや、くじかれないんですよ。志布志で言うと、新全総を読んでいないということを、私たちは文句を言っていたわけです。新全総では、志布志が大規模工業基地と書いてないのです。だけども、「政府は志布志湾に大規模工業基地をつくることに決定したので、反対だ」と言って、取り上げられたことに、われわれとしては困ったわけです。志布志で大規模工業基地ができるわけがないのです。

西瀬戸全体としての開発をやりたかったんです。やり方は志布志だけではなくて、大分や宮崎もあれば、愛媛もあって、そこでは環境を考えた小規模工業基地がネットワーク化するということをビジョンとして描いたわけです。そのネットワーク全体を西側の大規模工業基地といって、周防灘の大規模工業基地は、むしろ中止しようということまで言っていたのです。ところが、志布志の場合は、志布志湾で大型だと決めつけられてしまった。だから、ちょっと説明のしようがなかったという感じが続いたわけです。

志布志もいまではある程度の基地ができて、わりに落ち着いてきたとは思うんです。ただ、それでは従来の自然が残っているかといったら、少しずつなくなっていますから、問題ではあるわけです。

新全総計画は、これまでになかった行政計画の新しい手法だったのです。どういうことかといえば、二十年間のプロジェクトを全国計画で決定することは不可能だということを前提にしたわけです。だから、段階に応じて関心を持つテーマ、調査を始めるテーマ、着工するテーマ、改良するテーマというふうにプロジェクトを全部整理して計画に載せたんですね。

志布志は、「今後の慎重な調査検討のうえでやります」と書いたけれども、そこは無視されて、むしろ強行着工と新聞に取り上げられたわけです。われわれとしたら、どうしてこんなことになるのか、困ったというのが現実です。

西南地域大規模工業基地

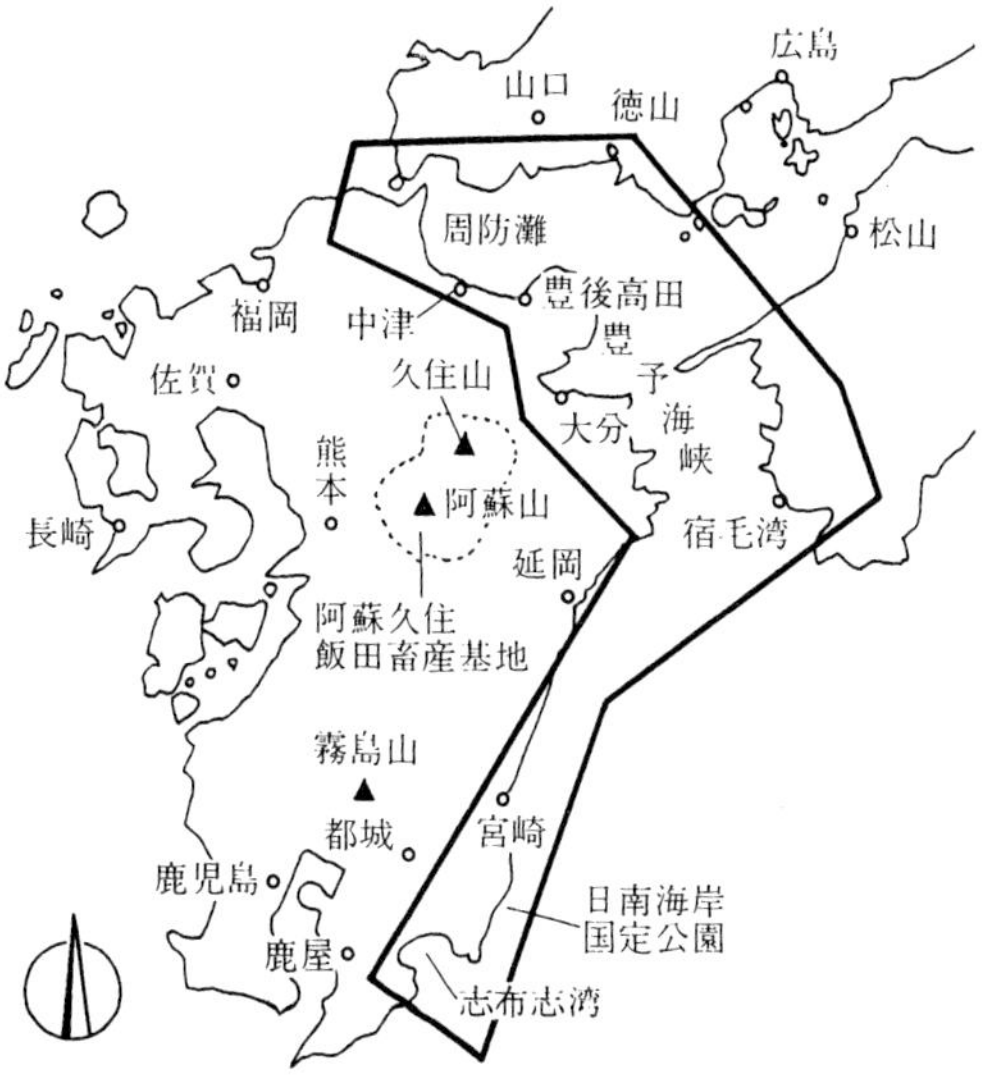

資料：「朝日新聞」西部本社版，1971年7月1日付より。

それは、時代が変わっていて、鹿児島県庁でも新全総がそうだと知っている若手が今いないでしょう。私がこういうことを言うと、愕然とするんです。「それは県庁で誰か知っているのでしょうか」と言うから、「いや、私は何回も来て説明しているよ」というのです。

ちょっとおもしろいのは、志布志で砂浜を県庁の部長と歩いていたら、高校生に呼び止められたんです。「何だ」と聞いたら、「あなた方はここを開発しにきたんじゃないか」というのです。そしたら部長が、「いやいや、そうじゃない」とか言って、何か話に乗ろうとしないから、私が、「いやあ、私はそのつもりで来たんだけど、君はどう思うか」と聞いたら、その青年が、「ここだけいじらないでくれ」というんです。「それじゃあ、貧乏じゃないか」と言ったら、「大阪へ行って稼いで来るから、ここで稼ぐということをやりたくない」と言うわけです。「それはいい考えだね。大阪はどうなってもいいもんね」と言ったら、「大阪なんかは、稼げるところにしてくれればよい」ということを言いましたね。

それはある意味で、地元の青年の真相だと思ったんです。その辺から国土計画というのはきちんと議論を詰めないといけない性質のものですよ。ところが、反対運動という形になると、それだけの落ち着きがなくなってしまう。だから、県庁の職員もえらい骨を折ったのではないでしょうか。

大規模工業基地なんていうのは、閣議決定から始まることはあり得ないんです。それは住民参加もあればアセスメントもあって、時間をかけて決まるでしょう。ところが、政府が関心を持った程度のことは閣議決定するものではないというふうに私は思わなかったんですね。政府は関心があるよということは正直に言った方がいい。しかし、それから調査してみて、住民とも話をして、やれるかやれないかというのはまた別の問題で、場合によっては、国家だから強制してもいいかもしれないけれども、新全総が強制のテコになんかならないと言ったんです。とりあえず、皆もそうだと言うんだけれども、現場に行くと、そうはならないですね。「いよいよ新全総で強制着工に踏み切った」なんて書いてある。それには弱りました。

――新全総というのは、開発可能性を全国土へ拡大するというか、均衡化しようというか、そういうことが基本的にあったと思いますが、それは例えば、フランスの経済学者フランソワ・ペローという人の『グロスポール・セオリ』ですか、こういう考え方が、プランナーたちの意識にかなりあったと思うのですけれども、その辺はありましたか。

それは一全総です。一全総で拠点開発主義というのを経済学者たちが好んで使ったテーマで、拠点の波及効果論というのを議論していたんです。拠点と拠点でつながって、周りが過疎になるというイメージは誰も持っていなくて、拠点ができると周辺に波及効果があって全体がよくなるというので、拠点というのが戦略論になっていった。というのは、当時の経済学者の論文は、フランス人だけではなくて、アメリカ人も多かった。日本でも、坂本二郎さんとか、伊藤善市さんは、拠点開発主義の理論家だったと思います。アメリカの地域経済学者のアイザードも日本に来て発言しています。

――集中投資、即、地域活性化という方程式を書いていたんですね。

いまはそれがいいということではないかもしれないけれども、その当時はそうでした。ただ、新全総の時には、開発拠点主義よりはナショナルプロジェクト主義なんです。というのは主義というよりも、政府の国土計画はそれがテーマであって、国土計画はオーバーオールなものではなくて、国家のやるべきことを明らかにすることが任務だというふうに仕上げたわけです。そのために誤解が出た。住民のやることはどうしたんだとか、生活はどうだと非難されたわけです。それで後で出るでしょうけれども、三全総でそれを取り返すという努力をすることになるわけです。

そうすると、新全総と三全総とどっちがいいかというのは、まだ勝負がつかないと思います。政府というのは、やっぱり地域はどうこうなんていう方向づけに干渉するよりも、国はどうやるということを言うべきだし、それは二十年計画だから強制することではなくて、提案として閣議決定すべきだというふうに、いまでも思っています。

——二十年間のロングタームに当たるナショナルプロジェクトを閣議決定した計画であると言われましたけれども、そのための計画と制度を関係づける、いわば制度論がかなり議論になったわけですね。とくに国土総合開発法の改正問題ですが、その辺をお話いただけませんか。

国総法全面改正について

国総法改正論が起きたのは、田中内閣の時ですけれども、田中さんが、全国計画というのは時代に合うように、絶えずつくり上げていくんだけれども、問題は一九五〇年につくった国土総合開発法がそのままになっていることで、それが一番疑問だと強く言われたのです。

確かに五〇年の法律の全国計画の中身を見ると、新全総や三全総がやれるような法律になっていない。計画の方を時代にあわせたので、法律の方は戦後直後のままなんです。それで田中内閣の時に、国土総合開発法の全面改正ということを言い出す時期がきたわけです。

それでさんざん骨を折って、国土総合開発法の全面改正の案をつくって、やっとまとまって、閣議決定をして国会へ出した。国会に出したら、国会は「日本列島改造反対」、「田中内閣反対」の渦の中であったわけです。その列島改造反対の巻き添えになって、野党の人たちが法律をちゃんと議論する余地はない。国土総合開発法を列島改造の道具として評価するので、一言も審議しないまま廃案に追い込むのが野党の任務であると決めつけられたわけです。だから、審議が一年以上棚ざらしになった。しかし、審議ぐらいはしたらどうかといって、やっと審議してもらって、各党かなり真面目な質問をしてくれました。そして意見ももらったんですけれども、審議とは別に、反対であるということを野党としてまとめたのですね。

その時に、私が目白へ自民党の人と一緒に行って、「このままでは硬直状態です」と報告したのです。そしたら、田中さんがどうしたらいいかと言うので、私が、野党が廃案と言っているんだから、廃案にしたらどうか、と話したわけです。そしたら、田中さんはしばらく考えて、「そうしよう」と言いました。

なぜ、廃案を決断したのか非常に複雑です。というのは、日中問題やエネルギー政策、その他いっぱいあって、列島改造問題で野党とやり合っている暇がない、ということがまず政治的な大きな理由だったのではないかと思うのです。それから同時に、改正案の法律が自民党としてそんなに賛成できるものではないのですね。列島改造促進には邪魔になるという見方が自民党の一部に出てきたというのです。

だから、野党の勢いでつぶせたら、かえってやりやすいという人まで実はいたわけです。それで、国土総合開発法改正案を廃案にするかわりに、国土庁の設置は認めてくれという駆け引きになり、加えて、それでは地価対策をどうするのかというので、議員立法で国土利用計画法をつくってまとめたのが、その時のいきさつです。

だから、私個人としては、廃案になった国土総合開発法というのは、作業上懐かしい作業であって、もう一回議論する時期がいつ来るかなというのは気になっているテーマですね。

――列島改造については後にお伺いしますが、先ほど触れられた広域生活圏構想、これは新全総でも主張されていたのですが、いま振り返って、なぜ広域生活圏構想がそう話題にならなかったのか。あるいは新全総の広域生活圏の狙いが、自治省とか、建設省の似たような構想とだぶったところにあったので、あまり話題にならなかったのではないか。

それは複雑な議論になるでしょうけれども、私が思うのは、生活圏は地方の問題だと決めつけたところが実態から遊離したと思っています。

生活優先論と国の関わり方

国会に行くと、生活優先論なんです。そしてあの頃から伝統的に、公園と下水と住宅を優先するという話が高度成長のひずみを直すための意見として出ていたのですね。それで新全総の時代には、国家がそれをやってくれるという陳情にいつの間にか変わっていたのです。だから、地域主義とか、分権化という方向に反する方向で批判が出た。そして、新全総というのは生活圏を無視して切り捨てたという論評になったのです。

これは私にすると、残念至極だったわけです。その後、ふるさと創生から今日の分権論へと一連のものがつながっていますけれども、公園や下水というものは国家が関与するものではないと、いまでも思っているんです。税制的、財政的には関係があるにしても、開発行政としては市町村の問題ではないかと。だから、下水でも、国家プロジェクトにしておくと、利根川よりも大きな下水道という話になるのが落ちではないですか。そうではないのだということなのですが、新全総では、言うのが早過ぎたと思うのです。五全総の時にはそういう言い方が通るのではないかと期待しているのです。

それは悲しい現実で、国主導型の計画が生活優先論とつながったのです。戦後のナショナルミニマムの弱者救済としての格差論の時には国家の意味があったと思うのですけれども、高度成長期で経済大国になったときの日常のものとしては、ミニマムを国家が統制するのではなくて、地域の特性で地域が自らやった方がいいというんだけれども、認めてもらえなかった。それは生活優先に反対するものだなんて堂々と書かれたりして、参ったなあと思って、だんだんと勢いが落ちていったわけです。

三全総の時に、それを回復しようと努力したのですが、そこでもまた同じ問題で失敗するわけです。つまり、定住圏の主体性について賛成が得られない。私は、定住圏を地方としての分権化の受

▽――**広域生活圏構想**　新全総では、地方都市の環境保全のための主要計画課題のなかに「魅力ある広域生活圏の形成」として取り上げられている。そこでは、この圏域は地方中核都市と結ぶ圏内各地域との交通体系の確立により形成させるものであって、その特性に応じた独創性を生かして魅力あるものにすべきであることを説いている。この生活圏構想は生活圏自体に関する権限は中央にはないという認識がとられた。

け皿として明快なものにしたいという野心を持ったけれども、全員が反対。その時も分権化は負けたと思っているわけです。私から見ると、新全総、三全総と二回負けて、四全総ではその問題に触れないで、五全総でもう一回勝負するのかなと思っているテーマの一つですけれど。

——生活優先の声が非常に大きかったというのは、つまり、ナショナルミニマム、それでさえなかなか達成していないではないか、というところから発していると思いますね。

そうなってしまったんです。だけど私から見ると、もうそろそろ、それを離れていいと思っていたわけです。それぞれの地域で住宅の事情も違えば、緑の状況も違うわけで、地域の意思によって動いた方がいいんじゃないかという、一人当たり何平方メートル以上でなくちゃいけないという国家の基準で開発を進めていくということ自体が、どうも文化的ではないなあというそれだけのことなんですけど。

3　列島改造論をめぐって

——先ほどから話題になっている列島改造論の関連ですけれども、世間では、この新全総と列島改造論を表裏一体のものとして受け取っている向きがかなりありますね。下河辺さん自身が列島改造論のグループと付き合いをしていたこともあるので、列島改造論についてお伺いしたいと思いますが。

いきさつ

列島改造論はどうやってできてきたかというと、極めて明快で、田中角栄が自民党の総裁選挙に出る以上、個性的な政策を述べなければいけないというのがあったということです。田中自身としては、列島改造政策を出して総裁選挙に臨みたいと思ったんですね。それはそれでいいことだと思うのです。だけど、その時に田中は通産大臣でしたから、その作業のグループが通産省系の役人とジャーナリストだったわけです。だから、そのメンバーの個性が列島改造論に色濃く出た。その時に、新全総をやったグループは実はちょっと離反していて、それが、後になってまずかったと思うんです。

どうせやるなら、乗り込んでちゃんと書けばよかったと、私などは思ったんですけれども、離反していたのです。田中さんがそのグループを集めて二年がかりで列島改造論をまとめてくれという注文をして、われわれもやりましょうといったところまでは事実なんです。

ところが、幸か不幸か、田中さんが二年を待たずして総理になる雰囲気に変わったのですね。だから、三カ月でまとめてくれという話に変わったんです。その時に、われわれのグループは拒否して、二年ということでしかできないと言ってそのままになった。それで田中角栄さんとしては、そ

▽——日本列島改造論　この図書は、佐藤内閣が総辞職し田中内閣が誕生する直前の一九七二年六月に、田中角栄著として日刊工業新聞社から出版されたもので、発行部数八十八万部を記録する当時のベストセラーとして、評判を博した。この図書は「I私はこう考える」をはじめとして、全体を七章で構成され、工業再配置、交通ネットワーク、情報化社会、新二十五万都市構想等の国土開発の処方箋が描かれている。

なお、巷間ではかなり長い間、下河辺自身がこの改造論の執筆者の一人ではないかといわれていた。

れは無理もないと思ったんでしょう。三カ月でつくることを通産の人と、通産系のジャーナリズムに頼んで速成でつくったのが〝列島改造論〟です。田中さんも、ベストセラーになって本当に驚いていまして、「やっぱり君、こういう時代なんだね」としみじみ言っていました。

――列島改造ブームみたいになりましたね。北海道とか、九州の山林まで土地投機で買われて。それで地価高騰とインフレになった。

いや、そこは、私はそういうふうに理解したくないというか、しないでいるんです。それはなぜかというと、列島改造論は結局、実施しなかった。事前の動きだけで、列島改造が情報化されて火がついたという感じです。過剰流動性など地価高騰等の火種はすでにあの当時あったわけですから、田中角栄さんが一番恐れたのは、ベストセラーになったということを非常に怖がった。何を怖がったかというと、財政インフレに火をつけるという話と、環境破壊に対してこのままでは対抗できないという話と、土地問題がどうなるか、暴騰してしまうのではないかというあたりを心配していて、総理になったとたんに、列島改造論に水をかけることしか私には言いませんでした。何とか火を消さなければだめと言うのですね。しかし、世の中の新聞は、いよいよ田中角栄が出番で、列島改造をやるよとなっているものだから、田中さんは新聞を見るたびに怒っていました。

――第二次田中内閣で愛知揆一大蔵大臣が亡くなって、田中角栄総理が、福田赳夫行政管理庁長官を呼んで、愛知さんの後の大蔵大臣就任を依頼するのですが、その間のいきさつを福田赳夫さんが、日経新聞の「私の履歴書」(一九九三年一月二五日付)で書いているんです。

そこで、いまの日本の経済がこんなことになったのはなぜだとただすと、石油ショックだと田中総理が言ったことに対して福田さんは、「〃そうじゃない。これは日本列島改造がきっかけになって地価が急騰しそれにつれて一般物価が上昇し、国際収支も赤字になったのだ。列島改造の看板を下ろさないとどうしようもない〃と迫った。しかし総理は〃あれはわしの一枚看板で下ろすのは難しい〃というから、〃それじゃ、大蔵大臣は引き受けられぬ〃といって〃お互い一晩考えよう〃ということになり……翌日再び官邸に行くと、田中総理が〃日本列島改造は君の言う通りにするよ。〃」これからは口出さないから、大蔵大臣をやってくれと言ったと書いてあるんです。この間のいきさつはご存じでしたか。

よく知っています。たしかに、政治的に列島改造論をどうしたらいいかは、福田さんと意見が違ったんですが、政策論としては、改造論を棚上げするからこそ福田さんに大蔵大臣を頼んだ。福田さんは田中さんに総裁選挙で敗れたわけですから、列島改造論で負けたという感じになるわけです。だから、その大蔵大臣になることを潔しとしないのは当たり前なんです。それで田中さんも困ったわけです。自分は列島改造論で総理になったのだが、その時から改造論を一時中止したいのです。列島改造に批判的な田中派の長老の西村英一さんを国土庁長官にしたとか、愛知さんを大蔵大臣にしたというのは、列島改造論を当面棚上げするための人事でしかないんです。

だから田中内閣論をやる時に、田中個人の問題ではなくて、田中内閣が何をしようとしたかという客観的な政治学の勉強が必要です。戦後歴代内閣のうち、田中内閣だけ十分な分析が抜けてしまっているのです。田中内閣について学者が言うと、評判が悪くなる。だから、田中内閣の本当のところが出ると、ちょっと世論受けしないでしょうね。だけど、田中角栄は国土開発に関して始めから終わりまで慎重論でしかなかったですね。

――〝日本列島改造論〟という言葉は、未だに生き残っているほど、たくみなチャッチフレーズだと思うのですが、この言葉はどなたの発明ですか。あるいは田中さん自身がおつくりになったのか。

誰が言ったかというのはあまりよくわからない。田中角栄が言った感じもするし、ジャーナリストが言った気もするし、秘書の早坂さんが言った気もするし。何か話しているうちに、「ああ、それだ」となった感じなのね、私から見ると。だから、誰が名づけ親というのは、あの場合には難しいと思う。

〝新産業都市〟というネーミングは、橋本登美三郎が決めたというのではっきりしているんです。各省がごちゃごちゃしたときに、橋本登美三郎が突然、「これは新産業都市と言おう」と言って、各省反対できないで決まったという、それは明快ですけど。

ただ、出たのは、北一輝（新潟出身）が日本改造法案大綱で失敗したから、「改造」は問題だという議論をしたこともありました。だから、田中角栄が思い込んでいたという感じはあるかもしれないし、英語版では「列島改造」ではなくて「日本改造」なんです。そのあたりは英語の方が、田中の政策的意図に近いところがあるわけ、外交的なものも含めて。だから、その意味では、命名者はよくわかりませんね。

――福田赳夫さんが大蔵大臣になって、総需要抑制策を取るわけですね。本四架橋の凍結や、高速道路建設の抑制などをするわけですけれども、官邸でも後藤田委員会ができますね。後藤田委員会ができたいきさつについて、後藤田さんも「私の履歴書」に書いています。列島改造ブームとなって、全国的な地価の高騰を招いて、地価対策に取り組むために、〝後藤田機関〟と呼ばれる情報機関と、一部の週刊誌などで誤解もされた委員会をつくったと。

ここに集まったのは、「大蔵省からは高木文雄君（後の国鉄総裁）、農林省から三善信二君（後の参議院議員）、運輸省から原田昇左右君（後の衆議院議員）、経済企画庁から下河辺淳君、建設省から河野正三君（後の国土庁次官）、一番若手の建設省の粟屋敏信君など、いずれも後に次官や閣僚になる人材を集め、内閣審議室長の亘理彰君を幹事として土地問題と取り組んだ」と。それでかんかんがくがく、土地は自由な商品であるか否か等々議論したけれども、結局は、「国土開発に関する障害は、各省間の壁である。そこで浮上したのが国土開発を担当する総合調整官庁としての国土庁構想」であった（「日経新聞」一九九一年一月二十三日付）というわけです。

後藤田委員会と国土庁の役割

後藤田さんがいま言ったようなメンバーを集めて、土地問題の勉強をしたことは事実で、随分やりました。しかし、その時の主要テーマは土地政策ではなくて住宅政策が中心なんです。

土地政策プロパーの問題であるよりも、住宅政策としての土地問題と考えた方が合理的かもしれません。それで安い住宅を供給するというのを官民ともにどうするかということの結論に近づけようとしていたんです。財政、税制、金融全部がそういう方向で、後藤田さんのリードで動いたことはたしかなんです。ただ、後藤田機関が終わった後から、土地問題が住宅問題ではなくなってきたと言ってよいでしょう。

——この委員会が、国土庁発足の一つのきっかけになったのですか。

そこは、きっかけだと言って間違いではないと思いますが、国土庁ができたきっかけというのは、さっき言った、国土総合開発法改正案を廃案にしたことのきっかけの方が、プロセスとしては大きいと思います。ただ、国土庁ができた時に、土地局がかなり中心的局だということに変わったことは、後藤田委員会の影響があったといってもいいかもしれません。

——巷間伝えられていたのは、列島改造のための国土庁であるという伝えられ方でした。しかし、いま、下河辺さんがお話になっていることは、むしろ、列島改造を抑えるというか、それをつぶすための国土庁であるということですね。

そうです。田中角栄さんというのはその辺はベテランで、新しい役所をつくってすぐに列島改造ができるなんていうことを思っていませんね。もし、すぐやりたいのでしたら、各省を呼びつけて、すぐやりますよ。それが寄せ集めの官庁をつくって、そこでやろうというのは何年か先というのを覚悟した姿ですね。それだけでも、日本というのは国土の開発を国土庁に一元化した、それはやる気になったと評価してくれるだろうというところが、国土庁をつくった二面性と言ってもいいかもしれません。国民はいよいよやると思ったわけでしょう。

専門家は、これでしばらく手が出ないと思っていた、案の定動かないでしょう。だから、国土庁をつくった趣旨と両面があったのかもしれません。

——国土庁というのは、いってみれば、寄せ集め官庁ですね。建設省、経済企画庁を中心に

国土利用計画法の制定，国土庁の設置に関する経緯

1969.5.30
新全国総合開発計画閣議決定

1972.7
日本列島改造論

1972.7.24
四日市判決
地価高騰

1964.9
第一次臨時行政調査会（開発関係法律の体系化の指摘）
1967.8.7
地域開発制度調査会議発足（10省庁次官等）
1971.12
国土利用基本法素案

1972.7～11
関係省庁次官会議
8.7 国総法に関する検討事項
8.24 土地利用調整法案要旨
9.13 土地利用法制基本方針案
9.28 土地利用法要綱
11.30 国土の利用に関する総合計画法案についての考え方
1973.1.14
国土総合利用法案作成
1973.1.26
地価対策閣僚協議会「土地対策について」決定
1973.2.5
国土総合開発法案作成
1973.3.27
国土総合開発法案閣議決定（特別規制地域制度の追加）
1973.4.19
土地対策緊急措置法案（社会党）
1973.9～12
国会閉会中審査
1974.2.28
国対副委員長会談（天野提案）「国土総合開発法案の修正について」
1974.3.29
衆議院建設委員会理事会「土地対策の骨子」（四野党提案）
1974.3.30
衆議院建設委員会理事懇談会「土地対策の骨子に対する考え方」（自民党提案）
1974.5.8
衆議院建設委員会　理事有志起草草案（国土利用計画法案）を委員会提案として可決
1974.5.9
国土利用計画法衆院可決
1974.5.27
国土利用計画法成立

1962.6
建設省「国土開発行政の一元化と国土省の建設について」
1964.9
第一次臨時行政調査会（総合開発庁の設置の指摘）

1972.11.26
田中首相，国土開発庁設置の発言
1972.12.13
行政監理委員会，国土政策に関する行政機構についての意見（北開庁の統合を含）
1972.12.19
日本列島改造問題懇談会
国土総合開発推進本部設置閣議決定
国土総合開発庁（北開庁を含まず）の設置準備
国土総合開発公団設置準備
1973.2.6
国土総合開発庁設置法案閣議決定
1974.5.14
総合開発庁設置法案審議開始
1974.5.24
設置法案修正（名称変更，土地局独立，調整局の計画局統合）
1974.6.3　国土庁設置法成立
1974.6.26　**国土庁**発足

して、各省庁から人を集めているわけですから。事務次官は代々建設省、大蔵省、経済企画庁の各出身者が、交代で務めていますけれども、これは打ち割った話、相当なヘゲモニーが内部ではあるんでしょうね。

それは、寄せ集め官庁で、環境庁、科学技術庁、経済企画庁はみんな同じテーマをかかえているのですよ。それで、経企庁が最近やっと何とかなってきたわけです。経企庁は一九五二年にできて、五六年に初めてプロパー職員を採用したわけですが、九〇年になって、事務次官というところまで到達しているわけです。それだけの時間がないと、役所というのは育たない。国土庁は、一九七四年にできて、七九年に新規採用を始めました。だから、国土庁がきちんとイニシャティブを持つのは、まだ二十年先です。私は、その七九年から入った職員を集めて、月に一回勉強会をやっているのです。その人たちが育つまでは、他の省庁出身の人でいい人がいたらやってもらうということしかないのです。

ただ、田中角栄は、俺が本気にやるようになったら国土庁をつぶすよ、なんて暴言をはいたこともありますよ。どうするんですかと言ったら、屁理屈を述べているような役所ではだめなんで、建設省をつぶして国土省をつくって、建設省の一部や農林省の一部や環境庁の一部を入れて、ちゃんとしたものをつくらなければ本当のことはできっこない。しかも、いま負けてやめたようだけれども、公共事業の予算編成権の一部を国土庁が持たなければだめだよということまで言っているんです。それをやらないうちに彼はだめになったわけですけれども、彼の理想みたいなものは今もずうっとあるわけです。その一コマとして、いま国土庁がある歴史的な時期を過ごしているわけです。

――国土と森林の関わりあいを最近見ていますと、これは国土庁だけでも無理、林野庁だけでも無理、環境庁だけでも無理。国土、林野、環境各庁が一緒にならなければいけないのではないかという気がしてならないですね。だから、これからはまだまだ中央省庁の改編はあっていいのではないかと考えますね。行革審の最終答申の意味もそこにあると思います。

何しろ国土の七〇％を占める山岳、森林、自然公園などの土地を管理する国家的な主体はあっていいと思うんです。そこには官の土地もあれば、民の土地もあるでしょうから、一括したところがあっていいと思いますね。しかも、その価値は林業だけのものではないわけですから。環境庁から林野庁から国土庁まで、場合によっては文部省まで含んで、森林管理という役所ができておかしくないと思います。だから、都市政策という部局と、森林管理という部局と二つが重要なテーマかもしれません。国土庁というのはそういう時代にだんだん入ってくるんでしょう。だけど、生いたちはいま言ったようなことなんで、不思議な因縁だと思いますね。

4　住民参加と環境アセスメント

――そこでお伺いしたいのは、土地問題に関連するわけですけれども、土地利用規制を行うには住民参加と環境アセスメントとが必要ですね。

土地利用規制については、一全総がスタートした一九六二年に、自治省で宮沢弘さんをキャップにした土地利用研究会というのがつくられて、そこで土地利用基本計画法案要綱をつくっています。そこにはかなり土地利用規制というものを軸にして住民参加とか、環境アセスメントなどを盛り込もうという努力のあとが見える。その内容はいまでも通用するもので、土地基本法よりも、内容的には上回るものではないかと思うんですけれども、日の目を見なかったわけです。けれども、政府部内ではかなり重要な指摘として受け止められたのではないかと思いますが、その辺と全総計画における住民参加、環境アセスメントとの関係を伺いたいのです。

未熟な土地利用行政

宮沢弘さんや、久世公堯さんもいて勉強したんだけれども、その前に読売新聞にいた小林与三次さんが事務次官の時に、それをとっても強調されたわけです。それで建設省と議論して、内務省の仲間ですから、やろうとしたんだけれども、なかなかうまくいかなかった。それで建設省にいた志村清一さんと小林さんとが議論した時に、小林さんに志村さんが、「建設省ではなかなか複雑で難しいので、下河辺に話してみたら」と言ったんですね。

私はその頃、まだ課長補佐だったと思いますが、「そうですか」と、わけがわからずに小林さんの所へ行って、「話を聞けと言われたから聞きに来ました」と言ったら、滔々（とうとう）としゃべられましてね。それに少し反論したりして、それでお話したようなことを建設省と自治省の間で、ひとつ法律をつくろうと言うものですから、私が、「それはとてもすばらしい」と言ったんです。「小林さんのところでは技術的に不可能だけれども、それは必要なことなんだから私のところで可能な形にしてみましょう」と言ったら、小林さんというのがユニークな人でね。二人でその約束を文章にしようというのです。彼はさらさらと書いて、「おまえもハンコを捺せ、俺も捺す」と言うのです。

それでしょうがないからつくったわけです。片一方は、建設省計画課長補佐で、片一方は自治省事務次官。そして、俺は自治省を説得するから、おまえは建設省を説得しろと言うわけです。それで、「いや、これは志村さんが言っているんだから、志村さんにハンコを捺してもらった方がいい」と言ったら、「志村さんは建設省の立場で捺せないよ。だから、おまえが捺せ。それで志村さんに押し付けろ」と言うから、ああ、それもそうかと思って、持って、志村さんの所に行ったんです。

そしたら、志村さんがゲラゲラ笑って、「これは何じゃ。内務省以来、こんな文章を見たことがない」というわけです。それでも、志村さんはああいう人ですから、「俺が賛成というのではなくて、自治省がこういうことを言ってきたということを説明しよう」と言って、建設省の省議で発言をしたわけです。そしたら、「いいことだけれども、事務次官と課長補佐の文章じゃだめだ」と言うんですね。それで志村さん、やれよと言ったんだけれども、建設省としてまとまらなかった。それでやらなかったんです。

それで残念なんですけれども、あとで考えると、やらなくてよかったのではないかとさえ思っているんです。それはなぜかというと、土地利用計画というものを、行政制度になじませるだけの研究や考え方が未だにありません。抽象的で、理想的でしかない。実務で土地利用行政をやれる人はいないと思いますね。これは悩みの一つであってね。土地問題の逃げ口を土地利用に求めるのです。税金屋さん、金融屋さん、新聞屋さんまで全部、土地利用計画の方へ責任を押し付けてサヨナラになっているわけです。それは土地利用計画ができないから、安心してそこに問題点を預けているという悪口さえ言いたいですね。

——下河辺さんの親友の掛川市長・榛村純一さんは掛け値なしの土地条例をつくって、住民参加のもとに土地利用計画をつくろうと頑張っているのではないですか。

土地利用計画をつくろうと言っている行政なんですよ。つまり、土地利用計画はできないんですが、プロセスが重要だというふうに榛村市長は考えているわけです。だから、簡単に言うと、計画そのものを否定しているといってもよいのです。そこでは現状を肯定するということが市長と市民との契約になっていて、現状を肯定したものを変更しようとする人が、市長や住民の了解を得なければいけないということで、計画を成り立たせようとしているので、先にマスタープランありきという行政ではないのです。変化させる人が説明する義務を背負っているということで、現状が確認されているというところが出発点というのが、私から言うと、計画行政ではないと見ているわけです。

だから、市町村計画のレベルでも、都市計画のレベルでも、更地に絵を描く時と違って、何かやりたい人に変化を届け出させるというのが、土地利用行政のやり方ではないかと思っています。それは計画行政論と著しく違うのですね。そこをどれだけやれるかで決まってくると思います。特に市町村計画は、国土利用計画として全国計画、都道府県計画を基本としてつくれと言われてつくることになったでしょう。それはできないわけです。選挙をやっている市町村長が、人の土地に色を染めるなんていうのを住民参加のもとでできるわけがないじゃないですか。そういうのを平気で抽象的にはやるべきだという人が無責任だと思っています。

単一目的の都市計画とか、農村計画というと、補助金計画の側面が強いわけですね。補助金計画なら、またそれなりのことですよ。だけど、それは総合的な土地利用計画ではないのです。

——新全総では、当初はある程度、住民参加と環境アセスメントについて書き込もうという意図は持っておられたわけでしょう。

法律改正案の中に入れたわけです。だから、国土総合開発法の全面改正の中で、住民参加とアセスメントを入れたのに、廃案になったきりなんです。そしてアセスメントはアセスメント、住民参加は住民参加で、独自の法律の方に流れていった。

誤解をまねくアセスメント

それは国総法の全面改正の方法が、最低限のやり方ではないかと思うのです。だから、ああいうことからやって、実験を繰り返して、少しずつ法制度が整ってからやらないと、現実性がないと思います。だからこそ、国土総合開発法の全面改正が開発促進派から反対もされたわけです。

——しかし、法案に書き込まれたのは、何とか参加やアセスメントをやってみたいという意図があって書き込まれたわけでしょう。

そうです。だから、アセスメントも書いたし、住民参加も書いたわけです。もっとも「アセスメント」とか、「住民参加」という言葉を使わなかった。使うと、誤解が出ると思ったからなんです。だから、法律論としては、アセスメントのことをどういう事務として書くか、住民参加をどういう事務として書くかということに法制局と議論を重ねていたわけで、最低限、このくらいやって、次の段階まで待とうというのでまとめたんですけれども。

だから、いま読んでいただくと、「へえっ」と思うのではないかと思います。それ以降、だめなんですね。アセスメントというのは技術論から言うと、だめということを証明する技術であって、アセスメントの結果、OKを言う技術ってないんですよ。たくさんの問題があって、この条件で言うと、NOとなるというのを出すことがアセスメント技術なんです。ところが、プロジェクトで、NOの条件がない開発はないのです。だから、プランナーがアセスメントをやりたいのは、いかにだめかをよく知った上で考えることなんですね。

だけど、そこが日本人の感覚に合わないのですね。いかにだめかわかったら、やめるべきだとなる。ところが、そうしたら何事もだめになってしまいます。そうではないのです。だめということを知っていて、なおかつ、やるかやらないかを意思決定するのがプランナーの仕事になるというあたりが、どうもうまく理解されない。そのために、怖がって、バレないようにアセスメントするとか、アセスメントをやったら、もうだめなんていうことになるからおかしくなるんです。

だから住民が、アセスメントでだめと出ると、一切拒否してしまうということは、改めてくれなくては困ると反対側に言ったこともあります。だめがわかっていても、なおかつ、やるかやらないかという判断をどうするかが、プランナーにとって一番のテーマであって、なんらかの理由でだめが証明されると全部をやめてしまうなんていうことにはならない。アセスメント法というのは、否定の要素を見つけることだと言っているんですけどね。それは財界でも何でも怖がりますね。一つだめなら、もうだめと言われるという。

住民参加論のむずかしさ

住民参加論の方は、国土利用計画法をつくったりした時に、住民参加がないということで、特に野党の一部から反対が出て、私が国会で正式に答弁したのは、住民参加についてては議員立法でやってみてください、それをわれわれは受けますと率直に言って、私たちには住民参加をしてはいけないということではなくて、住民参加の制度化ができないで悩んでいますと答えたわけです。そしたら、では、わが党でつくると考えた党もありました。それでしばらく聞いたら、できませんねという返事で、未だにできていない。

それはなぜかといったら、住民が誰かもわからないのです。法律論として住民というのはわからないですね。憲法を見ると書いてあります。ところが、あれは地元へ行くと、制度的には住民登録をした人が住民に過ぎないのです。そうすると、住民登録者だけでいいかとなると、また、わからなくなって、しかも、地域範囲はどこまでかというと、工業基地は日本全体に関係するよと言って、日本に住民登録がある人全部住民と思ったら、また違ってくるでしょうね。飛行場だって、その地域の人だったら反対の人が多いでしょうけれども、全国民になったら急いでつくれとなるでしょう。だから、アセスメントすべき住民というものの法制的な見解が、法律学者からあまり出てこないのです。東京都を見ていても、都心部を開発する時に、「住民って誰?」というと、困ってしまうでしょう。何かおしるこ屋さんと、ラーメン屋さんだけが住んでいますという所で、超高層ビルの住民参加論なんていうのはどんな意味があるかというとわからない。風呂屋さんが追い出されるとかわいそう、という話にポンといってしまうでしょう。

だから、住民参加論というのは、アセスメントもそうですけれども、やるべきだとなってから後が続いていかないのです。絶対に政府がやれないだろうと思うから、反対にとってはいいテーマですね。だけど、こういうことは専門家として言うならば、悩みの種です。

——アメリカの一部の都市とか、カウンティで行われている住民参加はかなり参考になるのではないかと思いますがね。
その参考になる点は、陪審員の制度が日本になじむと、ちょっと違ってくるのです。陪審員を選挙で選んで、その人が「イエス」と言えばイエス、「ノー」と言えばノーというようなやり方が、日本で社会的に通用するかどうか。そして弁護士というものが結論を出す業務だと言うかどうかというのは、都市計画で議論すると、大変な議論になると思います。そうすると、陪審員の選び方からしてごちゃごちゃして、また、お金が動いたの、動かないのなんてなるのが落ちじゃないですか。陪審員だって、かなわないですね。

——アメリカだと、屋根の色一つ、あるいは屋根のデザイン一つ決めるのに、何十回も住民集会を開いてやるでしょう。ああいう風土というのは、日本にはなかなかできませんね。

ですから、日本では大店舗法でもそうですけれども、お上が基準をつくって、基準にあえば免責されるということで社会秩序ができている国なんですね。だから、お上がギブアップして、自由に住民参加で多数決の原理でいいよと言い放ったらどうなるか、という心配をしているというだけです。そんな心配はありませんよという考え方は、当然あるのではないでしょうか。

だけども、どこの国を見ても、それは困っているというのが現実ではないですか。何十回も開いてよかったと思っている人はいない。人間の秩序、その辺は行政的には頭痛の種です。

5 総点検作業について

——土地問題や公害問題、あるいは巨大都市問題等、新全総の計画期間中にいろいろな問題が噴出しました。それで経済企画庁が一九七二年から七七年までの五年間をかけて新全総の総点検作業に入るわけです。この総点検作業は、いまも言いました問題から、農林漁業問題、関係法制度等のソフトな問題までの八項目か九項目に上るわけです。その結果は、おそらく最も国土政策らしい国土政策論になっているように思います。たとえば、中枢管理機能の分散を言ったり、あるいは土地所有権の制限を言ったり、かなり画期的なことをズバリと言っ

▽——総点検作業　平田敬一郎国総審会長の提案等により新全総の総点検作業の必要性が認められ、一九七二年八月二十四日開催の第六十九回国土総合開発審議会において、その基本方針が説明され、了承されている。総点検作業は次の三つの時期で行われた。第一の時期は七一年十二月からこの審議会了承の時期までであって、総点検すべきテーマの選択と環境問題が作業の対象になった。第二期はその了承から翌七三年十二月であって、その間に点検作業結果の第一弾として「巨大都市問題とその対策」（七三年八月）が発表され、第二弾として「土地問題とその対策」（七三年十月）が発表されている。第三期は七四年以降であるが、オイルショック後の経済環境変化への対応が主題になった。この時期には「地方都市問題」（七五年八月）、「自然環境の保全」（同年八月）、「計画のフレーム＝人口と経済成長」（同年十月）、「農林水産業とその対策」（同年十一月十五日）が続々と総点検の中間報告として発表されている。

この総点検作業の中間報告の発表は七七年八月まで続くが、この六つの発表の後に、後述する「三全総の概案」が発表されて、三全総策定へ進められていく。また、これらの総点検作業の結果は、時代の転換を示すものとして、いずれも新聞紙上に大きく取り上げられていた。

なお、その後の全国総合開発計画においても点検作業が行われており、三全総では「フォローアップ」、四全総では「総合的点検」とよんでいる。

ているのです。あるいは環境問題の重要性も指摘しています。まさに、今日に通じる内容ではないかと思います。

改めて、この総点検作業を通じて計画当局は何を学び、何を次の全総計画に生かそうとされたのか、その辺をお伺いしたいと思います。

総点検の狙い

最初にちょっとお話しておくといいのは、新全総をつくる時に、住民参加というのを相当意識したんです。国の計画だけれども、内密に作業したものを閣議決定し、あとは広報として説明して、説得して歩くというやり方をやめようとしたのです。計画の立案過程で住民の発言を求めようというふうに考えたのです。だから、新全総というのは、第十三次案ぐらいが閣議決定になったのではないですか。

第一次案から全部新聞に出したんです。だから、新聞でも四六時中、新全総がこう決まるんじゃないかという記事を書いてくれたんで、意見がいっぱい集まった。たくさんあったから全部紹介できないけれども、私が忘れられないのは、はがき一枚、熊本の農民がくれた意見で、「あなたは日本の国土を考える時に、何万年という地球がつくった表土の大切さについて触れたことがない。地球の表土というのはどれほど大切かということを新全総ではっきりしてくれ。そのために、都市をつくる時に、表土を全部剥いで、その剝いだ表土の土をしかるべき所へ地表にまいてというか、土地を造成して表土資源というものを生かす道をつくれ」というものです。この一農民の投書をもらった時は感動しましたね。

そういうので、私のところへ第十三次まで、くるわくるわ、すごかった。当然、それを全部こなすことはできません。宿題をいっぱい残して閣議決定したのが新全総です。だから、新全総が閣議決定された時にはほっとしたというよりは、いっぱい宿題を背負ったという感じがプランナーの気分だったと思います。

新全総それ自体に問題があるのに、積み残しがいっぱいあって、そして新全総が閣議決定があった後、いろいろな動きが出てきて、また新しい問題が追加になるでしょう。そのために総点検というのをやりたいと言い出して、その総点検はいちいち発表するというのを審議会に了解をもとめたのです。ですから、審議会に出る前に、新聞に出ても怒らないでくれと頼んだわけです。というのは、審議会というのはいちいち怒りますから。俺たちに知らせないうちに新聞に出ていたなんて。

行政官でありながら、行政にできるだけ拘束されないで、しゃべる土俵をつくりたいというのが、総点検の私たちの狙いだったわけです。だから、行政から見ると、随分乱暴なことも言っていますし、できそうもないことも言っているんだけれども、しかし、それが話題になっていくことは相当重要だというので、ご覧になったような総点検の項を一つ一つやってみたわけです。

あの頃、土地政策なんかでは、いま言っているぐらいのことは大抵言っています。アセスメントのこと、大都市のこと、首都移転のことも言っている。特にごみ処理が大変だなんていうのは、あの総点検のハイライトです。最近になって、ああいうことが話題になってきましたし。また、東京の生鮮食料が危険だということも書いているんだけれども、これはまだ出てきませんね。これからかもしれませんけれども。

いままた四全総の総点検で議論しなければいけないんだけれども、新全総の総点検のような激しさがないですね。やっぱりそれは時代を反映しているのでしょう。この時代というのは、とにかく緊張感があって、激論の中にあったから、お互いに元気だったわけです。いまはどっちもおとなしくなって、理性的にといったらいいのでしょうか、話し合っているので、おもしろさというのはないかもわかりません。

――新全総の総点検の作業中に、国土計画策定の所管が経済企画庁から国土庁に移ったわけですね。

大体終わってからですけどね。総点検を終えた後、経済企画庁の最も大きな予算と関連法をもった開発局が国土庁へ移るというので大騒ぎでした。私は当時経済企画庁の局長ですから、責任を取ってやめますといって、辞表を事務次官に出した上で、国土庁の設置のために飛び歩いていました。この際、国土庁の設置に併せて経企庁の強化を図るべきだと思い、一局新設しようということを考えました。はじめ情報局の案が出ました。これは行政機能のコンピュータリゼーションが進むことに対して総括局がいるという構想でした。しかし経企庁は賛成でなく、最後に物価局新設で話し合いがつきました。それに総合研究開発機構（ＮＩＲＡ）への出資も認めようということになりました。こうなると経企庁としては開発局を失ってもより充実した機関になるということで次官が辞表を返してくれました。その辞表をいまでも持っています。

それからは、国土庁の仕事になるわけです。ちょうど総点検が終わった時と一致していたと思いますが、国土庁に行ってからは三全総作業へ入っていました。

――新全総に対しては方々からいろいろな批判が起こりましたね。総点検作業もそういう批判に応える意味も一つあったのではないかと思いますが。例えば、星野芳郎さんとか、宮本憲一さんとか、相当激しい論調を雑誌等で繰り広げたのを記憶しているんですけれども、計画当局で一番印象に残った批判、あるいは一番心にとめた批判といいますか、気にした批判というのはどういった批判でしたか。

新全総への批判

私はちょっと変なのかもしれないけれども、当時の反対運動に聞くべきものがいっぱいあった時代だったという認識なんです。つまり、そう思ってもできないという担当者の立場というのはあるでしょう。だから、激しい意見を聞いているたびに、何となくもっとやってくれという気も一方ではあるわけです。しかし、よくわかってないなあということもあって、複雑な心境なわけですよ。

それでいて、開発促進派の話を聞くと、それはむちゃくちゃだということも言っていたわけで、そういう意味では、完全な二枚舌で、促進派に対しては猛烈に慎重派で、反対派に対しては猛烈に積極派としていたから、トラブルになるんでしょうね。

だけども、私が一番おもしろい経験をしたのは京都大学です。一九六八年から七二年までかな、京大の講師をして、国土開発論を講義していたわけです。その頃、ちょうど学生が騒いでいる時でね。星野さんなんかも書いたりして、それで私が講義に行くと、ちょっと前例がないほど学生が集まる。それで講義を聞くんですね。私は年中いけないから、特に講師というのは、通勤が原則ですから出張旅費をくれないのです。だから、めったに行かれない。そこで、一年間を二日間で集中講義する。朝の八時から五時まで二日間、ぶっ続けにしゃべるんです。それを教室にいっぱい学生が集まって二日間とも聞いてくれるんです。

ところが、二日目の夕方になると、「ちょっと待て」ということになって、抗議集会に切りかわって、パッと見ると、ヘルメットが色別に並んでいるんです。講義の時は同じ学生がもじゃもじゃといて、テープとったり何かしているだけですから気がつかなかった。ところが、抗議集会になったとたんに、青とか、黒とか、白とかが縦に並んでいるわけです。そして前列にいるのが代わりばんこに私をつるし上げるわけです。そして帝国主義の官僚が国土を破壊するための仕事を認めるわけにはいかんというようなことで、瀬戸内海を殺したのはおまえじゃないかとかね、星野芳郎は逮捕しろと言っているけれども、どう思うかなんて、次々と述べるわけですよ。

それで大学当局は大慌てですよね。東京から来た講師が何かなっては大変だと思うでしょう。それで窓の外から騒いでいるんですけれども、私はわりと丁寧に学生の抗議をよく聞きました。それで「成田におまえは賛成か」と言うものですから、「いや、国から月給をもらっていて、賛成じゃないなんて言えるか」と言ったりしていましたね。

だから、六八年から七二年までは、年に二回だけ反対の人たちとの総会みたいな気分でした。そこで全部そういう話題が出ました。それは私にとってはとっても大きな勉強で、後日談としては、その時の闘士たちが職業がなくて、関西のシンクタンク等に入っているというので、行ってみたら、その時の学生がいっぱいいいたんです。そこで勉強していましたけど、そういうのは、社会的にはおもしろいですね。

むつ小川原開発でも六ヶ所村の村長と開発反対で話し合いをしていましたが、村長が「私はたった一人でも反対する住民がいる限り、その村民の意見に従いたい」と信念を語られたことは、まことに感動的でした。

6 全総余聞

――第一次全総計画は一九六二年にスタートしたわけですが、所得倍増計画の七〇年目標とほぼ重なり合って六九年に新全総がスタートして、これは概ね二十年間は計画期間としたわけですが、結局、七七年に三全総が策定されるわけです。その間、八年間は二度にわたる石油ショックといった経済情勢から見て、あるいはいろいろな問題が噴出したことからいって、八年間で次の全総計画に移るというのはやむを得なかった期間なんでしょうか。

そうですね。特にオイルショックとか、ドルショックとか、折り重なるでしょう。だから、財政計画を根本的にやり直しますしね。経済計画の方は、どんどん小さくなっていくでしょう。だから、二十年計画の最初の五カ年計画というのがなかなかうまくいかないという状態にもなってくるわけですから。計画を見直そうということを、経済の側からも言いました。しかし、その声が大きくなったのは、さっきのように、ナショナルプロジェクトだけを言っていたのでは、どうも困るという意見に対応しなければいけないということがあったでしょうね。

――三全総は七七年スタートで、概ね十年後を目標にしたわけですが、八七年に四全総がスタートする。ほぼ計画当局が考えた期間で、次の全総計画に移ったわけです。それで四全総は概ね二〇〇〇年を目標にしていますが、二〇〇〇年までこの四全総でいくのかどうかわからない状態です。先は不透明ですけれども、恐らく、それ以前に五全総がスタートすることになるんでしょうね。

なると思いますね。三全総というのは、そういう意味では、国土庁が設置されるゆえなるものとつながりをもった計画でもありますし、新全総の欠陥を補うという要素も持っていたり、そして、将来への分権化への足がかりにもなっていくだろうというふうに、三全総の役割はちょっと複雑な感じがあって、一方では、経済の見通しが少し違ってきているというのがあったというわけです。ですから、四全総になった時というのは、その段階に対して少し違った要素を持たせることから始まって、国際化とか、情報化をもう一度考えようというような話と、東京一極集中構造に対して、三全総なんかよりはるかに厳しい見方をしようというふうな話になっていって、結局、多極分散で地域主義で、地域の国際化というあたりが四全総のテーマになるわけです。それはそれでよかったんだと思います。

――プランナーというのは計画期間はあまり気にしないのですか。例えば、十年が計画期間とすると、それが短くはしょられるとかいうことに対して抵抗は感じないものですか。

抵抗どころか、見ていると、毎日が国土計画の作業中なんですね。終わった日が一日もないわけです。そして、ああいう大きな計画というと、手続きを必要とするでしょう。そうすると、プランナーが勉強する時間と、手続きの時間をとっておくと、数年はかかるわけです。だから、何年後に五全総が必要かわからないけれども、毎日のように努力して、その集積の結果がいつ閣議決定にいくかというのは別問題なんです。だけども、三全総なり、四全総が閣議決定したから、しばらく手抜きというふうには、絶対にならないですね。四全総の積み残しがどうしても出てくるし。
東京一極集中にしても、一般の人は失敗続きだと軽く言うだけだから気楽だけれども、われわれにしてみれば、そんなに気楽ではないのです。集中要因が時代とともに変わるでしょう。そうすると、要因への対策というのが十分いかないままに要因が変わっていくというのを繰り返しているんですから。年がら年中東京一極集中論に対して議論していかなくてはいけないわけでしょう。だから、五全総の東京一極集中論というのは、ビジネスの集中なんていう議論をはるかに超えると思うのです。行政もビジネスも分権化の方向でしかないといっても、なおかつ、東京集中が進むという議論をしなければならないということになるのではないでしょうか。

――ずうっと話を聞いていて、下河辺さんは休みの時は何をしているのかなというのが非常に気になりました。毎日が国土政策の生活という感じですから、日常的にはどういうことをおやりになっているかというのを、ちょっと聞いてみたいなという衝動にかられました。

もし、美しく言うとしたら、休みは一日もないでしょうね。土曜・日曜日で東京にいたことがほとんどない。必ず、地域で、見たり、聞いたりということを継続していました。だけど、私にすると、それが遊びなんです。土・日に地方に行ってうまい物を食って、県庁の猛者たちと激論をやるということが、何か私の生活そのものみたいに暮らしてきましたよ。
だから、あの時は懐かしいので、次官になったり、理事長になったりすると、だめです。何かそういうおもしろさよりも、管理者的なことを考えなくちゃいけないとなるでしょう。だから、若い時、私は公務員になって一番よかったと思うのは、官費で遊べたことです。それだけの旅費を官庁がくれたんだから、嬉しいですよ。だから、いま中国と付き合うので一番好きなのは、中国政府が、私が旅行を申し出れば全部世話してくれるようにできているので、中国を旅することが私の最大の楽しみだけれども、管理者となって今では時間が取れなくて嘆いています。中国側は、「いつ来るのか」と言うんです。これは優雅な仕事で、どこそこに行きたいと言うと、向こうが全部セットしてくれて、旅費から何から全部やってくれるわけです。

そしてオブリゲーションは、見たことを北京に帰って来て報告すればいいのです。ですから、いい仕事です。地元へ行って議論を聞いて、北京の悪口聞いたり、こうしたいというのを聞いて、それを私なりにまとめて、北京へ行って報告すれば旅行と御馳走とが保証されるというやり方をして、謝金は受け取らないということで。

これは仕事というよりも、私にとってはレジャーですね。国土庁の若者に言うと、「俺もやりたい」と皆、言いますが。

――新全総を見て、お話を聞いたことも含めていいますと、明治の官僚システムとか、あるいは行政の枠組みですね。さっき分権と言われましたけれども、ああいうものを壊すという徹底的な意図が見え隠れするという感想を持つんですね。国土を豊かにするというのははっきりわからないんだけれども、そのために壊して立て直すという徹底した意図が見えてくる。

そういう自覚というのはずうっと持っていたのでしょうか。

三全総の定住圏をまとめる時に、私が局長で、総括課長はものすごく悩んだんじゃないでしょうか。定住圏の区域が、基本的自治団体だと書こうというのを、私が最後まで頑張ったわけです。

それを総括課長にしてみると、全省庁を説得する仕事があるでしょう。総括課長は夜になると、飲んだくれてやってきて、「とても各省庁を説得できない」と言って困っていました。私は最後の最後まで意図的に頑張って、最後にやむを得ないといって折れて、やっと三全総が閣議決定されたわけです。

その時に私は、最後まで頑張ったということで、問題は各省庁にだいぶ伝わったというところで満足するしかなかったと思うのです。それが行革審の細川部会にもう一回出てきたという、三百カ所ぐらいの基礎的団体ということをやって、それがまたつぶされて、パイロット自治体とか何かになっていく。だけども、何年か置きにそれが議論になって、どこかで爆発点があって、都道府県制というものが組み直されるだろうという期待のもとにやっているわけです。それで、いつどうこうなんていうことはとてもわからないと思うんだけれども。

いずれにしても、分権化の問題は受け皿なしにやったら危険だと思うんです。都市計画でも農政でも、主体が知事なのか、市町村長なのか、団体なのか、ばらばらでしょう。思いつくままに分けていくんだから、国が総括責任を持っている時の方がよかったと、きっとなると思います、今のままだと。現実に、知事と市長なんていうのは大変ですから。都市計画でも、両方あるでしょう。

農業は、むしろ、市町村長にないわけで、知事が持っているわけでしょう。そういうものの分権の受け皿論の方がいまはないから、国が縄張り争いでくれないということで収まっているのが一番ハッピーなんです。いかにも役人が自分の権限欲しさに反対しているということで言っているでしょう。そんなことはないと思います。しかし、評論家としては、そこにしか理由の求めようがないじゃないですかね。だから、それでいいと私は思っているんですけど。

都市計画を本当に議論すると、誰に任せていいかが大テーマです。特にまずいことは、分権化して都市計画を初めて国が直接管理しなくなった時に、都市の施設を管理者別にしたのですね。それで、国の事業は都市計画法になじまない法律にしたのです。だから、国道を通すときには、都市計画はその号令に従わなくてはいけないような都市計画ですね。そんなのはおかしいでしょう。市長に渡したら、国道といえども、市長の手のもとで計画をやらなければいけないけれども、そういう分権化まではとてもいかないですね。当然のように言いますよ。皆、国のやることは国だとね。

地域の活性化だって、国際化と言いながら、外交なんていうのは一元化が当然としか言わないでしょう。だけど、私は、地域の国際化というのは外交特権の一元化ではないと思うけれども。日本の分権化というのは、何かおかしな分業化ではないですかね。

——確かに、島がまだよく見えないという感じがしますね。

誰も見えないと思うけれども、見ようとしていないと思うんです。児童公園を市町村に任せようというぐらいの話で満足しているでしょう。そんなのは、国際会議で恥ずかしくて言えませんね。「へえ、日本というのは公衆便所も大臣ですか」と言われるぐらいが落ちですから。困ったことです。

——お話を伺っていて非常におもしろかったのは、新全総にしても何にしても、やっぱりできた時に明確な敵役ないしは、敵役を演ずる計画なり思想なりがあると、生き生きする。恐らく、最初の一全総の時には、経済計画なり、太平洋ベルト地帯構想なりというのがあって出てくる。それから新全総の場合は、先ほどの話に関連するけれども、それ以外に、前に話が出ましたが、革新自治体が出てくる。それが意外に敵役でなかったりするけれども、少なくとも、敵役的な感じがするという、そういう中で鍛えられていくところがあって、そうすると、五全総の時には誰を敵役にするか、これは非常に大変だと思います。

敵役がいないことはあり得ないですよ。いままでも一つずつ全国計画をつくるたびに、いま言われた敵がはっきりしていて、もうこれ以上の敵はないと思い込んでやるわけです。ところが、意外と次々と敵が現われてくる。だから、五全総の時にも確実に敵が出ると思っているわけです。その敵をレーダーを張って、早くつかまえるのがプランナーだと思っているわけです。そのアンテナにかかってきたら、「おお、やっぱり」と思って満足するというか、自己満足ですけれど。

それは何かそういう標的がないと、計画のバイタリティがでないですね。それがいままではより優れて、経済的な標的を求めているけれども、これからは経済ではなくて、政治になると思います。つまり、百年考えようというのは、経済の尺度ではどうにもならないでしょう。だから、憲法改正まで絡んできて、どんな新しい日本かというところまで深入りしていくことになるんじゃないでしょうか。

——多分そうだろうと思います。国家論というか、そういう問題。それこそ国家改造論といいますか、そこまでくるだろうと思いますね。そこまでこないと、恐らく、五全総というのは動かないのではないかと思います。

そうですね。明治以来、軍事大国で、戦後は経済大国で、いまは生活大国の国家とは何かというのが宿題だと、若い連中には言っているわけです。経済大国と生活大国のギャップはどこにあるか。そのギャップが見えてくると、敵が少し見えてくるという感じがあると思います。

5

田園都市国家構想と定住構想——第三次全総計画

1　三全総の思想的基盤

——新全総の総点検が行われている間に、国土庁が発足しています。この新全総の総点検作業は当然のことながら、次の全総計画はどういうものであったらいいのかを前提にして、つまり、三全総の準備段階という過程ではなかったかと思うのです。

その作業の第一段階として、一九七五年十二月に三全総の概案がまとまっています。第二段階として、七七年一月に「二十一世紀の人と国土」が策定されている。この辺で私たちは、次の全総計画というのは新全総とは全くニュアンスの違ったものになるのではないかという予感を抱くわけです。新全総の総点検作業から、三全総へはどういうふうに移っていくか、その過程についてまずお伺いしたいと思います。

新全総は、基本的に百年のインフラストラクチュアの改造を、二十一世紀のためにしようという考え方で、しかも、関係省庁が直轄でやっている基本的な事業に、国土計画が発言権を持つというところに重点を置いた経過があるわけです。

国土計画が、ようやく国土の基本的な施設に発言権を得たという意味では、新全総は一全総と違った性格を持っているわけで、新幹線や高速道路、また大規模工業基地に対しても、国土計画が発言力を持つナショナルプロジェクトとして議論しました。しかし、それからあと列島改造論が出てきたり、環境問題、公害問題、土地問題も出てきたあたりから総点検作業に入っていったわけです。

三全総の策定に関する経緯

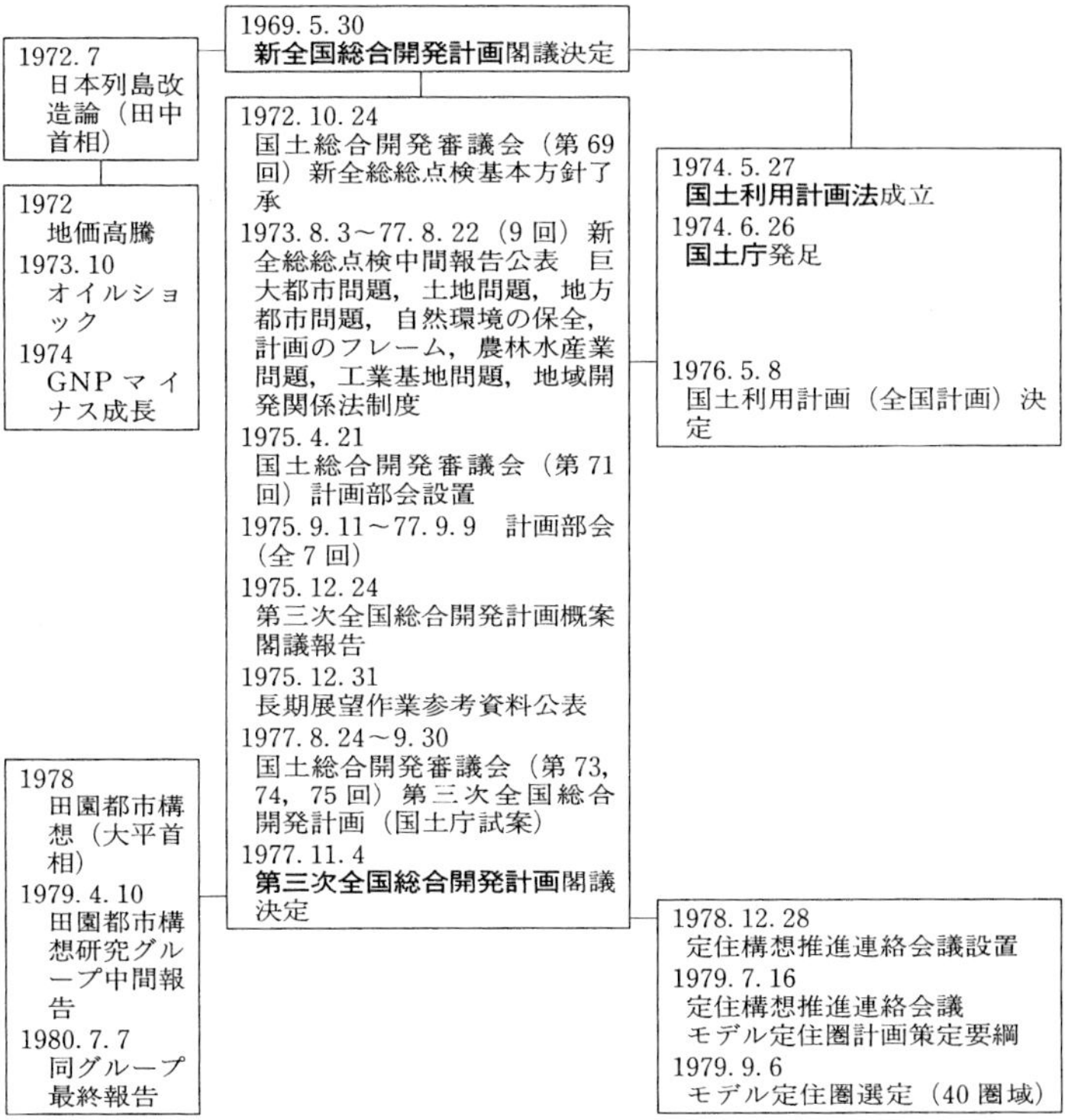

1969. 5. 30
新全国総合開発計画閣議決定

1972. 7
日本列島改造論（田中首相）

1972
地価高騰
1973. 10
オイルショック
1974
GNP マイナス成長

1972. 10. 24
国土総合開発審議会（第 69 回）新全総総点検基本方針了承
1973. 8. 3～77. 8. 22（9 回）新全総総点検中間報告公表　巨大都市問題，土地問題，地方都市問題，自然環境の保全，計画のフレーム，農林水産業問題，工業基地問題，地域開発関係法制度
1975. 4. 21
国土総合開発審議会（第 71 回）計画部会設置
1975. 9. 11～77. 9. 9　計画部会（全 7 回）
1975. 12. 24
第三次全国総合開発計画概案閣議報告
1975. 12. 31
長期展望作業参考資料公表
1977. 8. 24～9. 30
国土総合開発審議会（第 73, 74, 75 回）第三次全国総合開発計画（国土庁試案）
1977. 11. 4
第三次全国総合開発計画閣議決定

1974. 5. 27
国土利用計画法成立
1974. 6. 26
国土庁発足
1976. 5. 8
国土利用計画（全国計画）決定

1978
田園都市構想（大平首相）
1979. 4. 10
田園都市構想研究グループ中間報告
1980. 7. 7
同グループ最終報告

1978. 12. 28
定住構想推進連絡会議設置
1979. 7. 16
定住構想推進連絡会議
モデル定住圏計画策定要綱
1979. 9. 6
モデル定住圏選定（40 圏域）

総点検は、したがって、新全総の欠陥を明らかにしながら、次の全総計画を完成させることが目的であったと思うのです。しかし、それは列島改造論が出て、田中内閣に交代したこともあって、そこで新しくできた国土庁としては、国土構造を改造するという新全総を完成させるという方向を否定することになっていったのです。それで、三全総の思想的な基盤をつくる努力を、国土庁が行ったというのが本当のところだと思うのです。

大平内閣の時代となって田園都市国家構想が出ていたわけで、田園都市構想は一体何かということで、「市民を基本にした考え方」が議論になってきました。国土計画でも市民のレベルに議論を一度落とそうということになっていったのです。

その時に、市民というのを日本で考えると、非常に不安定な生活基盤になっている。農村の人たちも、農業が先行き暗いし、早く都会に移住しようと思う若者が多くなってきて、農村でも不定住な状況なのです。だからといって、都市へ来た人たちが安住しているかというと、皆、仮住まい的であって、2DKに住んで遠距離通勤をやっていても、いずれは自分の家を持ちたいと思うわけで、日本中がどうも定住性を失っているということに着目して、定住するための条件は何であるかという論争をしたのが、三全総のディスカッションの中心だったと思うのです。

それを、「定住」という言葉で表わすことについては違和感があって、「難民の定住化問題」なんていう言葉の方が新聞では普通でしたから、日本国民が日本の国土に定住するという考え方は、文字の上では抵抗があったのです。しかし、事柄としては、そろそろこの辺で定住の条件が整ってよいのではないかという議論になっていったわけです。

中国の南宋の時代に「人は秋鴻に似て定住なし」という漢詩があって、この定住ということに注目していました。

その定住の条件の中で一番われわれが議論したのは、水系主義なのです。水系主義が三全総の中で非常に大きな意味を持っているのは、明治から新全総までの百年間というのは、交通主義だという見方が強かったわけで、江戸時代までは水系主義なのが、明治百年は交通主義に切り替わったということを、もう一度復習し直そうと考えたわけです。

　江戸時代までは、何といっても水系が地域をつくり上げていて、水系に依存する形で、山から畑から水田から村から都市・城下町まで、ある一つの生態系の中で地域社会ができていたということに戻って水系主義を取ろうとしたわけで、水系というものの中で定住性をどう求めるかという議論になったのは、三全総の一番大きな特色と言ってもいいかもしれない。公共事業とか社会資本の側から言うと、やはり生産に対してのインフラよりは、生活に対するインフラを増加させようという議論もありました。この水系主義が定住の条件としては大きなテーマだということを言ったのです。

▽――田園都市国家構想　大平正芳は田園都市構想について、政策研究会・田園都市構想研究グループの第一回会合（一九七九年一月十七日）において次のような考え方を示している。つまり、第一に、この構想は相当長期にわたって、国づくり、社会づくりの道標になるべき理念であって、人と自然、都市と農村に新しい視点をもたらし、すべての国内政策がこの理念に照らして吟味され配列されるもの。
　第二に、この構想は地域の個性を生かして、みずみずしい住民生活を築いていこうとするものであって、基礎的自治体の自主性が尊重される。

　第三に、この構想は緑と自然に包まれ、やすらぎに満ち、帰属意識の強いみずみずしい人間関係の脈打つ地域生活圏が展開されるもので、大都市もふるさとと社会と感じられることを求めていて、定住構想よりも、より広い理念であり人間の内面的なものに関心をもつ質的色彩の濃いもの。

　これを受けて、梅棹忠夫氏を議長とする田園都市構想研究グループは議論を重ね、大平正芳逝去後の八〇年七月に「田園都市国家の構想」を報告している（大平総理の政策研究会報告書2「田園都市国家の構想」大蔵省印刷局、一九八〇年八月）。

三全総では、環境論というのは大きな議論だったと記憶していますけれども、それをやって比較的好評だったわけです。それは、新全総が大規模化の方向にあり、国家権力によるナショナルプロジェクト型であり、それと反対の方向を強く打ち出しているのですから、かなりの好評を得る条件が整っていたかもしれない。

しかし、そのことは地域自体の仕事ではないのか。国が介入することによって地域の特性がまた失われ、補助金依存型にならないかという心配が内在していたことは確かです。そのあたりは卑俗な言い方をすると、三全総というのは、新全総に比べて非常に弱々しいのではないか。ソフトに国民に受け入れられたことは確かだけれども、国土計画というバイタリティという点では一歩退いているのではないかという批判も受けました。

——私どもは、新全総の総点検作業、「三全総の概案」というものを通じて、次の全総計画は、新全総の荒々しいイメージを払拭したいといいますか、そういう内容になるのではないかという予感を抱いたことは確かです。それはつまり、「三全総の概案」に非常によく表われていると思うのです。例えば、基本的な考え方として、「限られた国土資源を前提にして、人間と自然との調和のある」という言葉を使って、それで「健康で文化的な人間居住の総合的環境の整備」ということをうたっているわけです。これは、新全総の基本的な方向とは随分違っているのではないかということを感じて、三全総はガラリと変わるのではないかという感を抱きました。

西暦二〇〇〇年におけるわが国の姿を見定めようとした、「二十一世紀の人と国土」はもっとはっきり言っているわけですが、「三全総の概案」と、「人と国土」の関係はどうなのかをまずお伺いしたい。それから、「人と国土」では、新しい地方都市の建設とか、首都機能の分散がポイントであったけれども、この辺から望ましい国土のあり方としての三全総のイメージがほぼ形づくられた。そして、その基礎としての定住構想が描き出されることになったと見ていたのですが、そういう見方でよろしいのかどうか。

いろいろありますけれども、新全総の総点検で、大都市問題にまともに取り組んだことがあるわけです。それは、大東京の諸問題にまともにぶつかろうという姿勢で総点検をしているのです。けれども、「人と国土」をまとめる段階では、東京問題よりも地方の定住性、つまり、地方都市の魅力という方向へ議論がいっていることは確かです。しかも、地方都市の魅力の中には生態系というか、人と自然との関係を軸にして考えようという思想が出てきたと言えるでしょう。ただ、三全総では、行政体について本当は少し議論したのです。そういう思想は誰が主体性を持つのかというあたりで、明治以来の都道府県制・市町村制のままでやれるかどうかは大論争だったわけです。

▽——三全総の概案　一九七五年十二月十二日に三全総の計画概案が国土総合開発審議会（石原周夫会長）において国土庁から説明されている。この概案は八五年の人口、世帯数、国民生活時間の変化等の条件をふまえて人口の三大都市圏からの再配置の必要性を訴え、定住構想を提起している。

当時のマスコミの論調は、それまでの新全総の開発思想や開発手法の転換を評価して「人間生活優先」や「定住構想」を歓迎しながらも、抽象的過ぎる等の批判も出されていた。

定住の条件を満たすためには、定住圏を構成するというところに力点を置き始めたあたりからは三全総の作業になるわけで、いま話があったように、思想的には「人と国土」のところでだいぶ議論はしたわけです。それで、それを具現化するための定住構想というふうに持ち込んだわけです。ところが、定住圏という思想が行政的主体性を持つことについては、地方自治法としてはなかなかOKと言えないのです。とくに知事会は反対なわけです。だから、単なる計画対象エリアとして定住圏を認めて、団体は複数で共同で考えていこうという発想に、三全総の作業グループは妥協せざるを得なかったために、定住圏は計画圏域ということで閣議決定したわけです。

本来だと、定住圏というところに地方自治制度としての主体性を付与すべきではないかという意見が、三全総をつくった最初の考え方の中では生きていたのですが、失われてしまいました。このあたりの論点は今日の行政改革の、あるいは地方分権の問題につながる基本的テーマになって残っています。

――そういう考え方は、一全総、新全総の試行錯誤の結果、生まれるべくして生まれたのか、あるいは、一全総、新全総を通してきた結果、当然の帰結として三全総が生まれたのだ、延長線上であるという、二つの言い方ができると思うのですが。

プランナーとして言うと、そこは一全総も新全総も三全総も構造としては同じことを言っていると思うけれども、社会的な反応が全然違ったという感じはするのです。一全総では、人口と経済の再配置論、それを、拠点主義という形でやろうとしたわけですけれども、この時でも、生活と生産という形の車の両輪論というのは生きてはいるわけです。新全総はナショナルプロジェクトの立案ということで、大規模化がテーマだけれども、この時にも、生活圏というのと車の両輪にしてあるのです。しかし、車の両輪の一方は、地方公共団体、プロパーの問題であると片づけたから、「無視した」と言われてしまったのです。けれども、定住圏の定住性の議論の方が中心的に受け取られたという形で、こういう計画が時代の背景を受けるという経験をしたことになるのではないですか。

だから、時代認識の仕方によって全国計画が違ってみえるといいますか、いま言われたようなことでも、新全総でも三全総でも、見る人によって計画が少し違って見えてしまうのは、あるいは当然かもしれません。これは、今後続いていくものが、皆そういう時代背景によって計画が解釈されるのは、国土計画の宿命的なことかもしれない。

——三全総の記者会見があった時に、下河辺さんが、「これは、これまでにない全国総合開発計画です」と言ったと伝えられているのですが、それほど自画自賛しておられるとすると、やはり一全総、新全総に比べて相当な自信を国土庁は持っているのかなと、当時感じたのを覚えています。

社会的背景と国土計画の話をしましたけれども、おもしろいのは、私の歴史を個人的に言うと、一全総は調査官で、新全総は課長・参事官時代で、三全総は局長なのです。そして四全総は審議会委員なわけで、それぞれの全総と私の立場との関係というのがあるわけです。

局長という事務的責任者でやった三全総に対しては、プランナーが自信を持って言わなければいけないと、いつも思っていますから、記者会見でも非常に自信のあるところを披露したということはありますね。私がもし、新全総の時に局長だったら、もっときちんと自慢というか、自信のほどをしゃべったと思うのです。

――三全総のときに、「そういうふうに下河辺さんがおっしゃいますけれども、多分に新全総の社会資本性、公共事業論というのを引き継いでおられるじゃないですか。そういう意味では二・五全総ではありませんか」ということを言ったのを覚えているのですけど。

よく覚えていますよ。いやな質問をする人がいるなと思って。

確かに、二・五と三・五なのです。まださっき言ったように地方自治法との調整ができていないから、三というほどにはなっていなかった。また、三全総で次の全総への宿題を言っているので三・五でもある。

――はじめに定住構想ありきというような形で三全総の策定作業が始まったというお話ですけれども、それに、先ほど話が出た大平総理の田園都市国家構想というのが絡んでくるわけですね。その構想は一体どういうものだったのでしょうか。

大平さんの田園都市論は、都市建設論ではないのです。人間が都市というか、国土に住みつくときの思想として大平さんは言っているのです。だけど、その田園都市論が官庁や自民党で議論されるときに、どうも、そういう高尚なものにはならなくて、田園都市建設法を早くつくって、都市指定を行って補助金を配ろうとなってしまうものだから、総理の執務室で時々大平さんにお会いしていたのですが、いつも苦々しく思っておられたようです。何か、もうちょっと人間と国土との関係に思想的なものを大平さんは欲しかったのでしょう。それが、都市建設という形で辻褄が合っていくということを、彼は否定していたのではないですかね。

彼の場合には、田園都市ということが英国から出てきていることを百も承知でした。クリスチャンというものが彼を支えていたところも影響しているのでしょうね。

――私どもが感じたのは、大平さんの田園都市論のイメージの底には、大平さんが育った讃岐の風土のイメージがあるのではないかということです。逆に、田中角栄の列島改造論には、厳しい雪国のイメージですか、そういうところから出発しているのではないか。それが、一つの荒々しいイメージと穏やかなイメージというのになっているのではないかと感じて、そういう分析を書いたこともあるのですけれども、そんなことはお感じになられたことはありませんか。

それは後でまた話題になるでしょうけれども、歴代総理の政治論というのは、幼い時代の生活が決定的な影響をもたらすという気がします。これは世界中、どの政治家もそうではないでしょうか。クリントンはクリントンの生い立ちが、やはり影響してくるという。それだからいいのでしょうね、きっと。それが、トップの人間性みたいなものを形成しているわけですから。

2　定住構想と水系主義

――話は戻りますけれども、三全総は計画実現の方策として定住構想を打ち出したわけです。定住構想を要約するのはともかくとして、全国で二百～三百の定住圏を構成するものでしたけれども、この数は、幕藩体制の時の藩をイメージしていたのでしょうか。

作業としては、最初はそれを意識しなかったのです。むしろ、水系主義をとって、水系によって生態系のエリアを勉強していったのですが、やってみたら、何とも江戸時代の藩と同じというのに気がつき始めたのです。

新産業都市の指定の時にも、新産業都市のエリアをどうするかというと、周辺市町村の陳情がいっぱい出てくるのです。われわれは、中心の工業基地だけやろうと思うのに、「周辺地域を一体としなくては」という意見がいっぱい出て、結果を見ると、江戸時代の藩に戻っていくのです。つまり、社会的習慣とか風土が依然として残っていて、百年ぐらいの都道府県制では乗り越えられないだけの社会性が残ったのではないでしょうか。しかも、水系主義だけではなく、クルマ社会がきた時に、市町村の区域を超えて車が二十〜三十キロ圏を日常生活圏にしているというのとも一致したのです。それから、水系主義とクルマ社会主義がドッキングして、不思議なことに江戸時代の藩と同じになったという感じがあって、この圏域には安定性はあるなと今でも思っているのです。

なぜ水系か

――「水系」という言葉がずっと出てきますけれども、ここで、なぜ流域水系別に定住圏を設定しようとしたのか、なぜ、水系にこだわったのかということを、改めてお伺いしておきたいのですが。

人と自然とか、人と国土ということを論争したときに出てきた考え方で、明治の廃藩置県は、一般的に河川を境界にしてしまったことが多いのです。右岸と左岸が違った団体なために、一本の河川を管理するのが難しくなっているのです。だから、大きな河川は国というふうに、突然中央に舞い上がってしまうような管理の仕方をしているのだけれども、江戸時代というのは、お国の中で河川が真ん中を流れているのです。だから、右岸と左岸の両方を一つの藩、大名が管理しているということは非常によいことではないかと、右岸左岸論として思ったわけです。

もう一つは、上流下流論の一体感が非常にうまくできているというのがあるわけです。山があって、山を下りると森があって、森を下りると薪炭林があって、里山があって畑があって、田んぼが出てきて、城下町で港があってという具合に、上流下流の一体性が非常にうまくできているのです。

これは自然系であると同時に、社会的経済的系でもあって、藩の時代の土地利用は、生態系的に見ても社会的に見ても、とてもうまくできていることが、その当時の議論だったわけです。

廃藩置県が進むにつれて、交通主義にとらわれて海岸線に平行のルートだけが活発になってしまって、山の方は過疎化するという形を卒業しようということで、水系主義を言い出したのです。しかし、もう現実の近代化された経済がそういうふうに戻るのはそう簡単ではないことは確かです。上流というと、何か水資源のことしか考えないような貧困な上流下流の関係になっていますし、農業は大体衰退してしまうし、都市と都市とが交通でネットワークとして結びつく方が魅力があるという時代ですから。

それにもかかわらず、国土の人と自然との関係論から言えば、それをもう一度回復することの意味は大きいと三全総では説いたつもりなのです。それはむしろ、計画であるよりも、地域というか流域の人たちの運動の中から出てきてほしいということをだいぶ期待したのです。そこで、いろいろな地域に対して「やりましょう」と問いかけをして、未だに残っているのは愛知の矢作川などですね。あと、全国幾つか心がけたけれども、いまほとんど休眠状態になっているのが多いでしょうね。五全総ではもう一回掘り起こすことにするかしないか、というテーマになると思うのですけれども、四全総では、それは切り捨てられてしまったような形になっています。

――水系を総合的に管理すると言って、水資源の保全と開発についても触れられていますね。

その水系流域別の定住圏と、水資源の保全・開発は、どうつながるのでしょうか。

つまり、水の総合的管理者がいないのです。河川については河川法が管理するでしょうけれども、大きな川は国で、小さな川は地方が管理することに分かれ、地下水は誰だ、井戸水は誰だ、下水は誰だとなると、皆バラバラであって、水系ごとに水系一貫としての管理体系がないということを議論して、その後、「土地基本法があるなら水基本法があってしかるべき」なんていう議論もしているのですが、なかなか各省間の調整が難しくて、そうなっていません。やがては水基本法が要るのではないですか。

――やはり、水というのは流域の水系の人々が利用するだけではなくて、保全と開発にも加わるということですね。

そうです。利水のために河川水が涸れてしまうことは、どうも環境としては好ましくないですね。

――いまでも東海道新幹線で走りますと、大きい川の水流はほとんどありませんで、河原だけですから。

洪水のためだけに置いておくような河川になっていますね。

――あれでは川は生きているとは言えません。

ところで、さきほどの水系、藩の話ですけれども、水戸の前市長の佐川一信さんなどは、地方から中央に対していま言いたいことが二つある。一つは、分権、もう一つは、市町村合併だと言っています。分権はともかくとして、市町村合併とはどういうことかと言ったら、いまの三千三百の市町村では、いくら分権が実現しても、自治体が主体になって地域活性化をすることは、行財政権限を持ったとしてもなかなか難しい。それにはやはり三千三百を絞り込む必要があると。

それで市町村合併は、必ずやらなければどうにもならなくなるだろうと考えている、というのです。その市町村合併も、ただ隣だから、距離が近いからという合併ではなくて、同じ気風、同じ風土、そんなところが一緒になるべきだと思っている。だから、水戸は例えば、石岡は確かに近いけれども、あそこは水戸藩と違って石岡藩だから、石岡とは合併したくない。やはり水戸は水戸藩の中で合併したいということを言っていました。

それは、三全総の定住圏の話と重なってくるじゃありませんかと言ったら、そのとおりだと。定住圏というのは、やはり藩を意識しているのだな、そういう考え方がまだ生きているんだなと思いました。

生きていると思いますよ。だから、定住圏をやるときに四十七都道府県を三百に割ることがいいか、三千三百を三百に集中するのがいいかは結論がなかったのです。両方やり方があると思ったわけです。

ただ、政治的に容易なのは前者であって、知事会を説得するには、四十七人ではなくて三百人の知事が出ることを歓迎してくれる人がいるのではないかというような議論もあったのです。三千三百の市町村を三百まで、自主合併をやるのは、行政が一元化できるものではないわけで、一律にできない点で困るかなという議論はしていたのです。

また、三百にしたときに、選挙区とどう関係づけるかという議論になったわけです。本来だと、地域は選挙区と一体の方が合理的ではないかという意見が出て、その辺からは何かまとまる方向の議論ではなくて、雑談したに過ぎなかったかもしれませんね。


――第三次全総計画にモデル定住圏が出てきますね。この指定は、一全総の新産業都市等と同じような考え方を引きずっていたのではないかと思うのですけれども。またモデル定住圏に地方は一斉に手を挙げて、その中から何カ所か選んでというやり方を取りましたね。

モデル定住圏

一本のレールの上にあると思っていますのは、新産業都市も市町村の合同のプランに対して財政的な支援をするという制度だという点です。ただ開発の手段が工業かそうでないかというところはまた別であって、行政的には、複数の市町村行政に対する支援という形なのです。その次には、首都圏とか近畿圏で都市開発区域の構想が出てきて、これも新産業都市と同じで、複数の市町村の合同の計画に対して財政支出なのです。それをやっているうちに定住圏が出てきたので、モデル定住圏で同じことをやろうと言ったわけです。

新産業都市は、数を限定して大都市圏以外でやったのに、大都市の方が都市開発区域をいっぱいつくって、いっぱい援助し始めた。どう考えても地方と大都市圏とのバランスが悪くなったのです。だから、その追加分をモデル定住圏ということで、広域市町村圏に対しての財政措置を講じようというふうに展開してきたと思うのです。

だから、広域の市町村に対する財政措置ということでは、新産業都市以来一貫して動いていると、私は思うのです。戦後の一貫した、一つの何と言いますか国の支援を受ける圏域行政の姿ですね。

――具体的な例を出しますと、北上川のモデル定住圏がありますけれども、そこでは、どういうことをやっているか調べてみますと、北上川の外側よりに大きな外郭堤防をつくりまして、川に沿って中堤防、小堤防をつくって、とにかく氾濫防止と水田保護だという話でした。そこでは定住構想の下におけるモデル定住圏の事業が、公共事業を大々的にやるための一つの手段になっている。それでこれは、一全総、新全総の尾を引いているのかなと感じたのです。まあ、複数の市町村に対する財政的支援という意味では、北上川流域は恰好の舞台ではないかと思いますが。

そうですね。ただ、モデル定住圏で財政援助とは別に、事業は何をやるかというときに、民間に頼むもの、地方公共団体に頼むもの、国がやらなければならないものというふうに、事業を主体別

▼――モデル定住圏　モデル定住圏設定要綱にもとづいて、一九七九年度から八一年度にかけて四十四圏域が選定された。選定の要件としては、①その圏域が新しい計画手法としての定住圏整備のモデルにふさわしいこと、②都市と農山漁村を一体とした圏域で自然環境、生活環境、生産環境を総合的に整備していくうえで必要な一体性を有していること、③都市化・工業化が相当程度進展している地域、または都市化・工業化が極度に立ち遅れており、過疎現象の著しい地域でないこと、④地方生活圏、広域市町村圏等の圏域と調整された圏域であること、である。

に分けることを割に急いだのです。そのときに、地方で国がやるべきものとしては、河川管理が一番大きかったことは確かです。

そして、その河川管理のあり方は、ひとまず災害を除去するということへ急傾斜していった。あとは水資源となっているわけで、本来の情緒とか生態系ということにはなかなか手が届いていません。都市化が進めば災害を防除しなければいけないと一点張りですから、どこの河川でも国家による大堤防が構築されて、災害の時はありがたいけれども、日常においては何とも憂鬱なものができてしまうというのを繰り返しています。

これは、今後とも、どう措置をしたらよいかは少し論争がいるでしょうね。長良川でも、結局どうしていいか、必ずしも答えがはっきりしないのではないかと思うのです。

――モデル定住圏は、大都市でも設定されていますね。東京では都心区がモデル定住圏に指定されたわけですけれども。まことに皮肉なことには、東京都心部のモデル定住圏は、三全総では全く動かないで、四全総になって地価が高騰して都心での居住困難がはっきりしてくるとようやく動き出して、独自の住宅対策が進められるようになる。ちょっとズレていましたけれども。

三全総の終わりの頃に、東京の過疎化の問題が大きくなったわけです。都市として経済的には活性化しているけれども、定住人口は減る一方という議論をして、実は、ふるさと論というのは、東京の過疎化が生んだ言葉なのです。選挙にも使われたりして。橋本登美三郎さんなんかが一生懸命言った時期があって、それはやがて「マイタウン」という言葉に変わっていくわけです。定住圏のモデルを都心でやる意味があるのは、そういうあたりから出てきているのです。都民とは誰かというのがよくわからなくなってきているわけです。夜間人口というか、住民登録した人たちの活性化の問題というあたりでは、定住圏のモデルというもの足り得るという議論はあったと思いますね。

――そういう意味では、例えば、都心区が要綱で決めている、事務所ビルの住宅の付置義務等については、もっと国が支援してもよいのではないかと思われるわけです。

それはともかく、このモデル定住圏を含めて定住圏を二百から三百設定しまして、その中でモデル定住圏は特に力を入れたわけですが、そのモデル定住圏と、建設省の地方生活圏、自治省の広域市町村圏の二つがダブるであろうということは、先刻ご承知の上でモデル定住圏が設定されたわけです。北上なんか三つ重なっている。モデル定住圏では堤防をやります、広域市町村圏では消防をやっています、地方生活圏では道路をやりますとか、それはもう承知の上で設定されたわけですか。

縦割り官庁がそれぞれに活躍する場が欲しいというのは、定住構想の行政的な側面なのです。定住圏に一本化してしまうことは、かえって力を失ってしまうというので、建設省にも自治省へも大いに期待したし、関係省庁も期待して、それぞれがまた独自の方法をつくっていってくれたわけです。あの当時としたらそれでよかったと思うのですが。

地域の特性と主体性

いま、地方分権論争がこれだけ出てきた段階で、実は分権を受ける受け皿論が少ないのです。分権化というのは、受け皿論をまとめきれない限り、私はあまり意味がないと思っているのです。定住圏が基礎的自治体として意味があるかないかは、大いに論争していただきたい点なのです。

道州制では、地域が大き過ぎると思うのです、地方団体という意味では。やはり三百ぐらいの地方自治体が基本的にできたら、分権化は非常に進みやすいのではないかと思うのです。今のまま分権化しますと、一つのテーマを取り上げるときに、意思決定者がやたらに複数化して、うまく意思決定ができるかなと心配しています。定住圏に一本化して、分権化したらいいなと思うのですけれども。

――三全総の特色は、地域整備に当たってはできるだけ市町村の主体性に任せます、住民の意向を行政に反映させるためのシステムをつくってください、というようなことを言っていますね。

これは恐らく、高度成長から低成長になって国の財政力も基盤が弱くなった。そこで、財政的に国がすべて面倒をみるわけにはいきませんよ、地方の方でも考えてやってくださいという意図が多分にあったのではないかと思いますけれども。こういう考え方は、一全総、新全総における国と地方の緊張関係を多分に和らげる方向に役立ったとは思うのですけれども、その辺の真意はどうですか。

和らげようとしたことはないかといったら、うそになるでしょう。ただ、プランナーが考え方として一番狙っていたのは、一全総と新全総までは、まず経済の合理性を追及しているわけです。したがって、合理性を追及する傍らで、弱者救済とか平等ということで、ナショナルミニマムとかシビルミニマムということを、取り上げて計画をつくっていたつもりです。だから、国家的な基準で整備上のミニマムやシビルミニマムを達成するための指導を、地方に対してやるという考え方なのです。

ところが、三全総では地域の人と国土との関わり合いの特性から議論してくださいということに切り替えようとしたわけです。だから、どちらかというと、ミニマム概論を卒業して、地域の特性論に移りたいということを、一方で考えていたのです。それは、政策論であると同時に、生態系を重要視するなら当然そうなると考えたわけです。

雪が降る所も降らない所もミニマムが一緒という行政はおかしいのではないか。そこで、ふるさと創生論につながっていくような、何かミニマム概念と地域の特性論との分かれ道が三全総の中に内在しているわけです。これは、いまでも議論になると思うのです。分権化にこだわるのは、ミニマム論が強ければ分権化する方向にはいかないからです。地域の特性論なら国がやれるわけはないから、分権化して、地方自治団体がやれるようにしなければおかしいということになります。

環境でも教育でも福祉でも健康でも、また雇用でも日本人は国の基準に依存したいという人が意外と根強いのではないですか。それに対して分権化の方向は、あまり思想的に向いてないのではないか。三全総とか、ふるさと創生をやってみて、しみじみと思いますけど。

——水系に定住圏を張りつけるという構想を立てて、モデル定住圏をつくった。方々の定住圏を見て、当初の構想がプランナーの考え通りにいっているのは、どういうところですか。

うーん、それは難しい。しかし、行政とか計画を離れて、必然的に安定感のある地域が出てきていることは確かだと思います。三重県とか岡山県、静岡県、そういう地域は、もともと豊かでしょう。そういうところで、高度成長の影響を受けなくてすむようになる安定感というのは出てきたのではないでしょうか。東北地方でもそうでしょうけれども。何か、人間の定住性や文化的価値、自然の価値ということを話し合う地域は、いろいろ出てきたから、新全総のように、熱狂的に経済成長に陳情が華やかという時代ではなくなってきていて、それは、三全総的な地域が出てきたといえるでしょう。

ただ、行政の方はまだまだ対応が十分ではないですね。いまは何に頼っているかというと、素晴らしい個人に頼っていますね。突然、素晴らしい市長さんが出たとか、素晴らしい地域の主役が出たとか。だから、最後は行政や制度ではなくて、リーダーとしての人の問題だなというふうには思いますね。

――しかし一方で、この定住構想は、挫折したと見る向きも、論評なんかを見ていますとかなりあるようですね。

それを私は否定しないけれども、挫折して死んでしまったかというと、生きていると思います。現実に各地域に生きているし、また五全総、六全総、七全総の中で、それが中心的テーマになることは確実にあると思います。

――定住構想は、新産業都市のように目に見えるものではないだけに、目に見えないところが多分にあるわけです。そこがまた定住構想のミソだと思うのですけれども。したがって、目に見えないものの善し悪しを判断するのは主観によるところが大きくて、今ここで、評価を下すことは時期尚早なのではないかと考えてもいいと思います。

国土計画というものの失敗、成功というのは私には非常に理解しづらくて、大失敗でもあって大成功でもあるという、その裏表をどう認識するかだと思うのです。だから、新全総の頃と今とでは、村に行って、地域に住む人たちの自信というか誇りを感ずるように変わってきたと思います。

霞が関の会議から「過疎」という言葉ができた頃は、行くと、悲劇的な感じを受けたけれども、この頃は、「何で粋狂に東京に住んでいるのですか」という感じの話を受けることが多くなった。それは、定住思想の一つの成功の面と言ってもいい。

――三全総では、首都機能の移転問題について触れていますね。新全総の総点検作業で一極集中の解決策の一つとして中枢管理機能の分散ということを指摘していますが、多分にこの指摘を受けて、首都機能の移転について問題提起したと思うのですが。しかしながら、まだ話題提供といいますか、議論を始めましょうというところに留まっているのですね。いま振り返ってみると、もっと踏み込んで首都機能の移転問題について触れてもよかったのではないかという気がしていますが。

三全総のときは、首都移転のことを書き忘れないでおこうというぐらいの意識だったと思うのです。所得倍増以来、新全総でも書いてあるわけですから、今度書かないと、やめたという計画かと言われるのは困るというので、継続性を持たせるために書いたに過ぎないのではないでしょうか。たまたま金丸信さんが国土庁長官の時に、東京の過密をかなり恐れて、「首都移転というのを研究しなくてはいかんね。河野一郎大臣以降、どうもさぼっているんじゃないか」という指摘はありましたが、あのときは、根本的な本質的な首都移転論争はしなかったですよ。

3　国土庁の計画調整能力

——三全総について、最後に伺いたいのは、国土庁の計画調整能力についてです。新全総から三全総にかわる過程で、経済企画庁から国土庁に主管官庁が変わりますね。つまり、三全総以前と以後では役所が変わったということで、どういうふうに計画調整能力が変わったのか、あるいは変わらなかったのか。

経済企画庁で、経済安定本部から経済企画庁へつながってきた開発行政というのは、自分の意見を言うことから出発して、関係省庁がそれを認めるか認めないかという論争のパターンなのです。大部分は認めてもらえないが、いろいろやっているうちに認めてもらったものを集めると計画になっていったというスタイルなんです。けれども国土庁になると、関係省庁が言ったのを聞いて、モデレートに調整するという仕事になった。それが基本的に違うと思うのです。未だにそういう状態が続いています。

これは、後につながってくる四全総がそうだと思うのです。関係省庁の要請、各地方からの要請に対して、総合的な調整をしたとなっている。国土庁側から出たアイデアというものがあまりない。だから、経企庁の時にはかなり独断と偏見を各省庁に投げかけて、戦って敗けてしまうということを繰り返しながら、それでも少しずつ動いていってというやり方。国土庁ができてからは、皆の多数の意見を調整するとなって、悪口を言えば、玉虫色にしてしまうという技術になったから、だいぶ違ったなという気がするのです。

しかし、だからそれでいいと思っているわけではなくて、国土庁も何か言いたいのです。ただ、今の官庁は一般的になかなか独自的なことを言いづらい。政治の主体性もあれば、住民の参加もあるという状態ですから。よく人の話を聞いてからやりなさいという民主主義は、独断と偏見のプランを投げかけて賛否を問うということが苦手になっていますよね。これは政治までそうかもしれませんけど。だから、いま国土庁の若手には、「もう一回立ち直って、自らの意見を堂々と言いなさい」と講義をしています。だけど彼らは、「やりたいけれども、できる状態にない」と言いますよ。

もう一つ、国土庁の調整権で問題だったのは、計画・調整局になったあたりで、国土庁をつくった趣旨が後退してしまった。それは、国会での審議の時に、調整局は列島改造の促進の手段だと言われて、促進のための調整権を持ってはいけないということを野党が言い出したのです。それで、「残念だから残したい」と言ったら、計画・調整局ぐらいならよいとなったわけです。

最初は調整局というのは、国土庁の中心的役割を果たすということで国会に出したのですけれども、修正どおりに後退してしまったのです。だけど、政府原案をつくったときの調整局というのは、「単年度主義の予算の中で、大蔵省が大規模公共事業の着工を認める認めないという判断は適切でない」という意見が出てきたわけです。だから、大規模事業のプロジェクトの承認と、その年の予算支出権限とを分離しようというオーソドックスな意見があって、国土庁の調整局で大規模プロジェクトの許認可を調整しようと言ったのが、調整局をつくりたいと考えた原点なのです。

大蔵省の主計局が、それをやりたいと言ったわけです。主計局であれだけの予算査定を年末にゴチャゴチャやることは無理があるし、長時間かかる事業の善し悪しというのは、経済、財政政策として「今年いくら公共事業費を計上するのか」という話とちょっと違うのです。したがって、調整局は、第二主計局であって、大蔵省の人たちが来て、そこで大規模事業の調整をすると言って、設置法をつくったはずなのです。

だから、政治家になった相沢英之さんとか、開発銀行に行った吉瀬維哉さんなんかと話して、この際、ぜひ予算と、大規模事業の承認とを分けて調整局でやろうと言って、大蔵省から優秀な人を送りますという話だったのです。ところが、「・調整」になったでしょう。そうしたら、確かに課長は大蔵省から来てくれたけれども、大物が来ないから、なかなか現実のものにならないわけです。そのうちに、主計局はだんだん代もかわったから、「そんな大げさなことを主計局が言い出すなんてとんでもない」という人まで出て、いまは下火になってしまったのです。

だけど、将来はやはり、これだけの経済大国で、大規模事業をきちんと調整する局を必要としているのではないでしょうか。それができれば、調整というのは、また違ってみえるかもしれません。それで、幾重にも国土政策の総合調整権というのがどうも熟さないままいるわけで、先だって臨調へ呼ばれて、「国土庁の調整権って何ですか」と鈴木永二さんたちに聞かれて、苦し紛れにお話しておきましたけれども、重要だと思いますね。

現在は国土庁に大蔵省や建設省から一流の人物が来ているでしょう。だから、非常に立派な官庁ができてしまったから、逆に言うとハングリーではないのではないかと思うのです。

いまは国土庁採用のプロパーを、一九七九年からはじめましたから、その連中が幹部になる二十一世紀に期待していまして、やはりプロパーという人材の育ち方で役所が変わると思うのです。

——三十年かかるわけですね。

そうです。だから、国土庁も、七九年から三十年待たなければならないというのが現在なのです。

——今のお話、大変おもしろく伺いました。定住圏の内容というよりは、むしろ組織と人に関わるところでお聞きしたいのですが、経企庁総合開発局の持っていた魅力といいますか、一般に省庁で横並びの、いわば大蔵省から始まる各省に並んで国土庁ができたということが、かえって、計画をつくる上で、いわば計画の形式化みたいなものが進んでいったというのは本当にそのとおりだと思うのですが。その中で、しかし、いま言われたプロパーを採用して、そのプロパー同士が意見を出し合って、かつての総合開発局に下河辺さんがいらした時と同じような、アミーバ状に皆が攻めていくというような感じは果たして出てくるのだろうか。

つまり、もともとプロパーは、国土庁があるという状態で入っているわけですから、それをかえてさらに大きく出て行くことができるのか、三十年待ってもそうなるかどうか。

もう一つは人の問題で、新全総の時には渡辺経彦さん、黒川紀章さん、坂本二郎さんなど学者グループに議論をさせて、その中からアイデアを吸収していくやり方でしたけれども、三全総の場合には、そういういわばアイデアを出す人たちをどういう具合に抱えていたのか。あるいは、やり方自体が変わってしまって、そういう人たちはいなくなってしまったのか、お伺いしたいのですが。

最初の方のは、私はいまは国土庁プロパーの若い人たちと月に一回土曜日にフリートーキングの会を持って若手にものすごい期待をしているのです。だけど、いま言われたように激しいプランナーが出てくる素地は、難しさが社会的にもあります。

それは、しがないことから言うと、プロパーが各省から来ている局長や課長のポストを取って、自分たちで地位についていかなければいけない。その時に、単なるポストのチェンジではなくて、実力を必要としていますね。だから、プロパーの連中が課長にまだならない時期ですから済んでいますけれども、課長、局長になった時にどういう力を発揮するかは、彼ら個人としてかなり重要なポイントなのです。そのバイタリティがどんなふうに出てくるのかというのは興味のあるところで、私なんか考えても、戦後開発という日の当たらない道であったからこそ勉強もしたし、全国を回って歩いて、だんだんと広がり得たと思っているので、彼らは一度苦労した方がいいなという気はしています。だんだん計画というのが混乱期にも入っていますから、かえってチャンスはあるという気はしているのですね。経済企画庁のプロパー組も社会が認めるエコノミストに成長していることが前提だと思います。

後の方の質問は、国土庁ができてからやったのは、新全総の時とメンバーを全然ガラッと替えまして、いわゆる文化人という人ばかり集めたわけです。梅棹忠夫先生とか山崎正和さん、梅原猛さん、吉良竜夫さんとか、そして新全総の激しさというものを離れてということを考えたのです。むしろ、土木、建築、都市工学の専門家を外して、文化、芸術畑の人を入れることで国土に何か一つの文化性をつくろう、それを定住圏の内容にしようということをやった時期があります。

――大平さんのブレーンと重なっていますね。

重なっています。梅棹先生など両方の人が多かったから、大平委員会と関係はとても強かったかもしれません。

——そういう文化人を口説かれた時の口説き文句はどういうものだったのですか。

一つは、新全総には経済主義的な技術的なものが支配していて、文化性が欠如していることに欠陥があるのではないか、というような話を彼らに問いかけたり、日本の国土計画がもっと歴史に学ぶことがあるのではないかということで、江戸時代のこととか、奈良時代のこととか、あるいは古代のことまで議論したいなんていうことを申し上げたり、かつて日本人は、森とか海とか関係が深かったのが、明治の近代化はそれらを利用するけれども手段にしか見ていなくて、合理性が失われれば切り捨てるというところは疑問ではないか、というようなことをいろいろ言って、彼らは相当張り切って来てくれました。そして、国土の文化というのは文化庁に任せないで国土庁でちゃんとやったらどうかとか、いろいろ議論をもらいまして張り切った時期がありました。何か「文化首都」なんていう言葉もそこから出てきましたし。その人達は、もっぱら「人と国土」という言葉が好きでしたね。議論すると、「人と国土」という。おもしろかったですね。

——これは現代的な課題とも関係するところですが、先ほど出た定住人口が東京で減る東京

▽——文化首都　一九八〇年代後半に下河辺と梅棹忠夫氏によって、これからの都市および首都像として文化を軸にした世界都市機能の必要性等の研究提案されたもの。研究成果としては梅棹忠夫氏等による㈶千里文化財団「文化首都の研究」（総合研究開発機構、一九九二年二月）がある。また、同じ時期に国土庁は関西復権を文化を軸にする意向を提示したり、大阪府等が京阪奈学術都市関連で文化首都を提起してきた。

過疎化。これは確かに千代田区を中心とする幾つかでは、もう起きていたわけです。

いま話題になっているのは、小学校の統廃合問題。恐らく、小学校の適正再配分というのは、千代田区だけではなくていろいろな区でもう起きていて、千代田区がそのモデルケースになるかと思ったら、あれだけもめている。あれは、今後いろいろな意味でリストラしていく時の一つの事例になるのではないかと思うのですが、下河辺さんから見ますとどういう感じですか。

麹町の卒業生なんかにすると、失うことについての情緒というのは非常に強いでしょうね。そしていまの子供たちにしても、明日から違った学校に行けといって嬉しいということはあり得ないという気はするのですね。ただ、いままでわれわれの経験から言うと、山村はそればかりやってきたわけです。分校をつくったりして維持しながら、分校もだめになり、母校もだめになり、だんだん町場に義務教育が移転していってしまうという中にあって、スクールバス論なんていうものを一生懸命やった時期があるわけです。子供を親と別れて町に宿泊させることまでしましたね。東京はようやくその次元にきたという感じでしょうね。

いま、学区制をもう一回議論することが必要かもしれません。永田町小学校は、国際的に小学生や中学生を募集したらどうなるか、なんていうのは今日的な意味があるんじゃないでしょうか。日本の歴史の中で、永田町とか麹町の学校が文化財として残ってもよいのではないか。「現在住んでいる居住者のための」というような教育論を超えたものが何かできないものかという気がします。地区の教育委員会が考えるので、ああなってしまうのではないでしょうか。政府が一度考えるほどの文化財として意識してもいいのではないでしょうか。

——千代田区の場合特に問題になっているのは、海外子女を結構入れていましたし、公然と越境を認めていましたから。それで維持していたら突然の方向転換。しかしその辺は言われるように、区で考えるのか、都のレベルで考えるのか、国のレベルで考えるのか。最終的には東京をどうしていくのかという問題と関連すると思いますけれども。

優秀な私立の学校法人に施設をただで譲ったら、きっとちゃんと経営なさるのではないですか。知恵次第ですものね。たくさんいる外国人の子女たちが日本の学校へ入りたいという希望は増える一方ではないかと思うのです。ただ、住民登録を持った子供だけという議論になると、それは成り立ちませんよね。

——東北地方の「河北新報」の記者が、それまでの開発主導のものとは異なる三全総ができてホッとしたと、言っていたのを思い出します。つまり、陳情力や地域的な経済力のそう強くない所にとっては、「ああ、やっと何か勝負できるという実感を持った」というのです。また、それまでの全総とはちがって三全総になってきたら、国土計画が身近なものにとらえられるようになった。それは開発の国家性みたいなものがスッと消えてしまったのと、それ

▽——千代田区小中学校統廃合問題　一九九一年十二月に、千代田区が危機的人口減少に対抗して区内公共施設等の再配置構想を立案しているが、そのなかにおいて区内すべての小中学校の統廃合が計画化された。この統廃合案に対して、児童生徒の父母を中心に区長のリコール運動等の反対運動が行われ、その後しばらく話題になった。九三年四月からはほぼ原案どおり統廃合が行われている。

に代わって、何か弱いものの味方みたいなものが打ち出されたと、自治体のプランニングをする人たちに感じたと思うのです。

それから、さっき言われた水系主義の議論というのは、国土計画の次元のものだけでなく、むしろこれからのローカルプランのモデルになっていくのだろうと思うのですね。

東北地方で言うと、全国計画ができるたびに苦労が一つずつ増えると言われているものですよ。一全総で骨を折って、一全総でやったことの後始末もまだいっぱい残っているし、新全総でやったこともまだあるし、三全総もあるし、四全総もあるしというので、この戦後の五十年というものが、いろいろな全国計画の積み重ねの苦労が残っているのが東北だ、と私なんか思うのです。その現実の中で、次の計画をつくっていかなければいけない。

その状態を見ていると、いま言われたようなコメントは成り立つのでしょうね。しかし、それは国土計画の宿命ですね。経済計画のように、過去を振り切って新しいものへということが、国土計画の場合には現実にはできないでしょうね。

――三全総を組み立てるまでには、新全総総点検の作業が始まってから、随分、内閣が変わりましたね。田中内閣は潰れましたし、その後非常に不安定な時期に三木さんが担当され、そして福田さんときて、大平さん。この政権が短いサイクルで変わっていったことが、新全総から三全総への流れの中で与えた影響というのはありますか。

それはもう非常にあると思います。ありますけれども、これは「時の内閣」というテーマなのです。計画の長期性に対して、短期の内閣との関係を議論することになるわけです。計画策定というのは、時の内閣の政策と合致しない限り決めてはいけないと私は思っているわけです。だから、時の内閣論というのは、作業上非常に大きな意味を持っているわけです。だからと言って、その時の内閣が長期の責任を持つとは信じてはいけないわけです。そこのところが、開発官僚のテーマになるわけですね。

開発官僚が継続的な責任を持たされる状態になっていて、時の内閣はどんどん消えていってしまうということを繰り返していかざるを得ないと思うのです。だから、田中内閣の時には田中内閣との関係。大平さんの時は大平さんとの関係ということを基本において計画ができたことは確かです。時の内閣論というのは、官僚としてはどうこなしていいか大変ですね。

6

一極集中と多極分散型国土形成——第四次全総計画

1　四全総のスタンス

——四全総は一九八七年に閣議決定されて現在も進められているので、いま四全総について語るのはまだ生々しいものがあるのですが、慶応大学の高橋潤一郎氏は、「その策定は天の声、地の声で揺り動かされた」と言っています。天の声とは時の総理の中曽根康弘さんであって、地の声というのは地方の声を指しています。

つまり、中曽根総理は、四全総の国土庁案を説明に行った当時の綿貫長官に、国際都市東京の地位と機能の明確化をもっとした方がいいのではないかということを言った。これを受けて、「国土政策懇談会」がつくられて、八六年十二月に東京を国際金融情報都市と位置づけた中間報告をする。

地の声はこれに対して起こったわけで、猛烈な反対の意見が出た。特に当時の熊本県知事の細川護熙さんは、厳しい言葉で批判したということは記憶に新しいところです。結局、四全総はこの地の声を反映させて、一極集中を追認するだけではなくて、多極分散型国土形成というものを補強したわけです。この間の経緯についてまずお伺いしたいと思います。

中曽根さんが、東京の国際化と民活の二つをもって、それが四全総の中心的な方向だと言ったということを、私は問題だというふうには受け取っていないのです。私はその二つの指摘は、あの時正しかったのではないかと思ったわけです。だけど、新聞を見て地方の知事さんは飛び上がるほど

四全総の策定に関する経緯

1977. 11. 4
第三次全国総合開発計画閣議決定

1981. 1～5
定住構想基本問題研究会報告（高齢化，エネルギー，社会的サービス，サービス経済化）
1981. 5. 27
国土審議会（第 3 回）調査部会設置
1981. 9. 7～83. 5. 25　調査部会（全 5 回）三全総フォローアップ作業
1983. 10. 3
国土審議会（第 5 回）
調査部会廃止，計画部会設置
三全総フォローアップ報告
1983. 11. 30～87. 6. 10
計画部会（全20回）
～84. 11. 14　四全総長期展望作業
86. 9. 29　ワーキンググループ設置（大都市問題等）
～86. 12. 1　第四次全国総合開発計画調査審議経過報告
1986. 9. 24
国土政策懇談会開催（全 6 回）
1987. 5. 25
国土審議会（第 9 回）第四次全国総合開発計画（国土庁試案）
1987. 6. 26
国土審議会（第10回）第四次全国総合開発計画答申
1987. 6. 30
第四次全国総合開発計画閣議決定

1983
民活

1986
東京地価高騰
1987. 7
臨時行政改革審議会（新行革審）土地対策の審議
1987. 10. 12
新行革審
当面の地価等土地対策に関する答申
1988. 6. 15
新行革審
地価等土地対策に関する答申
1988. 6. 28
総合土地対策要綱閣議決定
1989. 12. 14
土地基本法

1983. 5. 16　テクノポリス法

1987. 6. 9　リゾート法
1987. 9. 1
国土開発幹線自動車道建設法改正
1988. 1. 22
国の機関等の移転について閣議決定
1988. 5. 6　頭脳立地法
1988. 5. 17
大都市地域における優良宅地開発の促進に関する法律
1988. 6. 14
多極分散型国土形成促進法
1988. 6. 23
四全総推進連絡会議設置
1988. 7. 19
国の行政機関等の移転について閣議決定
1992. 5. 24
地方拠点法
1992. 12. 24
国会等の移転に関する法律

驚いたのですね。「四全総はとうとう一極集中構造を是認する計画になると総理が言った」と書かれ大騒ぎになったのだけれども、総理はそんなつもりはなかったのではないかと思います。

ただ、あの当時の東京の位置づけや、どういう方向へ持っていったらいいかは、論争すべき大テーマであったわけです。国土庁の四全総の作業としては、地方問題から先に取り上げて審議会を開いたり発表したりしていたところへ、中曽根さんが「東京問題もきちんとやりなさい」と言ったということで、「いや、もう実は用意しています」と答えて、「それならいい」と中曽根さんが言ったというのが本当のところです。

ところが新聞から見れば、国土庁は地方のことばかりやっていたのに、中曽根さんは東京なのだというふうに出てしまったから大騒ぎになったけれども、国土庁の作業レベルからいうと両方ともやっていたので、特に新しい指摘とは実は思わなかったのです。それはちょっと食い違いだったかもしれません。

だから民活についても、確かに民活の調査会までつくったほど熱心だったけれども、これは、日本の社会資本がそろそろ民営化の中にあってもいい、ということはいまでも言えるのではないかと思うわけで、大都市は民活で、地方は財政でという考え方は決して特異な意見ではないのです。だけど、この二つが中曽根さんの四全総への指導だとなったために、ちょっと問題になったわけで……。

——四全総に対する地方の声というのは、ある程度予測できたのですか。

予測できたというよりも、新全総よりも、比較的地方の意見をよく取り入れたと思うのです。だから、地方からの意見のカタログ集みたいになっている面があるのですね。

——四全総のテーマは、一つは三千三百の市町村の活性化、二つ目は、三全総を引き継いだ形での環境論、三つ目は東京論、そういう三つぐらいに分けて考えてよろしいでしょうか。

基本的には、国際化、情報化、ハイテク化を全国にわたって貫こうとしている見方があると思うのです。それだけに、各地域がそれにどう対処するかというカタログが整理された、と私は思っているわけです。

森の問題とか、水系の問題は実は生煮えだったと思うのですね。むしろ、五全総への宿題として送った感じが私にはあるわけで、水系の環境論なんていうのはあまり大きな意味を持たなくて、むしろ、治水とか災害の国土保全論になったところで止まっているのではないでしょうか。森についても、国土の保全とか水源涵養とかいうレベルで終わってしまっているという感じもするわけです。

——八八年の六月に、多極分散型国土形成促進法が制定されています。四全総が目標にした多極分散型国土の形成のためには、こういう法律をつくるのがやはり必要だったのですか。

それが本当に地方の活性化につながると計画当局は判断したわけでしょうか。

そうでしょうね。だから、自由に言わせてもらえば、多極分散型国土ということは、抽象概念としては私は賛成なのだけれども、行政実務として具体的に言うと、極の数が幾つかというような単

▽——多極分散型国土形成促進法　この法律は、四全総の基本的目標である多極分散型国土の形成を強力に推進することをねらって、一九八八年六月に公布されたもので、国の行政機関等の移転等、地方の振興開発、大都市地域の秩序ある整備、住宅等の供給促進、地域間交流の促進等が規定されている。

純なところからの議論が必要であって、政府は予算のこともあれば時間もかかるので、極は十とか二十から始まるとなると、分散型ではなくて多極集中型になってしまうのですね。いろいろな地方で見ていると、やはり優秀な都市への集中が進み始めていて、それは過疎を促進するかもしれないという危険を犯すことになるのです。

それをもとへ戻って考えると、一全総として札幌、仙台、東京、名古屋、大阪、広島、福岡という極に集中させるという中枢管理機能論をやっているわけです。だから、東京を頂点にしたヒエラルキーというか、ツリーシステムとして中枢管理機能をやっているわけで、あれは多極集中型というこことを計画上言っていたと思うのです。ところが、四全総は、それを超えた多極分散型にしても、そんなにたくさんはできないとなると、うまくいっても県庁の所在地みたいな所への集中が促進されるのではないか。このことは、五全総でもう一回検討し直さなければいけないテーマになるでしょうね。

2 東京一極集中をめぐって

——最近、地方ブロックの中核都市への集中が始まって、それぞれの圏域での集中が現われ始めていますけれども。しかしながら、やはり多極分散型国土形成を目指した四全総のもとにおいても、圧力は弱まったにしても依然として東京への集中は続いていますね。

全総計画としては、いかに地方を活性させるか。そして、いかに地方人口を定住させるか。

そういうことも大事だけれども、より重要なのは、どうしたら東京圏への集中がやむかという対策を中心に考えるべきではなかったか、という思いがするのですけれども、そのへんはいかがですか。

その点では東京一極集中の原因分析がもっと必要ではないかと思っているわけです。集中要因が歴史的テーマから、新しいテーマへと展開してきているのですね。だから、江戸時代の集中原因は何かとか、明治維新以降の集中の原因は何かとか、戦後の集中は何か、高度成長期の集中は何か、最近の集中は何かというのを集中要因別に議論すると、全然違ったテーマであることに気がつくのです。だから、集中要因別の対策というのが、時代別・問題別でなければ具体的でないのです。

われわれが直接やったのは、工場の集中とか大学の集中の要因であって、それに対しては手を打って、確実に成功してきているとさえ思っているのです。そして一九七九年ぐらいからまた再び集中が増えたのは、金融なりサービスなりの上で国際化が進み、情報化が進むという新たな条件なわけですね。だから、それに対してどういう分散をするかという議論の時に多極分散型ということを言って、生産というよりはむしろ情報サービスのところで中枢機能を分離させようとしたところまではきたわけです。

それで法律ができてこれから手を打つのですけれども、現実はその集中要因はもう峠を迎えてしまっているのです。本社も、情報サービスも、これ以上集中するよりは、分散傾向がすでに出てしまっているわけです。だから、五全総における東京一極集中対策については、二十歳の若者の集中をどう見るかに議論が移ってきているわけです。

二十歳の集中というのは、政治や行政やビジネスの理由ではないのです。なぜ日本中の二十歳の人が東京圏へ来てしまうかという論争を必要としているわけです。事実、九〇年で二十歳～二十四歳の年齢が東京圏の六十キロに三三％暮らしているのです。こういう状態は世界中にないことです。これはビジネス集中とか何かでは説明つかない話であって、その解析を急ごうというのが現在なのです。その原因がわかると、その対策はいままでとは全く違ったものになるだろう。ひょっとすると、逆にその集中を認めようという議論さえ一方にはある。二十代を東京で暮らして、三十で自分の住む場所を選択するという構造が、むしろ自然の流れかもしれないという意見も出ているわけです。

ところが、二十歳になったら来なくて済むようにするためにはどうしたらいいかという話をしていると、職場があればいいということではないわけですね。すこしばかり職場ができると、余計若者が東京へ来てしまうという傾向さえあるわけで、問題は全然違うわけです。だから、これまでの東京一極集中是正の政策は失敗して、これからより集中するということを私は全然納得していない。集中要因別に対策があり、その対策が半ば成功したり半ば失敗しながら揺れ動いているけれども、今日の国際化、情報化による集中は、バブル経済とともに限界にきたと見ているわけです。

新しいテーマは、若者の集中というふうに思っていまして、若者の集中要因はマスコミだと言う人が増えてきているわけです。全国中に毎日のように一日中東京発信の情報が流れるたびに、若者は所以もなく東京へ移動してくるというような構造。けれども考えてみれば、国際的な文化や情報と接したいという欲望が出ることは健全なんじゃないですかね。何か閉ざされた地域社会の中で自分の一生を終わってしまうというふうには、なかなか決意できないわけでしょう。それにもかかわらず、二十代十年間東京で暮らすと、ある限界は確実に見えてくるのではないでしょうか。そして、東京で暮らすことの意味がますますあると思う青年は残るけれども、もう東京を離れようという青年もだんだん増えてくるのではないかと思うのです。東京で二十歳台に自分を探して、その結果として居住地を選択する自由があったら、国土計画としては素晴らしいという見方もあるだろうと思うのです。そういう人間の移動というものを定住性という議論の中に入れ込むかどうかは、三全総との関連で五全総の一つのポイントになるわけです。田舎に生まれたら、田舎で定住しろということでは、もういまの青年たちには耐えられない。ですから、東京一極集中論というのは、そういう意味で時代背景ごとに議論していただきたいと思っています。

子供たちが若くて出て来るようになった最初の高度成長期の要因は進学率です。高校九六%とか、大学四〇%に近づくなんていう進学率が急上昇した時に、学校との配置の関係がうまくいかないから、青年たちがどんどん都市、大都市へと流れて、それはもうピークが来て終わったのですね。ところが、終わったから大丈夫だと思ったら、青年たちはもっと集まったというので、何しに来ているのかと、青年たちにアンケートをすると、「いや別に」とか、「親父の顔を見ていたくない」とか、「田舎ではつまらない」といって、比較的消極的な意見を言うのです。しかし、第三者的に見ると、やはり東京で自分を探すチャンスがほしいのでしょうね。

——先ほど、四全総のテーマは国際化、情報化、ハイテク化。こういうものを全国に貫くことだと言われましたけれども、少なくとも、時期的に見ると、バブルのピーク時までは、そういったことが逆に東京への国際化、情報化、ハイテク化を集中させたのではないか。例えば、NECは大分のハイテクランドの中に工場をつくって、そこでICを生産していますけれども、その生産量から何から全部指令しているのは、東京港区芝のNEC本社ビルですから。そういう意味では、少なくとも、バブルのピーク時まではそういったハイテク化、情報化、国際化を全国に貫くということが、逆に東京一極集中を進めた原因だと思います。

そうです。だから、一九七九年から八九年ぐらいまでの十年間は確実に国際化、情報化、ハイテク化が集中要因です。でも、その峠は越えたと私は思っているわけです。その集中から分散への経過の中で四全総ができてきたという感じはしているのです。確かに一九六〇年の所得倍増ができてからずっと七九年までは地域格差も解消してきているし、産業も分散しているのですが、七九年から集中に逆転するわけです。これは、国際空港の分散とかハードの対応等がない限りなかなか苦しい。学者でさえ研究活動のためには東京がいいということになりますよ、どうしても。しかし、限界には来ていると言っていいのではないでしょうか。

――首都改造計画というのが四全総の初めの頃に発表されていますけれども、それによりますと、二〇〇〇年までに趨勢型で東京圏には五百万人、封鎖型で三百万人さらに増える見込みだったのですね。バブルが崩壊して、封鎖型の数字もあり得ないだろうと思いますけれども、いずれにしても、かなりの人口の圧力がさらにまだ東京圏に続くだろうと見られているわけです。そうすると、人間の総合居住環境としての東京圏、どうしたらいいのか。これは大きな課題ではないかと思うのですね。

ただ、東京圏がまだ人口が増える要因として、先ほどの二十歳の青年たちの集中と合わせてもう一つの特色は、東京生まれ、東京育ちが増えたことなのです。その人たちは、地方から来た青年よりも地方への流出が鈍いのです、故郷ですから。第一次ベビーブームの戦後ベビーブーム世代は、東京生まれが同世代の一五%ぐらいですけれども、第二次ベビーブームは同世代の二五%が東京生まれなのです。その違いが人口増加をもたらすという時代を、これから経なければならないわけです。この峠を越えるとちょっと集中が緩和しますけれども、この第二次ベビーブームの影響というのは無視できないのです。だから、もしやるとしたら、第二次ベビーブームの人たちを地方に移住させるようなアイデアがあるかですね。つまり、故郷なき東京生まれ、東京育ちの若者が地方に移住する条件とは何かというのは、これから論じてみないといけないテーマです。

——そういう故郷なき東京生まれ、東京育ちの若い人たちが地方へ移住する条件を考えようというのは、それはもう最優先課題ではないかと思いますけれども、逆に四全総では、東京におけるキャパシティをさらに大きくしようという施策が取られました。特に四全総策定期間中に進んだのですが、それは先ほど出ました中曽根総理の民活論と不可分に進んだ。民活、規制緩和、そういったものを軸にして、特に東京では再開発ラッシュが始まって、さらに人

▽——首都改造計画　この計画は一九八五年五月に公表されたもので、東京、神奈川、埼玉、千葉の一都三県に茨城県南部を加えた地域を対象に、立川・八王子等の五つの業務核都市等の核都市を戦略的に育成して多核多圏域型の地域構造を形成する等によって首都圏を改造しようとするもの。計画の期間は東京大都市圏の人口がほぼ安定期を迎えると予想されている二十一世紀の第一・四半世紀までとなっている。

口、産業の受け皿というか、キャパシティを大きくしよう、と。しかし、こういう施策が取られる限り、東京への人口、産業の集中は延々と続くのではないかと思うのです。

いや、私はそうは思わなくて、むしろ、プロジェクトの方が破産するのではないかと思っているのです。いろいろな土地が開発されたり建物がつくられると、機能が集中してくるだろうという時代は終わってしまっていると思うものですから。バブル経済の崩壊以上にキャパシティが大きくなっても、機能は充足してこないと思っているのです。むしろ、新しく増加したキャパシティ分が、古いキャパシティをスクラップダウンすることにつながっていくというふうに見ているのです。だから、ボリュームの増加分の供給ではなくて、老朽、スラム化するものへの更新として意味を持ってきてしまうだろうと思うのです。

だから、いまこれから新しいハイテクビルの供給がいっぱいあっても、お客がいないと言うでしょう。だけど、もうちょっとすると、高度成長期のビルがみな老朽、スラム化しますから、需要が移転によるものとして起こると思うのです。ボリュームトータルとしたら、もう増えないと私は思っているのです。

3 民活の功罪

――中曽根民活は、サッチャリズム、レーガノミックスと同時期、同様のねらいで進められたわけですが、その背景にある一番大きな要因は、小さな政府を目指すことだったと思いますが、果たして、この民活で小さな政府化が進んだのかどうか。あるいは、中曽根さんは本気でそんなことを考えておられたのかどうなのか。そのへんはどう判断されますか。

結果的に見た時に、関西というのは民活がとても多い都市地域なのです。東京はどちらかと言うと、公団・公社でもって財政支出による整備が進んできた地域なのです。だから、中曽根さんの民活論というのは、関西型と言えるようなところがある。関西国際新空港の建設でも地元資金にウエイトが大きくなっているのです。京阪奈の学園都市もそうです。関東の成田や筑波とは違うわけですよ。水資源まで全部公共事業で遠くから持ってくるような仕事をしていますから、関東というのは何となくお膝元で民活的な感じが、実はないのです。民活論を一般論で議論すると不思議な議論になるけれども、関西の活性化にとって、民活が果たした役割はどういうものかというのは、われわれにとっては検討課題です。

——民活の一環として進められた国有地の払い下げとか、あるいは規制緩和は建設業界に対する中曽根政府の最大のサービスであると、当時受け取られましたね。

ただ、土地というのは、国有化と私有化と行ったり来たりするというのは、何百年かの日本の土地の歴史でしょう。たとえば、戦後には、個人零細所有という歴史が生まれたと思うのですけれども、それを都市の再開発にとっては異常に不都合だということから地上げ屋さんまで手伝って法人化の道を歩いているわけです。その法人化の時に民活化という議論が出たことは確かですね。

だけど、法人化は永遠に続くかというと、私はそうではないと思っているわけです。また再び公有化という道を歩むのか、あるいは、もっと別の道があるかは、土地所有論としたら議論してみなければいけないでしょうね。

——いま土地の話をされましたが、中曽根民活最大のひずみが土地問題でした。それで八〇年代後半から東京の商業地を中心に地価が高騰したわけですね。

ただ、私は土地についてはは割に議論が過激で、市場経済が必然的にもたらす過剰流動性が問題だというふうにしか見ていないのです。列島改造の時も、八〇年代のハイテクビル型の都心部の時も、基本は金融の過剰流動性であって、それに対して土地神話が働いて、過剰流動性分が土地に全部投げ捨てられたという形でのトラブルであって、過剰流動性が片づくと、当然、土地の問題が鎮静化してしまうという繰り返しと思っています。だからこれからもあり得ると見ているわけです。

列島改造のころ田中角栄さんと議論している時に、当時の土地ブームはもう終わったので、次のブームがどこへ来るかを研究しろと言われて、香港の不動産ブームの調査をしたり議論した時があります。その時田中さんは、次の地価高騰は都心部へ来るよと言いましたね。だから、また田中さんに「次はどこですか」と聞きに行きたいような気分ですけれども。やはり土地に詳しい人たちは、何かターゲットを持っているのではないでしょうか。それは過剰流動性が生まれなくて済むということには、どうもマーケットというのはならないから、今度はどうなるかというのはありますよね。しかも、その過剰流動性が生活物資の買い占めとか、先物買いにいかないで土地にいったことで、一般の生活はインフレにならないで済んだという意味では、土地が吸収材にさえなっているのです。だけど、われわれ、開発の側にいる人間はかないません。過剰流動性に荒らされてしまうということを避けたいけれども、マクロ的に言うと、そういう経済的なシステムが働いているように思っているのです。

——地価高騰の結果、国土利用計画法と土地基本法が制定されたわけです。この過程で、国土庁というのは、国土計画を策定するより土地対策の当局と一般には受け止められるようになったと思うのですけれども、地価高騰というのは、当然のことながら国土計画に大きな影響を及ぼしますよね。新たに制定されたこの土地法と国土計画の接点は、どこにあると思いますか。

国土計画というのは、土地利用に対してどれだけの権限を持っているかということで制度論としては非常に難しいテーマです。つまり、私有財産制の国土を国家が計画する権限を持っているかどうかというあたりは、まだ論争が十分なされていないのではないか。だから聞かれれば、構想であって、決定というものではないと説明する以外に手がないのではないでしょうか。

ですから、国土計画が現実に地元に下りると、都市計画とか、農村計画とかいうところへ下りて、さらに事業ベースの土地の処分というところや、土地収用法までつながっていかないと、土地問題との接点は得られないというのが国土計画です。

国土計画は、そういう私有にこだわらない客観的な計画をつくろうということになっていくのでしょうけれども、しかし、所詮は現実化する時は私有財産制と折衝しなければいけない。

▽——土地基本法　一九八五年前後から東京都の一部地域からはじまった著しい地価高騰を背景に、八九年十二月に制定された土地についての基本理念や国、地方自治体、事業者、国民の責務等を明らかにした法律。

――地方では、リゾート開発による歪みが大きな問題になりました。一九八七年にリゾート法ができて、どこもかしこも名乗りをあげて指定地が決まったわけです。その指定になったところでは、全く同じように、ゴルフ場、スキー場、ホテル。そういう形で、特に森林とか農地が失われて、その地域の人なんていうのはますます第一次産業で食っていけなくなる。森林も荒らされるというような結果になって、これも大きな国土計画上の問題になったと思います。

ただ、マクロ的な言い方をすると、一億二千万人の人口の六千万人が仕事をして、そのうち四千万人はサラリーマンで、サラリーマンは週休二日で余暇時間ができて、その時間をどこで過ごすかということを計算しますと、このくらいの余暇施設がいるよというようになるのでしょう。ただ、そういうマクロな動向とミクロのプロジェクトが一致するかというと、実際には隔たりがあって、もうちょっとビジネスとしての検討が必要なわけです。指定を陳情するといいなんていうレベルでは、プロジェクトがビジネスとして成立することと関係がないというのを、今度とてもよく経験したのではないですかね。

――リゾートとか三全総期間中のテクノポリスというのは、考えてみると、地方にテコ入れするだけの計画、あるいは法制度にとどまっていれば、やはり地方の活性化にはつながらないのではないかということがあるかと思います。そういう意味では、四全総の期間中に出ました地方拠点都市開発法についても、法律をつくったくらいでどうなるのかなと思いますが。何かプランナーの頭の中には、拠点都市の思想の中に、一つの都市で都市機能がワンセットそろっていることが拠点の原点、という考え方があるのではないかと思います。それだけに、最低三十万人とか、理想的には百万人ぐらいの規模がないと、拠点都市たり得ないという議論がまだ少しありますね。私は、そういう発想だと多極化できないのではないかと思っているわけです。

一万人だろうが五万人だろうが、それなりに生きる道を模索するという議論をもっとしてほしいという気はするのです。五万人都市というのは、恐らく、三十万人や百万人都市から見れば欠陥の多い都市だけれども、自慢すべき何物かがあるということで、その都市へ居住を選んで、欠陥のある部分は最寄りの都市の機能を利用するという生活の新しいスタイルをつくるべきではないかと思っているのです。

ですから、五全総で議論するとなると、簡単に言うと、五万人都市が活性化できるかというテーマは、モデル的な議論としては相当重要ではないかと思うのです。それは拠点都市論と少し違った議論になると思ったりしているのですけれど。過疎まで生かす道というのは容易ではないけれども、数万人の都市が衰退するという現状を肯定しない議論がもっとあっていいのではないか。

——フランスの山の中なんか行っても、人口が非常に少ない、工場もない、働く場所もそんなに多いわけではない。しかし、日本でいう過疎という言葉はフランスではないのですね。じゃあ日本でフランス流の、過疎という言葉をつかわないですむという状況は、どうすれば

▽——リゾート法　一九八七年に制定された総合保養地整備法で、滞在型のスポーツ、レクリエーション、教養文化活動等の多様な活動のための総合的機能整備を進める制度。九二年十二月現在で全国三十五カ所の整備基本構想が承認されている。

つくり出せるかということが、非常に重要なのではないかと思うのです。

技術的には可能だと思うのです。通信技術なんていうのは想像を絶するほど進歩することは明らかだろうし、たった一軒で山の中に住む工夫というのができるような二十一世紀論というのもあり得るわけです。だから小集団の規模でも、都市としては成立する可能性があるのではないかと思うのです。そんなわけで小都市の魅力というようなことに、いまは非常に関心を持っているのです。多極分散というよりは小都市ネットワーク論みたいなことが重要ではないかという気がしています。

——八〇年代後半以降、国土政策とか国土計画とはあまり関係のない、地方自身による国際化とか文化化とか、第一次産業対策とか、そういう地域の活性化が目立つようになりました。こういう地域独自の活性化などについては、どういうふうにお考えになりますか。

いまはもう本当に、いろいろな形で地域の活動というのは出てきたと思いますね。これは国際交流基金の地域の文化活動の表彰やサントリーの地域文化賞を受けたケースなんか見ていると、本当にすごい活動が全国的にいっぱい出てきています。地域の活性化というのは、国土計画だけが受け持つべきテーマではなくて、もっと非常に大きなテーマだと思いますよ。

ですから、一市町村一億円を論争した時には国土計画を超えるものとして、「ふるさと創生一億円」と言ったつもりなのです。これが思想的に根づいたら、補助金制度なんていうことを根本的にかえる動機にならないかと思ったわけです。しかし、半分ぐらいはそういう動きになったけれども、半分ぐらいは、むしろ、補助金の陳情に向いた計画ができてしまったりしていますね。

——「ふるさと創生一億円」がきっかけになったかどうかわかりませんけれども、八九年度、九〇年度の地方財政は、補助事業、単独事業を比べてみると、補助事業の比率が減って、単独事業の比率が高くなっています。これは地方がやる気になって、自前の事業をやり始めた一つの現われではないかと思うのです。

それは現われと言っていいと思いますけれども、もう一つは、国の財政がだめなのに地方財政は豊かだったということも影響しているのです。そして、最近になって地方財政までだめになってきて、単独事業への期待がいままでほどもてないということで、中央と地方の財政の波が影響をしているると思いますよ。しかし、基本的には補助金ではなくて、単独事業で地域の活性化を個性的にやってほしいと思います。

――先ほどの三全総の時の話と重なりますけれども、四全総の策定をやっている途中で、いままで四全総の普通の審議会とは別に、中曽根総理が八六年に「国土政策懇談会」というのをつくりました。これにはかなり中曽根人脈的な人が入り、あるいは下河辺さんもお入りになっていたわけですけれども、あの懇談会ができた経緯と、それが果たした役割。これも一種の中曽根さんの審議会政治の一つであると言われますけれども、それについてどうお考えになっているかをお伺いしたいのですが。

▽――国土政策懇談会　一九八六年九月に国土庁長官の私的懇談会（会長加藤一郎・元東京大学学長）として設置されたもので、六回の審議を経て、翌八七年四月に報告書が出されている。報告書の概要は国土庁編「明日の国土政策を考える――国土政策懇談会における議論の概要」（一九八七年四月、ぎょうせい）として出版されている。

中曽根さんの出発点というのは、懇談会が国土政策に建設専門家ばかりでなく財界、経済専門家の参加により新風を入れようとしたのだと思います。中曽根さんが総理大臣になったのは八二年十一月ですよね。その時というと四全総に行く前のところで、東京の再集中が非常にテーマになった時期です。

東京の再集中に対して全国からの声としては、大都市は財政を使わないで民間資金でやって、地方へ財政の配分をしなさいということが、自民党のかなり基本的な考え方になった時期です。それが民活という意見にもなったのかもしれませんけれども。ＪＡＰＩＣができたのもこの頃ではないですかね。

ＪＡＰＩＣの役割論というのが議論としてあったと思うのですね。それは、重化学工業から軽薄短小への構造変化の一連の中で出てきていたと思うのです。だから、橋梁建設なんていうことに非常に大きな関心を持った時だし、超高層ビルの議論が出始めた時だし、民活化と合わせて議論になったのでしょうね。

――環七の地下化だとか、四谷のロイヤルセンター構想とか、ＪＡＰＩＣはいろいろアドバルーンを上げましたね。いま言われた大都市は民活で、財政は地方へというのは、自民党「都市政策大綱」に書かれたことと同じ考え方ですね。

そうです。ただその後は、国よりは東京都の方がよっぽど財政的に豊かになりましたからね。だから、民活が不発に終わる中で、都のプロジェクトが非常に大きく出てきた。都の財政再建ができた後は東京の経済が急成長して、都の財政がよくなりましたからね。

――三全総の時には文化人を結集されたという話ですが、四全総の時には、またその入れ替えはありましたか。

そうですね、四全総の時には文化人はあまり中心的な役割を果たしていないでしょう。むしろ、テクノロジーの人たちが多いでしょうね。

――財界関係はどうなのですか。

財界も含めまして、企業の技術畑の経営者の役割が大きかったかもしれません。何かというと、伊藤滋さん、石井威望さん、中村桂子さんに聞こうとかという時代なわけです。梅棹さんに聞こうなんていう人はあまりいなかった。

――それから先ほど、若い人、つまり二十代の集中が問題であるという話をされました。ちょうどある大学の卒業式で、これから配属が決まるという卒業生諸君に会った時に、やはり全員が東京配属希望なのです。東京がだめなら、いっそ関西だ。一番嫌なのは、なまじ東京の周辺に配属されることだ。とにかく東京の中心部。それは、ものすごい共通の欲求です。

あともう一つ、東京の問題を考えていく上で避けて通れないのは、高齢者、老人人口をどうするかという問題があると思うのです。とりわけいま団塊の世代がだんだん選択定年を迫

▽――JAPIC　鉄鋼、セメント、商社等百二十余社の会員で一九八三四月に発足した㈳日本プロジェクト産業協議会（会長斎藤栄四郎・新日本製鐵会長）の略称。この時期には民活論議が盛んになっており、そのなかでJAPICは都市再開発、エネルギー開発、水資源開発、道路整備、空港港湾整備等の官民の中間領域の事業に照準を合わせて、民間事業化の可能性の論議や提案を行った。

られて五十ぐらいでもう定年。それで、外へ出て行かなければいけない。

その際にどういう形で出て行くかというと、東京へ出てきて選択定年を迫られた人たちが地方に戻るということになるのか。しかし、ビジネスチャンスはやはり東京にあるから、独立してもコンサルタントや何かになれば、東京やその周辺に住むことになるのではないか。

しかし、もうビジネスはやめた、これからは生涯教育も盛んだから、もう一遍勉強し直すのだという人たちもいるわけですね。そういう人たちに生涯教育を与える機関というのも実は東京に集中しているわけで。そうすると、地方に行って何かやるということのモチベーションが、いまの感じではなかなかないという気がするのです。

そうですね。統計的に見ると、戦後ベビーブームの連中は、東京生まれが同世代の一五%ぐらいなのが、二十歳になると三〇%になっていますから、生まれた人と同数だけ地方から東京へ来た結果になっていて、現在どうなっているかというと、その三〇%が二六%から二五%ぐらいまで下がってくる。その下がっているのをフォローしてみたいと思うわけです。東京圏の三千三百万人というのが総人口の二五%ですから、どのジェネレーションも二五%なら平均的。だから、二六%まで下がってきたのがその辺りで止まるのか、二二〜二三%まで下がるのかという、ごくデリケートなところで分散論をしようとしているわけです。

それでは、第二次ベビーブームはどうかというと、同世代の二五%が東京生まれで、二十歳になった時に三三%ですからプラス八%です。そうすると、第一次ベビーブームの一五%よりは半分しか集中していない。この人たちが三十歳を超える時にどうなるかというのに興味があるわけです。

地方から来た人の方が、就職で大学を出た時に東京にこだわっているようなところがあって、逆に東京生まれの若者が東京にこだわらない、海外を含めてかなり多彩な選択をする意見も出てきたわけです。

これはもうちょっと生々しく言うと、われわれが行政的には第二次ベビーブームの時に、高校急増対策で悩まされたわけです。神奈川とか埼玉で、高校急増対策は間に合わないぐらいの事件だった。それが大学に行って、就職する段階が来た時に、それだけの人口がまともに就職できるキャパシティが、神奈川にも埼玉にもないのです。その辺りで、第二次ベビーブームのトラブルが内在しているわけでしょう。

けれども、三三％集まったうちのかなりの数は東京に残留するだろうということは当然でしょうが、三三が二五％まで下がるとすると、八％をどう収容するかが分散政策になる。その行き先なり、テーマは何かという議論をしたいわけです。

それでも、三千三百万人から三千五百万人の東京の人口が簡単に消えてなくなるとは思わないわけです。一番困るのは、三千五百万人でいまの都市を肯定すると、通勤時間が延びざるを得ないことです。そうすると、いま時短ということで、二千時間を一千八百時間という場合の二百時間は、通勤時間で全部取られてしまうという構造なのです。このため東京採用地方勤務の人々が増加することになるでしょう。

——そうすると、いまの問題と絡めて、四全総の時に、確かに東京一極集中をどうするかが大問題になったと思いますが、都庁を含めた東京のいわば統治のあり方ですね。つまり、東京の首都であるがゆえの、あるいは、ずっと連綿と続いてきた東京の国際化とか何とかを含めての特殊性を考えて、東京の統治という問題をどういうふうにしたらいいのか。その辺へ踏み込むということは、四全総の時はなかったのでしょうか。そして、またこれは五全総の課題になるのでしょうか。

四全総の時は、やらなかったと言った方がいいのでしょうね。だから、五全総ではテーマになります。もっとも、四全総でも、東京の世界都市論というのは話題にしたのです。世界都市論というのは何なのかという時に、東京が日本の一都市とか、一地方公共団体ではないということが世界都市論として示されたわけです。世界都市の管理体制というのは何なのかは、潜在的にはテーマですね。だから、都知事というのは何なのかという時に、もう閣僚の役割を持たせた方がいいという意見も出てくるわけで、全都道府県四十七分の一ということでは、まず絶対ないのではないか。

――格差是正についてお聞きしたいのですが、もともと国土計画は格差是正のためではなかったか、それが四全総で裏切られたという意見も地方から出されましたけれども、その辺は国土計画の本質との関連からすると、どういうふうに見ていけばいいのでしょうか。

いろいろな議論がそこでは出てきてしまうのです。三全総までは所得の格差を主に議論したわけですが、最終的に平等になればいいとは思っていないわけです。やはり経済の機能に応じて違う。ただ格差があまり広がることはまずいという認識はあるのです。しかし所得格差論というのは、国土計画にとっては永遠のテーマであったと言ってもいい。世界で日本ぐらい地域所得の格差が少ない国はないですから、自慢話でもあるわけです。所得倍増の一九六〇～七九年までの二十年間というのは、都道府県別に言えば、明らかに地域格差がどんどん縮まりました。七九年ぐらいからまた少し格差が広がっているので、何とか対応しようというのはあるわけです。

ところが、格差是正論の中身として、情報化社会では情報サービスのインフラ的な差がいけないという議論がかなり出てきたわけです。これは料金まで全国均一化しなさいということや、設備を国土全体に平等化しなさいということを含めて、情報の格差論というのが大きくなって、これは所得格差論とは全然違った機会の均等としての格差論が議論になるわけです。

そのうちにもっと複雑になったのは、東京は貧しくて、自然のある地域は豊かだという発想が出てきたから、環境の格差論が、むしろ東京側から言われるようになった。したがって、その地域格差論というのはかなり綿密に議論しないと政策につながらないのです。

それから、地域格差是正こそが本命かというと、私はすぐに「そうです」と言わないでいるのです。その地域格差をつくることが地域の活性化につながるとさえ思っているのです。「ほかの地域にはないものこそ」と言うと、差別とか格差ということは、地域活性化のオリジナルかもしれない

▽――世界都市論　一九八〇年代後半から高度情報化、国際化の都市を取り巻くトレンドを積極的に織り込んだ都市機能論として、主として東京について論じられるようになったもの。また、アメリカの都市政治学者ピーター・ホール（Peter Hall）はその著書「世界都市」（The World Cities, 1984）の中で、世界都市を世界の中枢的業務が集中しているものとして、「これらの都市は、通常は政治権力の集中している場所である。各国政府の中でも最も強力な政府の所在地であり、また時には国際的な権力の所在地でもある」（ＮＩＲＡ研究叢書「世界都市東京の創造」一九八九年、一一ページ）と述べている。

という議論までいってしまいますから「格差」という言葉はなかなか複雑です。でも、格差に年中こだわっていくということは、当然、国土計画のテーマでしょう。

――四全総の期間中にバブルが形成されて、そして崩壊しましたね。バブルというのは東京にも地方にも大きな影響を及ぼしたわけですけれども、特にその崩壊によって国土計画はどういう影響を受けたのか。あるいは、全く関係ないと言われるのか。そのへんはいかがですか。

列島改造のバブルが崩壊して、買い占めた土地が不用地になってしばらく遊ばせていたら、次の不動産ブームの時にそれが有効に使われたというのが、その四全総の時の開発の土地状況なのですね。京阪奈の学園都市はその代表例ですし、各地の行政的な開発プランというのは、さっき言ったリゾートブームも、列島改造後の土地ブームの関係が深いわけです。

今度のバブルの不動産が一体どうなるかというのは、次のブームの時にどうなるかということと関係あるのではないでしょうか。私のように、過剰流動性が絶えず波をつくって、そのたびに土地ブームがあることをもし肯定するとしたら、その繰り返しになるわけです。その繰り返しのメカニズムがもし途絶えると、土地所有制度にかかわるかなり基本的なトラブルになっていくでしょうね。

4　全総計画を振り返って

――戦災復興から今日まで振り返っていただいたけれども、全総計画三十年の総括をしていただきたいと思います。計画当局者として、三十年の全総計画にどういう思いを持っておられるのか。

率直に言って、その都度夢を描いてきたということはあるのですけれども、現実に振り回されっぱなしだったという印象が強いです。しかも、こんな経済大国になると思ったことが、戦後今日まで私にないのです。だから、ただただ現実に驚いているという実感がありますよ。

そのことがかえって、その日暮らし的な発想になっているというのが少し困ったことだと思っているのです。落ち着いて将来を考えるという暇ができない。どこかでちょっと一息ついて、長期にものを考えるということがあっていいのではないかと思っています。

だから、首都移転なんていうのも五十年プランとして、少し落ち着いて議論してみたいと言い出してみたり、あるいは平城京の大黒殿を再建するというような話が具体化しそうですけれども、単なる文化財としての再建ではなくて、平成の御世に平城京の大黒殿を建てることの現代的意味を論じたいと思っているのです。そして一千年後に、平成の再建によって何が行われたかという記録を残したい。それから都市でも、わずか七~八年の消耗品的なハイテクビルではなくて、何百年も使用に耐えるような構造物になる方法を議論してみたい。要するに、二十世紀に残すものというのはみな消耗品で、何も残らないのではないかという焦りみたいなものも感じているのですね。

日本の現在の都市は十五、六世紀のもので、どうやら体裁を保っているようなので、十五、六世紀に対して二十世紀というのは随分恥ずかしいという気さえするのです。だから五百~六百年後に二十世紀に何を残したかと言われるようなものをやりたいというのが、プランナーの一つの夢なのです。そういうようなことを思うようになったのは、やはり三十年間走り続けたという思いからか、逆にそういうことへ、だんだん考えがいっているのではないかと思うのですけど。

ただ、行政計画の中で一全総から四全総へと、社会を反映しながら続いてきた行政計画は珍しいですから、この伝統は続けてもらいたい。何全総までいくかわかりませんけれども……。日本がこういう国土に関する論争を続けていくことは、とてもいいことだと思っています。

――三十年間走り続けたという話ですけれども、この行政計画のおもしろさは確かに言われるとおりで、わりと時代も反映しているし、その時々の政治情勢の影響を非常に強く受けていると思うのです。ただ、そろそろ、ターゲットをどこに絞るかというのは非常に難しくなってきているのだろうと思うのですね。

そうすると、この種の行政計画をこれからも国土計画として本当に総括できるのか。あるいはもうちょっと違う国家計画みたいなものになるのか。その辺のところは、あるいは、二十一世紀へ向けてそろそろ分かれ道かなという気もするのですけれども、その辺はいかがでしょうか。

全くそうでしょうね。ただ、その論争を、この段階で五全総に向けてもう一回やりたいという意味で重要なテーマなのですけれども、結果を考えた時に、私の経験から思うことは、長期に耐えるハードウェアの方が基本的に重要だということです。ソフトは、絶えず日進月歩でなければいけないと思っているのです。それゆえに、ソフトというのは長期計画に耐えられない、経済・政治を含めてですね。けれども、ハードはそれを突き抜けて寿命を持ち続けざるを得ない、というところに国土計画のおもしろさがあるという見方をしてきたわけです。だからと言って、ソフトとか政治とか経済を無視してはだめなわけですけれども、それに頼り得ない何か独自の思想なり体系を持ちたいと思うわけです。

ですから、学校というのは、「いいビルを建ててもそれがいい学校とは言えません」と、よく叱られたけれども、いい建物を建てておかない限り、いい大学もできっこないというプライドを持とうとするわけです。その時に何十年も使える校舎というのは一体何であるかといったら、現在の学校制度にとらわれたら、きっと寿命は短いでしょう。そこには、ハードとしての何か独特な思想や体系を必要とするのではないか、と思ったりしているのです。ハードとソフトの関係というのは、そういう意味ではとてもおもしろい。経済なんて本当に五年先を語るだけでも容易ではないですから。技術進歩にしたって想像もつかないでしょう。その中でハコモノだけわれわれがつくらせられるわけでしょう。ハコモノの論理というものがきちんとないとだめなのですよ。ところが、どうも社会資本と言い出してから、中身とハコモノを合わせようという努力をし過ぎたものだから、余計ハコモノの根本思想がなくなってしまった。何か消耗品みたいなものを粗製乱造していってしまうことになる。住宅でさえもそう言えるかもしれません。住宅というハードウェアの論争がなくなってしまって、生活の器と思い込み過ぎてしまったから大変なのですね。これはハードウェアを商売にしているわれわれの意見かもわからないけれども。

――下河辺さんは、「国土計画」と「国土政策」という二つの言葉を峻別して使っていますね。いままた改めて、さまざまな国土政策が国土計画のかたちになっていかないとすれば、選択される国土政策を一体どんなふうにして誰が支えていくのだろうかと感じているのですが。

東洋の国家として、国土とは何なのかという論争はつづくと思うのですよ。「国土」という言葉は西欧文明圏にはないのではないですか。テリトリーと考えると、いま言われたようになるわけです。だけど、東洋の国土というのはテリトリーではないのではないでしょうか。人と自然との関り合いということを言っている哲学論争があるわけです。国土政策というのは一人の人間が地球上に生きていく生きざまを論ずること、ということにさえなってくるわけです。単なる空間論だけではないかもしれない。そういうソフトとハードとをまぜた、しかも、テリトリーを超えた国土政策論というものが一方であって、それを空間的にハードとして落とすことをわれわれが国土計画と言っているわけです。だから、われわれの究極の仕事は、国土計画とか、国土設計とか国土建設ということで、結局は、ハードへ戻るわけです。そのハードの思想の背景には、ソフトをもちろん十分こなしていなくてはいけないし、ある思想体系を持っていなければいけないでしょう。それを論ずるところは、国土政策論というふうに私は思っているわけです。

だから、国土政策論があって国土計画が存在する。しかし、逆に国土計画が長期に現実の社会をコントロールしていくというフィードバックがあるわけです。だから、国土政策論を進めながら国土計画は、年中「第何次、第何次」と繰り返してこういうふうになるわけでしょう。だけど、ハードウェアの方は、道路一本つくったら、半永久的にそこが道路として残っていくというような仕事をわれわれとしたら続けていくわけです。

こういうのは中国なんかで国土論争をやると、日本は箱庭のように、自分でどうにでもなるという考え方で国土計画を考える人が多いのです。必要ならこうしろとか何とか、人間の思うようにという気があるでしょう。中国のような国土になると、人間がいじれる範囲が自然の動きよりも遙かに小さいわけです。だから、「大きい自然に小さい人間」なんていうことを一度言ったことがあるのですけれども。自然の変化の方が遙かに、人間がもたらす変化より大きい国土計画というのは、また全然違ったことになったのではないでしょうか。日本の国土計画というのは、そういう意味で非常に箱庭的です。自然なんていったって、大部分が人間がアーティフィシャルにつくった自然が多いわけですから。

7

時の内閣と全総計画

1　計画嫌いの吉田首相

――かつて下河辺さんは、「全総計画というのは時の権力の意思表示そのものである」ということを言われたことがあります。その意味で、国土政策・国土計画に関わり合った歴代の総理について語っていただくことは、この国土計画論にとって不可欠だと思うのですが……。

一般的には、吉田総理から田中内閣を経て宮沢総理に至るまで、時の総理のアイデアを、行政上の国土計画は全部、ある意味では大きな影響を受けてきたと言ってもよいと思うのです。

しかし、時の内閣は寿命が短いですから、国土計画という息の長いものとどう関係があるかというと、意図する時には関係があるけれども、結果になるとあまり関係がなくなってくるということを繰り返してきたわけです。われわれにすると事務的には、時の総理が何を考えるかというところの勉強は欠かせませんでした。

――まず吉田茂さんですが、一九五四年に経済審議庁の「総合開発の構想」がまとめられますね。その計画が、結果的には吉田内閣には黙殺のような扱いを受けたと見られていますが、そのへんから伺いたいと思います。

吉田さんには安本以来の物動計画というようなことへの興味は、あまりなかったのではないでしょうか。だから、食糧だろうがドルだろうが、足らなければ、アメリカを中心とした外交折衝で補うという策を優先していたと言えるかもしれません。そういう意味では、経済政策論であるよりは、

戦後歴代内閣（国土総合開発法以降）

1949. 2.16	吉田茂内閣 （第3～5次）	1950. 5.26 国土総合開発法 1950. 6.28 首都建設法 1951. 9. 8 講和条約の調印 1952.12. 4 特定地域総合開発事業第1回指定 1954. 9.― 総合開発の構想
1954.12.10	鳩山一郎内閣 （第1～3次）	1955.12.23 経済自立5カ年計画 1956. 4.26 首都圏整備法 1956. 7.17 第10次経済白書「もはや戦後ではない」
1956.12.23	石橋湛山内閣	
1957. 2.25	岸信介内閣 （第1～2次）	1957.12.17 新長期経済計画 1960. 6.23 新安保条約批准書交換
1960. 7.19	池田勇人内閣 （第1～3次）	1960.12.27 国民所得倍増計画 1962. 5.10 新産業都市建設促進法 1962.10. 5 全国総合開発計画
1964.11. 9	佐藤栄作内閣 （第1～3次）	1967. 3.13 経済社会発展計画 1969. 5.30 新全国総合開発計画 1972. 6.―「日本列島改造論」出版
1972. 7. 7	田中角栄内閣 （第1～2次）	1973. 2.13 経済社会基本計画 1974. 5.27 国土利用計画法 1974. 6.26 国土庁発足
1974.12. 9	三木武夫内閣	1976. 5.14 昭和50年代前期経済計画
1976.12.24	福田赳夫内閣	1977.11. 4 第三次全国総合開発計画
1978.12. 7	大平正芳内閣 （第1～2次）	1979. 7.17 モデル定住圏計画策定要綱
1980. 7.17	鈴木善幸内閣	
1982.11.27	中曽根康弘内閣 （第1～3次）	1983. 8.12 1980年代経済社会の展望と指針 1985. 5.― 首都改造計画公表 1987. 6. 2 都市開発の推進に関する民活法 1987. 6.30 第四次全国総合開発計画
1987.11. 6	竹下登内閣	1988. 5.27 経済運営5カ年計画 1988. 6.14 多極分散型国土形成法 1988. 7. 9 国の行政機関等の移転について
1989. 6. 2	宇野宗佑内閣	
1989. 8. 9	海部俊樹内閣	1989.12.22 土地基本法 1990. 6.28 公共投資基本計画(430兆円計画)
1991.11. 5	宮沢喜一内閣	1992. 6.30 生活大国5カ年計画 1992.12.24 国会等の移転に関する法律
1993. 8. 9	細川護熙内閣	1993.11.19 環境基本法

むしろ外交政策で経済のことを考えていく。よく言えば、経済外交を主にしていたわけで、経済計画という形はそのあとのことだと思っていたのではないでしょうか。

吉田さんは国土計画や都市計画についても、長期の計画というものをあまり信用しませんでした。一番有名なのは、戦後、都市計画屋が道路整備のため都市計画として計画決定したけれども、事業計画は予算がなくてなかなかできなかったから、計画決定だけがあって事業決定ができないというのが長く続くときに、吉田さんはそういうのは気に入らないのです。いつやるともわからない計画線を決めて、国民の権利義務を拘束しているのはいけないという発想なのです。

戦後、華々しく立派な都市計画をつくって、街路の線なんかを引いたけれども、吉田内閣の末期では、それらがずっと後退していったと思うのです。東京・新宿に紀伊國屋書店という本屋さんがありますね。あそこは、計画線に沿って建物を建てた。だから、あそこだけ引っ込んでいるのです。あれは、吉田さんの影響だという典型的な例かもしれません。

吉田さんはおもしろい人で、私が直接聞いたのでは、都市の街路は二車線以上はおかしいというのです。八車線、十車線になったら、もう道路の右と左とは違った街になると。道路を挟んで商店街が向き合って、そこで人々は街をつくるという発想なのです。それはよい考えではないでしょうかね。何か、自動車が、街をズタズタにするということを、あのお爺さんは受け入れられなかったのです。しかし、その頃の都市計画屋は、百メートル道路が理想としてシンボライズされていたでしょう。これも、論争点としてはおもしろい点です。

——何で吉田さんは、計画嫌いだったのですか。

やはり、あの混乱期に、明日のことさえわからないのに、何で計画ができるかという気があったのではないでしょうか。だから、アメリカとの折衝を通じて何とか生きていくというテーマの時代ですから。

——そうしますと、今はやれないけれども、計画は安定したときに、将来の課題として育成するという発想もなかったですか。

理屈で言うと、計画経済に対しては極めて理解は乏しかったと思います。完全に市場経済論者だと言ってもいい。ただ、政治家としては経済外交と思っていましたけれども。

逸話としては、日本の経済を復興させるために東京湾の埋め立て計画をつくるということで、その土地に、日本でお金がないから外債を発行したり、世銀からお金を借りようという意見が一時出た時に、吉田さんはえらく反対でした。「一企業の工場の土地のために、一国の総理が動くなんていうことを、君、考えられるかね。それは市場がやるものであって、政治がやるものではない」と。世銀と相談するときに、「工場の土地のために金借りに吉田が来たなんていう形にはならんよ」と言っていました。同時に、「工場をそんなに建てて、東京湾の汚染はどうなるかね」とも。

しかし、その頃の日本経済は、政府の手引きによって高度成長の基礎をつくるという考え方が、経済政策屋の中にあった時代だけれども、吉田さんは積極的ではなかったのではないでしょうか。

おもしろいのは、「これから日本という国は、戦後が終わっていくと、だんだんと学生や労働者のデモが起こってくることは必然的だ」と言うのです。そのときに、国会が攻撃の対象になることは歴史上当たり前なので、政治家としては、国会前の公園をどのくらいの規模にしておいたらよいかを、デモの動員能力とバランスするように考えろ、というのです。

当時、都市公園の設計屋にそんな人はいませんから、変な意見と思うわけですよ。それでも建設省は、吉田さんが言うことですからつくったわけです。そうしたら、公園に鉄の柵を張ったのです。そうしたら吉田さんが、「あれはわかっておらん。国会前広場が何のためかというのがわからなくて、鉄柵を張ってしまうとは何ごとか」と言っていましたよ。そして、しばらくしたら、女子学生がガードレールで圧死されたというのがあったわけです。

言い方をかえれば、動員能力が読めないようでは、政治家にはなれないと。その動員された人たちが暴れ狂っても、外国人が見学できるぐらいの広さの公園をつくれと。

そうかと思うと、丸の内、大手町で、その頃ようやくビルが建ち始めたときに、彼は、「バカだね、都市計画屋っていないのかね」というので、「何ですか」と聞いたら、「駐車場こそつくるべきであって、都心というものを知らん」と。開発銀行が建物を建てたときはケラケラ笑って、「駄目なもんだね」。吉田さんは計画否定だけれども、空間というか、国土や都市に関して政策論を持っていた人だという点はおもしろいですよ。

また、こんなこともありました。池田内閣になってからですが、大磯で吉田さんとダべっていたら、「池田っていうのは、まだ総理としては一人前ではない」と。「何ですか」と言ったら、「池田は政治的課題をしゃべる。政治家は、政治的課題をしゃべってはいけないものだ。政治的課題というのは無数にあって、それは曲学阿世の学者が論評すればよいだけであって、総理としては、自分がやれることだけを国民に言うべきであって、自分ができないことを問題だと言って何もしないという政治家は落第だ」と言うのです。

その中身はいろいろですけれども、私に関係のあるところは、地域格差の是正というようなことは政治家が言うべきでないと言うのです。地域格差がない社会なんてあり得ないと。格差があれば、いろいろな変化を伴うし、人の移動も伴うだろうと言うのです。地域格差を是正するなんていう政治論はあり得ないと言いましたよ。

あの人はすぐに、「池田によく言っとけ」と言うのです。そんなこと言われたって、私はその頃まだ課長補佐ぐらいの身分ですから、困ったわけです。

――そもそも、建設省の係長とか課長補佐ぐらいの分際の下河辺さんが、当時大磯の吉田邸で、そういう話をするまでになった経緯というのをちょっと話してください。

それは、岸内閣になってからです。吉田内閣のときはまだ私も若くて、岸内閣のときに、吉田さんが大磯で、「日本の国土でどういう事業があるかを知りたい」と言ったのです。それは、東京湾を頭に描いて、岸信介さんに聞いたのだと思います。それで、岸総理がどうしようと相談したときに、吉田さんの注文がどんなことになるかわからないという時に、役人の局長で、何でも答えられるポストというのはないわけです。道路と言われれば道路局長とか、農地と言えば農地局長。

吉田さんのことだから何聞くかわからないし、たくさん行ったらご機嫌悪いに決まっているというので、岸さんが迷われたのです。それで、秘書官をしていて後に厚生大臣になった新潟選出の渡辺良夫さんという朝日新聞から行った政治家は吉田さんが気に入っているから、渡辺さんにしようとなって、それでその頃自民党の東京湾の特別委員会委員長だった渡辺さんに相談したところが、私が随員として行くことになったのです。

　私は、後ろからついて行けばよいというので行ったわけです。そして、大磯の吉田邸に行ったら、吉田さんが「ロンドンタイムス」か何か読んでいて、読み終わるまで立って待っていた。そして読み終わった途端に、「下河辺君、座りたまえ」と言ったわけです。私は飛び上がるほど驚きました。そうしたら、渡辺さんが、「総理がそうおっしゃっているのだから、早く座れ」と言う。しょうがないから座ったわけです。その途端に、「渡辺君、ご苦労でした」と言ったのです。そうしたら、渡辺さんは出て行かないわけにはいかない。それからですよ。そのときは本当に緊張していましたけれども……。それで、三十分というのが二時間ぐらいかかったのです。そうしたら、皆が心配して「あいつは二時間何をやっているのだ」と、周りで大騒ぎして。それで、フラフラになって出て来たというのが最初なのです。一九五七年頃でしたか。

　それからは、建設大臣室に電話がかかってくるのです。「すぐ下河辺に来いと言え」。そのたびに大臣がびっくりするわけです。人騒がせな話でしたよ。それから何回行きましたかね、いろいろな議論をして。私にすると、おもしろさはとてもありましたから。

　――その二時間はどういう質問があったのですか。

　東京湾のことは随分聞かれましたが、汚染のことをやたらに心配していたのは意外でした。ただ、「工場の土地で、総理が金借りられるか」と言ったのは印象深いですね。本当にそうではないかと、いまでも思いますけれど。

　――吉田茂の愛弟子の池田勇人になると、トランジスターのセールスマンと言われましたからね。

そこが違うのです。吉田から池田への道というのは、戦後の自民党としてはおもしろい歴史で、しかも、吉田内閣の後、鳩山内閣が来るわけでしょう。鳩山内閣はどちらかというと、われわれの仕事から言うと、住宅政策の内閣です。善かれ悪しかれ住宅論。住宅が社会資本だという概念をつくったのは、戦後の歴史としたら大きなテーマです。

公営住宅という思想が出てきて、あの頃、四十二万戸計画なんてやって、いまの東京証券取引所をやっている長岡実さんが、まだ若い大蔵省の事務官で、建設省から出てきた四十二万戸計画を査定しなくてはいけないと。お金はないし、四十二万戸は鳩山さんが公約しているしというので、増改築で戸数合わせするというようなことをやった時期です。

――そのへんは歴史的に見ると、多分、吉田さんの計画嫌いというのは、戦前の統制からずっと続いてのイメージであったと思うのです。あの頃、吉田さんはもう政府のラインから全然外れていますから、それは嫌だという感覚がすごくあったと思うのです。しかも、吉田内閣の末期は、一方で彼のライバルの重光葵(まもる)氏が改進党に入り、改進党は、重光自身がそうですけど、外交路線では基本的に戦前でも吉田と一緒ですが、内政に関しては、吉田さんが反統制・反計画論に対して、重光さんは、計画をよしとしたのですよね。

だから、あの時期に改進党は、やはり計画経済論だし。鳩山さんは本来は計画経済論ではないのだけれど、吉田のアンチテーゼということで民主党をつくったときには、完全に計画経済論に乗って、いま言われたように住宅ということになりますから。

だから、鳩山一郎さんがなったときに、やはり住宅、それから住宅公団をつくった後に道路公団をつくって、それから愛知用水公団をつくるのもあの頃です。一斉に公団をつくって、いわば、吉田時代にはできていなかったような、かなり大規模な社会資本プロジェクトを進めていくという感じになると思いますけど、そのへんは見ておられてどういう感じですか。

まさにそういう感じでした。ただ、吉田内閣から岸、池田とつないでいくときに、一貫した吉田さんの思想というのは、国防負担ミニマムという思想ですね。これはもう徹底して議論して、アメリカに対して、いかに日本は国防費の負担ができないかということを説明することに役人を動員していた時です。

それは今日、防衛費一%という枠組みに表われていった、初期の政治的な発想でしょう。これが、結果的に日本の経済大国への道を築いたとも言えるのでしょう。あのときにアメリカの要求と妥協していて防衛費の負担が大きかったら、経済大国たり得なかったかもしれない。そういう意味では、軍需統制時代からの計画が嫌いで、かつ、軍需負担をミニマムにというようなことを築いた歴史としては、吉田政策というのは一つの特色を持っていると思うのです。

2　特定のプロジェクト中心の鳩山・岸内閣

――鳩山、岸さんの名前が出てきていますけれども、彼らの時代というのは、経済自立五カ年計画とか、長期経済計画とか、新しい経済計画が次々に立てられた時代ですね。さまざまな産業政策が導入された。しかし、国土総合開発計画に基づく全国計画、このものは完全に遅れてしまって、特定地域計画ですか、そっちの方へばかり傾斜していった時代だと思うのですけれども。

鳩山内閣のときは、河川総合開発が国土計画の上では中心的テーマです。この開発の中身は、米と水力発電と災害というテーマがあって、それを河川管理ということで総合化しようというものだったわけです。だからそれは、全国計画ということよりは、特定の河川についてプロジェクトを実施していくということの方が本命だった。しかもこれは、特別法にしたいという政治の動きがあったわけです。それを、国土総合開発法の中のプロジェクトにするということで特定地域論ということになった経緯があって、その間、全国計画策定ということにはならなかったのです。

しかも、その特定地域の後に出てきたのは経済成長のボトルネック論で、それは道路と鉄道でした。一九五四年から五五年頃になると、一級国道の整備と、国鉄の電化・複線化がテーマになりましたから、これも全国計画という感じよりは、特定のプロジェクト中心になるのです。

前に話したように、所得倍増計画ができたときに、ようやく全国計画ができるわけで、その所得倍増という計画が成り立つための基礎が河川総合開発であり、ボトルネック解消事業であったと、言い直してもよい。

――そうすると、岸さんの場合ですね、戦前満州にいて、統制経済の親玉であったわけで、その岸さんが総理のときに、結局一番残っているのは、安保改定とか、警職法の改正であって、商工官僚としてのかつての本領が、総理としての政策の中には全く出てこない。少なくとも、やれる政治的な課題として出てこなかったというのは、彼自身にもそういうことでリーダーシップを取る気がなかったということでしょうか。

いや、岸内閣のときは、表芸と裏芸ということが保守党の特性としてあったような気がするのです。岸さんとか一流の人物が政治の表芸をやっていて、裏側に、あの当時新聞で見ると、院外団なんて書かれた実力者がいっぱいいた。その中間で、河野一郎とか川島正次郎、大野伴睦、根本龍太郎など腕力ある政治家を閣僚にして、プロジェクトにかなり力のある内閣をつくっているのです。だから、計画よりは事業を推進する力を岸内閣は持っていたといっていい。大野伴睦もこの頃、強くなったわけだし。田中角栄はまだ下っ端の党人だった。それから郵政大臣になるわけですけど。

――特定のプロジェクトと同時に特定のブロックの開発法、例えば、東北開発促進法を全国計画に先駆けてつくったのは、どういう意味があったのでしょうか。

東北開発促進法ができた根拠は、戦前からの東北に対する殖産興業政策とか、農業の冷害対策という伝統の上に立っているわけですけれども、直接の動機は、財政赤字で、財政再建中に特別の事業を認める特別法が必要になったわけです。そのために、東北開発促進法で決まった計画の事業は、「例外的に財政再建中でも認めます」という法律なんです。

だから、東北開発促進法というのは、貧困東北地方の財政再建中の特例法というふうに見ていて、計画法ではないのです。ところが、それがだんだん全国各地にでき、その後、首都圏から中部圏、近畿圏と、大都市においてまでできるようになったので、財政問題としての特例法という感じはなくて、ブロック計画法になったということだと思います。

――その頃、政治権力で特に東北に重点的に目を向けていたということはないのですか。例えば、この頃から青森県における国家プロジェクトが次々に展開されていくわけです。製鉄だとか、ビートであるとか、畜産であるとか。

所得倍増以来、民間の企業レベルで経済が発展するのに対してナショナルプロジェクトが必要なのは、貧困地域というイメージであったわけです。その時に日本の貧困地域は東北であるという見方をしていたことは確かです。北海道は、貧困でもあるけれども、明治以来からの特別な開発地域だというイメージはあったわけですけれども、貧困地域として扱ったのは東北で、さらに、南九州をどうするかというのは絶えず議論でしたから、東北をやった後、九州全体の法律というのが二つ目のテーマになっていくわけです。ですから、最初は財政と貧困というテーマだったと思うのです。

――この頃ですが、ちょうど吉田さんの末期からまさに鳩山、岸内閣期にかけて、松永安左衛門が中心になって産業計画会議があって、そこでさまざまな答申を出すわけです。その中

▽――松永安左衛門と産業計画会議　松永氏は一八七五年（明治八年）長崎県生まれ、一九七一年没。産業計画会議の初代委員長等にあって、わが国における電力強化の必要性の自説を貫いたその生涯から「電力の鬼」ともいわれた。また戦後は、電気事業再編成審議会会長として全国九ブロック発送配電経営の体制を実現させている。

産業計画会議は一九五六年三月に、各界の学識者百余名からなる民間の研究提案組織として結成された。当時の政府発表の経済計画への不満等を背景に、松永氏を看板に、思い切った提案を行う趣旨でこの会議はつくられ、数年の間に日本経済の再建、北海道開発、東京―神戸間の高速道路、東京湾の埋め立てや横断堤等の広範多岐にわたる提言を行っている。委員には有沢広巳、池田亀三郎、東畑精一、平田敬一郎の各氏等がいた。

の一つが、先ほどから出ている東京湾。この産業計画会議の動きと、鳩山、岸の一連のプロジェクトシフトみたいなのとは、どこかでつながっているということですか。

そもそも松永安左衛門は、吉田さんや岸さんとは非常に親しい人だと思います。吉田内閣の頃から、いろいろなサジェッションを総理にしていた一人だと思うのです。

その時に、一つの事業としては、われわれが河川総合開発で水力ダムで発電をやろうとしていたのを、火力主義に直すという考え方は、松永さんの意見が非常に反映していると思うのです。〝火主水従〟という哲学は松永さんのものではないでしょうか。しかも、産業的にはスケールメリットを考えようということで、大規模開発論も、松永さんの提案だと思うのです。だから、新全総で出てきた大規模開発論の基礎を手繰るとすれば、松永安左衛門まで戻っていくかもしれません。産業計画会議の大規模プロジェクト論というのは、とても大きな影響を与えていると思います。

そういう意味では、吉田さんでも岸さんでも、プロジェクトについては関心を持っていたと言っていいでしょう。だけどコンプレヘンシブな計画というものを、岸さんもあまり信用していなかったと思いますけど。

一九六七年に吉田さんが死んでから後というのは、そのプロジェクトというよりは、マクロ経済政策が計画の主流になっていく時期なのです。

――そうすると、松永安左衛門に代表される財界人の発想はまさに会社のためではなくて、国家のためにやったことになりますが、そういう形で国土計画ないしプロジェクトに非常に関心を示してアプローチをしてきたという人は、この時期ほかにおられましたか。

財界にも松永さんのほか、経団連の石川一郎会長とか植村甲午郎さん、稲山嘉寛さん、土光敏夫さんあたりまでずっとつながっています。学者でも、東畑精一とか中山伊知郎、有沢広巳、我妻栄さんだとか、あの時代はまだ明治生まれの巨匠が存在していました。だから私なんかは若手で、そういう人と会うことを心がけたのですけれども、その人が政治家か、実業家か、学者かという区別であまり付き合いませんでした。大物というか、世の中を指導する力を持った人という感じで、お目にかかって意見をいただくという。だけど、いまはもうそんな時代ではなくなったのではないでしょうか。

3　全総計画の基盤をつくった所得倍増計画と池田内閣

――六〇年安保で昭和三十五年、岸内閣が倒れますね。その後池田さんになって、所得倍増計画時代に入るわけですが、もちろん、経済成長をとげることを目標にしたのは間違いありませんが、そういう安保で騒然とした社会を、何らか先の夢を持たせようというのもあったのですね。

そうですね。所得倍増の裏話としては、実は社会党が日本をどう考えるかという勉強会を開いた時期なんです。安保騒動で政治的混乱のままではいけないから、日本をどうするかという議論をして、その結論が賃金倍増論なんです。そして労働組合を基本にして、賃金を十年間で二倍にするという旗を上げて、そのために政治や政府が何をすべきか論争しようということを、研究会でやりだした時期があるのです。これは、もう話してもいいと思うけれども、官僚が随分手伝っているわけです。そこらへんに何か野党としては収拾する方向を求めようとしたわけです。自民党としてはそれに対抗するために、賃金二倍は無理でGNP二倍だと控えめに唱えたのが所得倍増計画なんです。

だけど、根っ子は、自民党と社会党とが経済成長によって、それまでの政治的な混乱に対してある明るさを求めようとした点では一致しているかもしれません。ただ中身的に言うと、自民党の方は二倍で成長主義だけれども、賃金二倍論の方は、ミニマム懸念というか、シビルミニマムをベースにしたところは違うけれども、それを両方ドッキングさせた形で所得倍増ができたから、野党も必ずしも反対ではなかったといえると思うのです。

——社会党が始めたのはいつ頃ですか。

一九五八年から五九年にかけてでしょうか。所得倍増が六〇年でしょう。その時にはあったわけですから。

——当然社会党だと、左派が強いですよね。そうすると、それを推進した人たちというのは。

やはり成田知巳さんの一派なのです。

——池田さんは、社会党の賃金倍増論を巧みにつかまえたと思うのですが、政治的な手腕というのは極めて高いですね。

ただ、経済学者としては下村治さんがつくり上げているわけですから、下村さんと話をすれば、社会党案に何も関係ないと言うでしょうね。けれども、結果はGNPの二倍ではなくて三倍になって確かに賃金は二倍に達したと思いますから、どっちにとってもある目的を達成したとも言えるけれども、土地や環境なんかに、三倍になったことが悪影響だというコメントはあまりないままに評価されていったのでしょうね。

――「社会資本」という言葉はこの時期につくられたと思うのですが、発明したのはどなたでしたか。

それはわかりませんけれど、経済企画庁の経済計画を立てる中で、公共事業班というのが、一九五五年頃、私一人だったのです、公共事業班というのは。それで突然言われたのは、「建設畑から来ている人がいなくて、社会資本を経済計画でやらなければいけなくなったので、おまえ担当しろ」と言われて、「ああ、そうですか」と言ったら一人だった。それから農林省とか運輸省から来てもらって、班をつくりました。

社会資本という概念は、その公共事業の案の中で、中山伊知郎先生をはじめ経済学の方々から出てきたと思うのです。私自身は、公共事業に資本性があると思っていないわけです。ところが、所得倍増のためには公共事業も資本化して、生産ということとのつながりを考えることに、だんだんなっていったということはあると思いますね。

社会資本論というのは経済政策から出てきた言葉です。われわれが持っていた伝統的な公共事業は、五年や十年の経済のためにという発想がないですから。論理としては別の論理を持っていたわけですけれども、その頃から経済との関係を考えるようになって、何か係数的には費用便益というか、費用と便益の比を取って、比が高くないと投資しないというような議論が出始めた時ですよ。

また一方で、その頃社会資本のＡＢＣ論というものが出て、Ａというのは国家、Ｂは地方公共団体、Cは市民レベルということで、道路・架線は縦割りではなくて、ABCにわけて論争しようなんていうのも、社会資本論から出てきた発想かもしれません。

――いずれにしても、所得倍増計画を推進するための一つの要素だったのですね。社会資本整備というのは。

そうですね。理論的なバックアップはそのへんにできたわけです。おもしろいのは、その頃経済計画の方が、社会資本は十年間で幾らぐらいだとマクロ的に投資規模をはじいてくれるのです。それを私が受け取って、各省の公共事業を査定しなければいけないという話になるわけです。だから、各省庁から十年計画を提出してくださいと言ったら、みな提出してきましたよ。それを機械的に足したら、私が財政担当から与えられている金額のちょうど二倍だったわけです。そのためにいろいろ考えた結果、全省庁二分の一にして内示したわけです。そうしたら、不真面目だと怒られてしまった。そして「うちは真面目に出しているのに、不真面目に出している省庁とも合わせて二分の一はけしからん」と言うのです。だから会議を開いて、「不真面目な人だけちょっと説明してくれ」と言ったら、全員が真面目に積算したものだと言う。それでは、二分の一でいいじゃないかと、社会資本の配分の第一回目は、提出の二分の一というのが結果だったわけです。

ところが不思議なことに、それがシェアとして定着したのです。大蔵省主計局としては、そのシェアを変えることはそう簡単ではなかったという。不思議なものですね。

それから、増えた分をどこに乗せるかということはやったけれども、増える分がなくなった段階では、シェアを動かさないということだけしかなかった。

4　佐藤首相の姿勢

――この時期、所得倍増計画との関連で一全総が策定されますね。その所得倍増計画をバックに、全国総合開発計画を確定するということについての池田さんのいわば考え方、あるいは池田さんに何かそれに関するエピソードがあるのかないのか。

それから、それを支えた経済企画庁は、まあ宮沢喜一さんはどうでしょうか。それ以外にも、宏池会グループの中で前尾繁三郎さんとか大平正芳さんとか、あるいは黒金泰美さんとかおられて、その宏池会グループの中では、そういう全総をどういうふうに見ていたのですか。

▽――社会資本ABC論　地域経済問題調査会が一九六四年九月に報告した「地域経済問題とその対策」における社会資本論であって、それまでの拠点開発構想を補強・精緻化したもの。そこでの社会資本A、B、Cはつぎの通り。

社会資本A…全国的効果をもつ社会資本であって、たとえば鉄道幹線、幹線自動車道、国際貿易港、電信電話幹線等の基幹的交通通信施設および教育投資。

社会資本B…地方の広域的効果をもつ社会資本であって、たとえば国道、大規模な産業基盤投資、大規模な水系総合開発等。

社会資本C…狭域的な効果をもつ社会資本であって、たとえば生活環境整備、中小規模の工業団地造成、農業関係投資。

全総ができた時は池田内閣です。池田内閣の時には、計画調整よりも、まだプロジェクトが重視されていたと思います。だから、特定の事業について進める進めないという陳情絡みでいろいろな議論をしたというのはあります。それは新産業都市も同じでした。ちょうど高速道路をどうするという議論も出始めた時期で、プロジェクト的な議論に終始していたのではないですか。

計画論争が出てきたのは佐藤内閣のときであり、しかも、やはり明治以来の社会資本が老朽化したという明治百年論が大きかったかもしれません。それでもおもしろいのは、佐藤内閣の時の新全総の閣議決定というのは、普通の閣議決定とは全く違って、事前に全閣僚を集めて計画の説明をしたのです。そういうものは閣議決定の計画では例外的で、いまでもそういうことはないかもしれません。しかも、二回もやった。まず通産大臣の大平さんが、これこそこれからの日本を決めるものだとして絶賛したために、そんな重大な計画とは説明を受けていないと言って大蔵大臣の福田さんが怒ってしまった。それで、また福田さんのためにもう一回やって決めたのです。その頃、文字では駄目だというので、グラフィックにして計画を全閣僚に説明したのもちょっと珍しい。これをやったのは防衛計画があるのですね。防衛計画は、やはりそういう写真なり何なりで見せないとわからなかったのでしょう。全総計画と防衛計画だけです、閣僚にビジュアルに説明したというのは。

――ビジュアルに説明しろと言ったのは、佐藤栄作さん自身ですか。

佐藤さんです。「閣僚によく説明したらどうか」と。でも、佐藤さん個人は未だによくわからないのですけれども、新幹線促進に対してあまり熱心ではなかった。

――何か新幹線よりも航空機だったたですね。

なぜ航空機にこだわったかがよくわからないのです。それでも、「新幹線もいいけれども、君、国際空港をきちんとやっておくべきではないか」と、私にはよく言いました。

——佐藤内閣の末期は、いろいろ環境破壊問題なんか出ましたけれど、佐藤さんは社会開発の元祖ですね。社会開発論というのはどなたの発想だったのですか。

どうでしょうか。私が一番親しいから言うのですけれども、総理秘書官の楠田実さんという人物の影響力が大きかったと思いますね。楠田さんとしては、経済成長だけの政治ということには疑問を感じていた人ですから。社会開発のオリジナルがどこから出たかわかりませんけれども、総理とつないだのは、おそらく、楠田さんじゃないですか。

楠田さんがやった仕事はいくつかあって、社会開発についても沖縄復帰についても役割が大きいのです。また、総理論文というか、総理声明の文体を改善するということにも熱心でしたね。もともと新聞記者でしたから、佐藤さんのフォローアップをそういう形でやるという意識があったので

▽——社会開発　一九六四年十一月に第一次佐藤内閣が発足しているが、佐藤首相はそれまでの経済優先の政策を転換することとして、その施政方針に社会開発の政策化を掲げた。そして翌年一月には、その政策のあり方を検討するために社会開発懇談会が設置され、同年十二月には報告が出されている。この報告の内容は政治目標をそれまでの「量」から「質」への転換を求めるものであった。そこでいう「量」とは所得や経済成長率の指標であり、また「質」とは生活基盤としての住宅の確保等を指していた。この政治目標の転換が社会開発にこめられたものであって、六七年の経済社会発展計画や七〇年の新経済社会発展計画といった経済計画にもそれが強調されており、全総見直しのきっかけにもなった。

はないでしょうか。

——佐藤さんが経済成長一本やりでないというのは、池田内閣の時と随分政治志向が違ってくるわけですね。やはり意識的に池田と対比させるために、佐藤さんはそういうことをやったのですか。それとも、いま言われたような楠田さんの影響力が非常に大だったわけでしょうか。

佐藤さんというのは、本能的に総理を長期につとめていますから、分析するのは難しい。沖縄復帰についても、佐藤総理論というのはいろいろな意見になり得るのではないか。自民党のその後のトラブルは、佐藤内閣の時に火種があると考える人が多いでしょう。

——ただ、佐藤さんの政治的経歴は、スタートは運輸官僚というか鉄道官僚ですけれども、政治家になってからは官房長官とか大蔵大臣とかであって、先ほどから出ているプロジェクトを直接担当する大臣をやって何かをしたということはないですよね。

運輸省だけです。

——だから、そういう意味で、まさに本能的に総理の人だというのは何となくわかるような気がしまして。しかし、岸内閣の大蔵大臣としてプロジェクトをやっているのはずっと見ているはずなのですよね。そうすると、それを見ながら何を考えていたのだろうかというところがおもしろいですけど。

沖縄復帰の時に、山中貞則さんが担当大臣で、私は琉球政府に派遣されて復帰の準備を手伝ったことがあるのです。その時に本土並みという合言葉の中で、沖縄の開発論というものを琉球政府の職員と一緒にやった時期があって、そういう時に佐藤さんは何といいますか、復帰の喜びを象徴するようなものへのプロジェクトについては、かなり大きな関心を示したことは確かです。

琉球政府が復帰の時に、県民がつくった計画を山中貞則さんの所へ差し出したのですが、その計画には大蔵省からすると、そんな大規模な財政負担はできないから否定的なのです。

私は派遣されていて指導した点もあって、立ち会ったのです。山中さんの所で県の部長たちが計画を一生懸命説明したわけです。そうしたら、事務局から用意されたメモが大臣に渡されていまして、「非常にいい計画だけれども財政の事情もあるし、できないことはできないから、いろいろ考えた上でやるから」というような答弁をしたのです。私が脇から、「山中さんが大臣なのに、そういう答えはおかしい。島津藩から明治政府まで散々痛めつけられて、戦争の被害で大きな犠牲を払い、最後は米国の占領下にあって、やっと復帰して来た時に初めて住民が主体となってつくった計画に対する答えではない」と言ったわけです。そうしたら、山中さんは政治家だし、頭のいい人ですから、突然発言をかえたのです。「県民がつくった計画を私は全力を挙げて実施したい」と、答え直したわけです。それで、説明した部長以下は飛び上がるほど驚いたわけです。特に屋良朝苗政権でしょう。革新政権ですから。その頃私は沖縄で有名になったのです。そうしたら山中さんが、「君は国土計画の冷酷なプランナーだと思っていたけれども、大政治家だね」なんて言われて。

それが沖縄の県の第一次計画なのです。ところが、だんだんやはり行政計画になっていってしまう。ブロック計画というのが皆そうなって、国土の一部の地域を担当するというイメージになって、地域というものの分権化された主体性を意識することができなくなってきているのです。この点はいま見直すべき時期なのではないでしょうか。

——自民党政調会長になってやった田中さんの例の「都市政策大綱」ができた時には、佐藤さんの評価というのはどんな感じだったのでしょうか。

あまり関心はなかったのではないですか。あれは、むしろ田中角栄さんが計画を行政に任せないというほどのプライドで始めたもので、佐藤さんはどちらかと言うと官僚型の政治ですから、少し違うのではないでしょうか。

だから、岸さん、池田さん、佐藤さんという、ある一つの典型的な保守系列（東大系列）から見ると、党と行政のつながりから見れば、行政依存型の政治家たちですよ。だけど、田中角栄とか河野一郎とかになると何か少し違うのです。そのあたりは綱引きだったのではないでしょうか。

5　急造の列島改造論と田中首相

——田中角栄さんの名前が出てきたので、田中さんは列島改造を提唱はしたけれども、あまり推進したくはなかったのだと前に言われていましたね。はじめに田中さんが列島改造論をまとめるに至る経緯からお話いただけますか。

「都市政策大綱」を手伝ったグループというのが根っ子にあるわけです。このグループは、「都市政策大綱」をまとめるのは早坂茂三さんと麓邦明さんの二人で、あとの人たちは学識経験者として呼ばれたという認識だったと思うのです。メンバーは学者もいたけれども、各省の役人が来て、年中研究会を開いてはニ人がまとめていったというので、国土計画もそうしたかったと思うのです。特に国土計画と同時に、都市政策ということに非常に大きな関心を持つわけです。だから、田中角栄にしてみると、「都市政策」という言葉は、国土計画でもあり、内政すべてを象徴した言葉なのです。だから、そこで提案される事業を建設省所管と思っていないのです。それをすべて所管する役所などはないと思っている。

ですから、自民党で都市政策を総合的にして、官僚たちに分業化させるという発想です。そのための政策憲法ともいうべき政策なり計画を持ちたいと考えていたのです。その作業がそのまま列島改造論へ連続して流れていったと思います。通産大臣になった時でも、それは続いていたと言ってもいいと思うのです。

ただ、田中さんが総理になると決意してから、その作業グループが少し分かれていって、早坂さんと通産省系の人たちにグループが偏っていったということはあるでしょうね。したがって、先に策定されていた新全総も、その流れの中に影響しているということは確かでしょう。

――当時通産大臣だった田中さんは、政権獲得といいますか、田中内閣を想定して、列島改造論をつくったと思うのですが。

「都市政策大綱」以来のグループは、一年間の間にまとめればいいと明快に言われて作業をしていたのです。だから、結論的なものを持っている段階ではないのです。ところが、通産大臣の末期に突然角福戦争の結果、福田さんより先に総理になることになりましたから、予定が狂うことになったのです。その時に、拙速でまとめることに反対の人と、やむを得ないという人とに、簡単に言えば分かれたわけです。

ですから、田中さん本人にしてみると、その討論の中身から言えば、いまはまとまらないと思っていたのではないでしょうか。けれども実に鮮やかにまとめてそれがベストセラーになりましたから、自分に関係ないとは言えないでしょう。

本当はあそこで、二年ぐらいやるとよかったかもしれないと思いますけど。

田中内閣がおもわくより早く成立したことが、すべての田中角栄の運命を決めることになるというのは、歴史の政治的皮肉としか言いようがないでしょう。

――グループが分かれたのはやはり、それでは協力できないという感じになるわけですか。

つまり、これだけの期間を与えられているのに、そんなに短期間では詰められませんよということになったのでしょうか。

たしかに当時はとてもやれないという感じでした。それだけに、つまる点が通産大臣ですから、産業政策の方だけが突出してまとまることになるわけです。だから、教育や福祉、都市政策あたりがどうしても弱いわけです。ですから、出来あがったものが少し未熟なものになっているわけです。だから、列島改造懇談会を開いた時に、田中さんは一番先にそれを弁解しました。あれは急いだので完璧ではなくて、自分としてはもっと教育や福祉その他いろいろ入れたかった、農業も無視しているわけではないと。

――そう言えば、列島改造懇談会なんてできましたね。

二階堂官房長官が列島改造対策を考えるようになって、各界の名士を集めて懇談会を開くということを言い出したのです。そうしたら、ベストセラーの懇談会ですから、各界・各層から委員が百二十人ぐらいに膨れあがった。

それで、田中さんが烈火の如く怒りまして、「官房長官は何を考えているのだ。百二十人も集めてお祭り騒ぎをどうまとめるのだ」と言って怒り出した。でも官房長官にしてみると、やむを得ないのでしょうね。各省と相談して人選したのだし、テーマはそれだけ広いのだし。それで田中さんが私に、「官房長官がここまでやったのだからやむを得ないけれども、三回で打ち止めろ。三回で打ち止めるようにちゃんと仕組め」と言うでしょう。

亘理彰さんといって、大蔵省から防衛庁に行っていた人ですけれども、当時内閣審議室長の亘理さんと私で、列島改造懇を三回でどうやって終わらせるかという打ち合わせをして、何だかんだあって三回で終わったわけです。田中さんは、「いや、ご苦労様でした」と言っておしまいになったのですけれども。田中さんにすると、この列島改造懇でディスカッションをするタイミングではないというものでした。明快でしたね。

——なぜそのタイミングではないという判断をしたのですか。

▽——列島改造懇談会　第一次田中内閣において、一九七二年八月から「日本列島改造論」の具体化のために各界から九十名もの参加により実施された日本列島改造問題懇談会。この懇談会は経済企画庁ではなく内閣審議室を中心に運営され、二回の会合後に、それまでの議論や意見をふまえての土地と公害問題に関して、委員へのアンケート調査が行われている。当時の新聞はアンケートの理由として委員数の多さ、十一月解散説等を挙げていた（「朝日新聞」東京版、一九七二年十月十一日）。なお、この懇談会の事務局には下河辺も加わっていた。

それは、土地問題と環境問題を片づけてからプロジェクトを始めなければ、世論の納得が得られないということをわれわれには言っていましたけれども、政治的には日中問題、エネルギー問題が先だというわけですね。

日中問題は命がけだから、国土論争どころではないという政治日程だったのではないですか。総理になるのは二年後と思っていたわけですから。それが突然その立場になっただけに、日中問題を片付けなければならないでしょう。大平外務大臣と一緒になって命がけの仕事だったのでしょう。これは岸内閣の安保の時と同じぐらいの政治的重さを持っていると、ご本人は思っていたわけです。

――田中さんが列島改造論を言い出すきっかけには、いろいろな要素があると思うけれども、いずれにしても土建屋的発想もさることながら、先見性もかなりありますよね。そういうものは、おそらく田中さんが新潟の出身で、清水トンネルを越えると向こうは雪雲なのにこっちは晴れているというような身に詰まった体質というのでしょうか、雪国的体質ですね。

それに絡んで逸話として思い出しましたのは、田中内閣の時に、稲作の作付け制限も必要になったのですね。その時に、農林省と総理との意見が食い違うのです。農林省としては、どう考えても民主的には一律減反以外に政治が成り立たないと言うわけです。あの頃は行政改革だろうが何だろうが、一局削減とか何か平等基準をつくらないと日本の行政はできないというので、減反も一律減反主義なのです。ところが、田中角栄は、水系主義なんです。水系ごとに高生産性地帯を残して、都市化が激しいとか生産性の悪い所を減反しようという発想。そうしなければ、生産コストとの関係でも理屈に合わないと頑張ったのです。農林省はそれはとてもできないと全面的に反対でしたね。

それで田中角栄は私に、「そういうのを計画せんか」と言いまして、私も「興味ある」とは言ったのだけれども、まずいのは、信濃川が減反の対象からはずれてしまうわけです。そうすると、信濃川を残したいための基準だ、政治的だと言われるとちょっと困るのですね。八郎潟の米作にもとても強い関心をもって減反には反対していましたが、田中さんはとうとう一律減反に賛成するようになってしまった。だけど、米の自由化問題につながるとしたら、あの時に生産性主義をとっていたらどうなったかと複雑です。これは計画の合理性と、政治の民主的な処理の仕方とのギャップで、それが利益誘導と結びついてうまくいかなくなるなんていうのも、国土計画の上では出てきてしまうのです。

――ちょっと話が戻るのですけれども、田中角栄という政治家と下河辺さんが一番最初にお会いになったのはいつ頃ですか。

彼が郵政大臣になる前ぐらいでしょうか。だから、私はまだ係長だったかな。神楽坂の料理屋に、たしか公営住宅のことで資料を運びに行ったのが最初と思う。私はその頃、住宅は社会資本だと思っていて、田中角栄が公営住宅をつくることにはえらい興味を持っていましたから。やっと低所得者住宅政策が軌道に乗るかどうかと。そんな関係だったのではないかと思うのです。

――下河辺さんが前に言われていた、歴代の総理の中では吉田に次いで田中さんがおもしろいというのはわかるような気がしますね。

そうですね。岸さんとか、池田さんとか、佐藤さんというと、官僚にわかりやすい話なのです。それだけに、おもしろさを感じないのです。非常にきっちりした政策論だし、六法全書に対して忠実ですし。それに対して田中さんとか吉田さんは、やりたいなら法律をかえればいいという人たちだから、随分ニュアンスは違うかもしれません。

――さっきの「都市政策大綱」ですが、ポイントの一つは、いわゆる公共の福祉のために私権は制限される、ということがかなりのウエイトを持っていたわけですが、その点に関しては、田中角栄はどういうふうに思っていたのですか。

彼自身はその議論に直接関係はしていなかったと思うのです。われわれの勉強会で、早坂さんとか麓さんが、「まさにここが政治のポイントだ」といって書いたわけで、田中角栄さんのアイデアというわけではありません。ただ、積極的に認めていました。その背景には、その当時の自民党というのは、保守派ほど私権の制限を認めていたのです。

それはなぜかというと、その政治家は農地解放の元大地主たちの階層なのです。だから、土地は単なる商品ではないとか、公益性と言ったところは農地解放と政治的には非常に関係があると思うので、そのへんはおもしろい点です。だから、瀬戸山建設大臣は最も激しい意見なのですね。どちらかと言うと、左よりも右寄りの方が土地に対して公益性を言うわけです。公明党とか共産党の方が、市民の小規模零細土地をバックアップする発想なわけで、共産党からも国有論というのは出なかったものです。土地の公益性という議論は、そういう時代背景も手伝っているのではないでしょうか。

だから、私が国土利用計画法を説明する時でも、自民党で説明すると、どちらかと言うと、保守系なり右寄りと言われている人が賛成してくれました。例えば、東京都で選挙をするなんていう人になると複雑になってしまう。市民が零細土地を所有しはじめた時期ですから。

おもしろいのは、田中内閣の時の福田赳夫さんの役割ですね。国土利用計画をめぐって議論しまして、政府が土地の取り引きに介入することの是非論が当然あって、総理はとうとうそれはやることに決意なさったので、私としては、「政府が価格にまで私有財産の処分に介入するという法律をつくらせてもらいます」と言ったわけです。そうしたら福田さんが、「やはりそこまできたか。やらなくてはまずいね」と言ったまではいいのですが、「東京都二十三区の地価を凍結しておくことが決定的ではないのか」と言うのです。要するに凍結令を出せと。それで、一週間ぐらい研究した上で、「できません」と答えたわけです。

結論的には、「じゃあ、やむを得ない」となったのですけれども、福田さんとしては、「全国的に取り引きに介入することもいいけれども、これからのポイントは東京都二十三区ではないか」と言うのですね。これは田中角栄も列島改造の時は、どうも里山地帯へいってしまったけれども、次はやはり都心だと言っていましたからね。だから、あの頃、専門家たちはそういうことを感じていたのではないですかね。

▽——国土利用計画法　一九七三年三月に国会に提出された国土総合開発法案は、それまでの地域開発関係法律等の体系的な位置づけや地域開発計画の主体、内容、計画相互間の調整、実効性確保措置等の論議をふまえた総合的基本的計画法制の確立を目指すものであったが、田中首相の日本列島改造論を推進するものだと野党の抵抗にあい、国会の審議過程において修正されて、七四年六月に成立・公布された。結果的に、国土の利用に関する計画、現在の土地取引の許可・届け出等の仕組みを規定するものになっている。

地価凍結して供給がストップするということで、それでいいのではないかというところが福田さん流なのですけれども。その時に住宅だけは困ってはいけないので、房総半島に住宅地の大きいのをつくろうと言う。何万戸だったか忘れましたけれども戸数まで言っていました。二十三区の地価凍結と、千葉県に大規模な住宅供給と並べてやろうと言うのです。やっていたらどうなっていましたかね。

それにしても田中総理が憲法で定められている私有財産制のもとで、土地の処分の自由に対して利用目的と取引価格にまで政府が介入する道を開くことは、相当な決断であったと考えてよいでしょう。

6 理想を求めた大平首相

——大平正芳さんは、やはり池田内閣の時の宏池会の主要メンバーで、池田内閣の経済政策を見ていて、三全総策定の時の、彼自身の考えが池田内閣宏池会の頃に形づくられたのではないかということはあるのでしょうか。

田中内閣で福田さんが大蔵大臣で、その後三木内閣、福田内閣になって、戦後に出てきた大規模プロジェクトの着工の是非の交通整理ができた段階なのです。本四架橋をどうしようとか、新幹線をどうしようとか、プロジェクトの行政的な整理が必要になっていて、福田内閣で一番最後に議論になったのが成田空港であって、やはり国としてはどうしても急がなければいけないという結論を明快に出したのです。

そういう意味では、大規模プロジェクトの実施についての交通整理が、田中、三木、福田という形を通じて収まってきた。そこへ大平内閣ができて、定住構想ともあわせて、田園都市論ということを言い出したのです。これは非常に哲学的、宗教的だったと私なんか思ったのです。しかし、自民党はそうは受け取らないで、都市建設法としてのテーマとして受け取ったので、あまり実らなかった。

大平内閣の末期も、これは官邸の方にたくさんの学者を動員して勉強会を開いたわけです。その思想そのものが大平さんにすると、総括的には田園都市論だったのです。それは建設畑とか国土畑としてというよりは、もうちょっと次元の高いものであったのではないでしょうか。つまり、田中内閣以来の騒然としたプロジェクトの調整に対して、何か思想的な落ち着きが欲しかったのではないでしょうか。政府の方も定住構想になりましたから。ちょうど、その頃はそういう時代だったのでしょうか。

――大平さんの伝記を読んでいますと、大平さんは、戦後、安本の公共事業課長をやっているのですね。これをやっている時に、大平さんというのはやはり政治に目覚めたみたいなところがあります。

つまり、大平さんが非常に理想家肌の一面を持ちながら、ある種のプラクティカルなものを持っているのは、どうもあのへんからではないか。つまり公共事業を分配するという仕事は、非常に政治的な仕事だということを彼は感じて、あそこの課で仕事をしたことで随分自分は変わったというふうな記述があったように記憶しているのですけれども。

大平さんはおもしろい人で、大蔵大臣とか総理になった時にはあまり自説を言わなかったと思うのです。私が話を伺っている限りでは、公共事業なり国土開発は政治の問題であって、経済の問題ではないと考えていた政治家の一人ですね。したがって、その政治でやるべき国土計画なり公共事業の背景には、何か一貫した思想が必要だと思っていて、経済主義に陥っていくことに対して、大平さんは少し批判的だったのではないですかね。しかし、池田さんとか佐藤さんとかになると、かなり経済主義ですから。

大平さんは、いま言われたように安本時代にそのことを非常に感じたのではないでしょうかね。だいたい国土計画というのは、実務を担当した人みなが政治的役割の重要性を感じる点だと思うのです。国土計画が経済と馴染むということには、なかなかならないのです。大きさとか時間の長さが全然違いますから。経済というのはどうしても短期的だし、身近なことへ陥っていきますから。

――しかも、この時大平さんが常に言われていたのは、「おまえのやっている仕事は失業対策じゃないのだ。長期的な視点を持ってやれ」ということであって、「長期的な視点というのは一体何だろうと思った」という。

そうなんですよ。

――ブレーンの話が出ましたけれども、田中、大平、そして中曽根さんというのは、ブレーンを非常に活用した総理ではなかったかと思うのです。しかも、そのブレーンというのは一貫して同じメンバーではなくて、いわゆる田中好み、大平好み、あるいは中曽根好みみたいなものがあるわけです。もっとも、例えば、大平総理の時のブレーンと、中曽根内閣のブレーンというのは全く一緒のブレーンですが。

まあ、そうですね。毎日新聞が意地悪な記事を書いた時があって、各ブレーンのリストを新聞に出したのです。それを見ると、節操のない人が何人かいて、どこへでも顔を出す。大部分はそれぞれに特色のグループなのですけれども、ああいうのは困ったな。

――国土計画のプランナーとしては、そういうブレーンたちが国土計画を論じる時に、かなり共感を示したこともおありでしょうし、あるいは、かなり抵抗を感じたこともおありでしょうが、具体的な例として、いくつかエピソードをあげることができますか。

割に一般的に知られていないのは、提案したプロジェクトを採択する、しないという時に、ゴーサインを出した方は議論として残るのですけれども、ノーのサインを出したテーマは、あまり記録されない、残らないのです。だけど、専門的に言うと、ノーサインのものというのは、やはり次の世代の人たちに勉強してほしいといつも思います。有明の大干拓を中止することとか、周防灘の大規模開発をやめる時とか、静岡の三保の松原で石油化学基地をつくることをやめる時というのは、むしろわれわれにとっては骨の折れる仕事なんです。そのことを少し重要視する必要があると思うのです。

アセスメントは、そういうことができる訓練を積んでいないと駄目だと思うのです。ゴーサインのためのアセスメントなら、やったって意味がないですから。だから、やめるかもしれないという前提を行政がどう持つかというのは難しいですよ。行政計画で決まっているのを中止するのは、一般の行政はえらく苦手なものです。「立場上」「いきさつ上」というような言葉が頻繁に出てきてしまうわけです。やめるというのは、何かルールを必要としているのではないでしょうか。

だから、田中内閣の時に、国土総合開発法の全面改正という法律案を出したわけでしょう。これは田中さんにすると、一九五〇年の法律が七二、七三年でも生きていることは信じ難いというのです。「これだけ経済も国際環境も変化しているのに、法律が戦後直後のものというのは何だ」とよく怒って、計画よりも先に基本法を全面改正しなさいというのでやったわけです。

その時のポイントとして、大規模プロジェクトをいかに管理するかというのを法律上大きなテーマにしたわけです。だから、ナショナルプロジェクトをやる時にはこういう手続きを必要とするというので、簡単に言うと、公開型で住民参加型でアセスメントをしてという、その三テーマを持った法律論をすることにして、つくったわけですね。それで国会に出したら、通らなかったのです。

通らなかったのは、その改正法案が「列島改造の推進法」というレッテルを貼られてしまったからなのです。通らない理由の裏側では、開発を進めるのには面倒くさい手続き法ですから、ない方がいいという人もいて廃案になるわけです。

この点は、もう一度いつの時期にか議論しなければいけないのではないでしょうか。それがいま環境基本法という法律ができて、環境計画を立てるとなったけれども、環境庁は一苦労すると思いますね。なぜかというと、開発側が環境基本法をつくるならわかるけれども、チェックする側がつくると免罪符的な役割になってしまうのです。これは田中内閣以来の残った宿題という感じがあって、大平内閣に至るまで、ずっとそういう方向ではなかったかと思います。

7　民活・ブレーンと中曽根首相

――中曽根内閣の時に四全総がスタートしますが、中曽根ブレーンを中心に据えた懇談会が一定の役割をもったようですが、それは一全総以来の全総計画策定の過程とは、ちょっと異質な状況になったようです。

つまり、四全総の時に、天の声、地の声という話がありましたが、それ以外のもう一つ何か声があったような気がしてならないのですけれども、その辺はいかがでしょうか。

中曽根さんの民活型の動きをオーソライズできる側面から最初にお話すると、財政を考えた時に、大都市は民活型がいいという整理が出た時期です。そして経済市場から言うと、大都市の仕事はとても多いけれども、それを財政で背負うよりは、民活で、民間資金でということを考えようというので、主に東京と大阪の仕事は民活型へ持っていこうという議論があって、その分だけ地方の社会

▽――民活型　一九八一年三月に設置された土光臨調（第二次臨時行政調査会）の主要テーマの民間活力・民間資本の導入は、中曽根首相の私的諮問機関の経済政策研究会（座長牧野昇）の報告によってより具体化された。つまり、内需を拡大し社会資本を充実させるためには民間活力の積極的導入が望ましく、国有地の払い下げや都市の再開発等のための規制緩和等を求めることを提起した。この時期には民間活力の導入が社会資本整備のキーワードにまで高められ、八六年五月には民間企業参加の事業指針や資金の確保・融通の方法を明らかにする「民間事業者の能力の活用による特定施設の整備の促進に関する臨時措置法」が公布されている。

資本整備が可能になるという見方であって、その点では国土計画の考え方に沿っているのです。

——それは都市政策大綱の考え方でもありますね。

そうです。ですから、大都市こそ民活型ということは、別に中曽根さんが特別に言い出したという感じは、その限りにおいてはないのです。ただ、民活という方式は、民間資本と公共資本のドッキングしたプロジェクトなわけです。民間単独での事業を意味していないわけで、民間資本と公共資本のドッキングの仕事を民活型の事業としたわけです。そのために、一般的には公と私の癒着型の理解が出てきて、それが利権化するという非難を受けるようになったことは確かです。しかも、民活との関係で、土地需要が実需として増えたために地価上昇をもたらしたということもあります。しかも、計画の噂が出るだけで上がるような状態になりましたから。

——民活論は、都市政策大綱以来の思想ではあるけれども、同じ民活論でも、中曽根さんの場合は、これは人徳のなさが災いしていると思うのですけれども、妙な政治献金と絡んだ不動産屋を中心にしたグループに国有地を払い下げたり、かなりマイナスのイメージになっていますね。

それは公と私のつながりとしてのプロジェクトというのは、公のいい面と民のいい面をドッキングさせることだったのに、一部には、官の悪いところと民の悪いところがつながったということも事実でしょうけれども、民活論というのはなかなか難しい議論だったかもしれません。

ただ、その頃土地だけ住宅公団で、上物は民間の借家という議論をしたことがあるのです。これは民活の花としてやろうとしたのだけれども、うまく軌道に乗りませんでした。上物は民間で土地は国という分業がいいかどうかは、これからも一つの議論かもしれません。

——当然議論だと思いますね。かつて下河辺さんは、中曽根さんが民活論に動いたのは、多分に日米関係をにらんだ動きではなかったのかと言っておられましたが……。

それは中曽根さんとしては、内需ということが議論になった最初の総理だからでしょう。だから、国民の皆さんが一人何ドルかつかってくれるといいという演説をしたりしていました。つまり、民活型のもので内需拡大政策と思ったことは確かでしょうね。特にあの頃は重厚長大産業が問題になっていましたから、鉄鋼なんかが内需拡大型で生きられないかと思った時があるでしょうね。橋を架けたり、ビルを建てたりということで。

——しかし、率直に感じるのは、中曽根さんは妙な意表をつくアイデアを次々と出しましたね。例えば、山手線の上を住宅にしたらいいとか。何か、ブレーンが非常に悪かったのではないかという気がするのですけれども。

その山手線の内側を何階建てにしたらいいとか、山手線の上は空間があるから利用したらいいとかいうのは、ブレーンというよりも、専門家でそういうことを言う人が、その当時割に多かったのではないでしょうか。東京湾が空いているよとか。そういったアイデアがいっぱいあって、政治家がそれをつまみ食いしていたということではないでしょうか。

——中曽根さんについてブレーンの一人である屋山太郎氏のものを読んでみますと、結局、彼は総理になりたいと昭和二十年代から思って、総理になったら何をやるかというノートづくりをしていて、そのノートが随分たまっていたのだという。そうすると、民活ももちろんですが、中曽根さん自身が国土計画的なものに対してどういうイメージを持っていたのか気になりますが、そういうことについて議論があったことはありますか。

私が中曽根さんと議論したのは福田さんと同じで、行政管理庁の長官だった時に、割に多かった。行政管理庁長官というのは一般的に暇なのです。だから中曽根さんもその頃随分勉強していたのではないでしょうか。

その時に私が一番記憶しているのは、「人生八十歳論」でした。人生八十歳というシステムをつくるためにどうしたらいいか。人生五十歳の時代の考え方や行政と、八十歳時代では何がどう違うかという議論は、だいぶやりました。けれども、国土計画で中曽根さんと議論したのは、民活以外ではあまりなかったかもしれません。むしろ、防衛に対する関心というのがあったでしょうから、国土防衛なんていう角度は少し考えていた可能性はあるのかもしれませんが。

――国土計画的に言いますと、中曽根さんの関心というのは、つまり、世界都市東京論ですか。

いや、あまりそう思っていないのではないですか。まずかったのは、国土庁としてはテーマごとに順番に発表していく時に、大都市について発表しないうちに中曽根さんが発言したので、「中曽根さんが言ったので慌てて出した」と新聞に書かれてしまったところから誤解が始まるのです。だから、国土庁が大都市から先に発表していったら違った議論だったかもしれません。何かいかにも政策を百八十度転換したように書かれましたから。

ただ中曽根さんが、東京をもうちょっと何とかしようということは、意見として持っていたことは確かでしょうね。このままの東京ではよくない。そのへんは金丸信さんの考え方と非常によくつながっていたのではないですか。金丸さんは東京の過密問題にはえらい関心のある人でしたから。

8 「ふるさと論」と竹下首相

——中曽根さんは東京を何とかしなければと考えていたようですけれど、竹下登さんになると、今度は「ふるさと論」ですね。

おもしろいことに、「ふるさと論」というのが東京から出ているというのを、みな忘れてしまったのです。美濃部さんと選挙で戦うテーマが、「ふるさと論」なんです。それは橋本登美三郎さんあたりから出ていた政策ではないでしょうか。だから、浅草だろうが何だろうが、「ふるさと」というテーマで選挙をやりたかったのです。

それが竹下さんになってから、もっと全国的なテーマになったと考えてもいいのではないでしょうか。都知事の鈴木俊一さんの時はマイタウンですけれども、その前は、東京の「ふるさと論」なのです。東京が世界都市化するとか、首都化するというのは、都心の住民にとっては関係ないですよ。だから、選挙では、「マイタウン」とか「ふるさと」というテーマでないとだめなのです。「ふるさと論」はそこから出てきたと思っているわけです。

——竹下さんが二十数年前の「ふるさと論」を持ってきたのですが、どんな背景があるのですか。

田中さんの列島改造論は非常に優れているけれども、フィジカルプランだ、心がないと、竹下さんはよく言ったものです。だから、自分は列島改造に心を入れたいというのが、「ふるさと論」という言葉になったと考えているのでしょう。

——それで一億円配ったわけですか。

「ふるさと論」がだんだん展開して、日本のすべての政治のテーマのようにまで拡大されてしまったのです。だから、選挙のたびに出す自民党のすべての政策は、「ふるさと創生」のためにというう、何か焦点というか、浮き上がってしまった。しかも、最後は「全世界ふるさと論」までいってしまった。そうすると、どうも選挙をしたり政治としてみると、何も言っていないのと同じだとなって、具体的でなければいけないということになったわけです。

その時に、大平総理の田園都市構想と同じ憂き目になるのはまずいとなって、何をやろうかということになりましたが、福田さんが政調会長の時で、「町村一億円運動」というものを組んで、結局、実施しないで終わったアイデアと、内需拡大政策で出てきた規模三兆円ぐらいの経済政策があって、福田さんのアイデアと、内需拡大の三兆円とがドッキングして、三千三百市町村に十億円で、三兆三千億円というプランをつくろうと言い出したのが最初なのです。

——それは竹下さんが言い出したのですか。

そこは私が言い出して、竹下さんに言ったわけです。そうしたら竹下さんが、「それはおもしろい。公共事業を漠然と増やすことよりは、三千三百の市町村に十億円ずつ配るということができたら、これは政治だ」と言い出した。そして、団体の大きさで測るという思想をやめて、三千三百がみな同じ人格と主体性を持っているという捉え方で、同額配付をやろうと議論したわけです。

竹下さんのことですから、早速大蔵省に言った。そうしたら、大蔵省はあきれ果てたわけです。そこでどうやったかというと、総理ですから断れませんから、「一市町村三百万円の調査費を配るというところからやりたい」と返事をしてきたわけです。三百万円の調査を三千三百市町村にやる。そこで考えてもらった上でやりましょうと。竹下さんに好意的なのでしょうね。それで竹下さんが、「大蔵省がそう言ってきたから、まず調査をやるか」と言うから、私は、「それはやらない方がいい。三百万なら市町村で持っています。その程度のものなら国からもらわなくたっていいですよ」と言いました。そうしたら、「弱ったね」と言う。

そのうち、梶山静六さんが自治大臣になった。そして、竹下親分がそういうことでは困る。「ふるさと創生」を何とか生かさなければいけないと言って、自治省の中で暴れ回って、自治省がとうとう、地方交付税も含めて一億円ならばやろうと言い出して、それで竹下さんの所へ行ったら、それでいいからやろうということになったわけです。だから、三兆三千億円が、三千三百億円になったのですけれども、実現することになったわけです。

その時の発想は、将来三千三百の市町村が、補助金なしで自立してという考え方で始まったはず

▽――ふるさと創生　竹下首相の国政運営の基本方針であって、具体的には①自ら考え自ら行う地域づくり事業としての一市町村一億円の交付税措置、②地方単独事業支援のふるさと特別対策事業の実施、③地域総合整備財団（ふるさと財団）の設置による地方民活の促進、④ふるさと間の省庁事業の推進が一九八八年度から実施された。

なのですが、いまの分権化論争というのは、あの「ふるさと創生」的に見ると、実態としては難しいという気がするのです。分権化の思想というものが、一億円から必ずしも十分感じ取れないのです。やはり依然として地方は国依存で補助金依存型なのですね。

9 三木総理と革新知事の印象

——総理としてはいろいろ話されたのは三木武夫さんですね。三木さんの国土計画的なものに対するエピソードはありますか。

三木さんは首相官邸に居を構えていた時期が長い、総理としては珍しいですけれども。われわれが総理官邸に行くと全部新聞に出てしまうでしょう。それで、三木さんに呼ばれると、記者に見つからないように夜遅く忍び込んで入っていくのです。そしてこたつにあたって、ご相談にあずかるわけです。あの人、すぐ寝てしまうのですよ。だから、会っている時間に比べて、話し合った時間というのはえらく短いのです。起きたと思うと、何か大福みたいなものを食べるのですけれども。話し合ったのは、環境と教育の問題が中心でした。国土の環境をどのように考えるかとか、特に教育の中で、国土の季節とか地域による変化に対して、教育がどう適応しているかというような議論が三木さんは好きでしたね。ただ、彼が時々イライラしてしゃべるのは、自民党が建設業にかき回されているのを何とかやめなければならないと熱っぽく言っていました。私が建設省だから余計言ったのかもしれませんけれども、政治に害悪であるとよく聞かされました。それは政治が悪いので、国土計画が悪いわけではないと言うのですけれども。それは三木さんが随分気にしていたのではないですかね。

ただ、政治資金として言うと、田中さん以来、建設関係に政治資金が偏った理由というのは、保守本流の政治家と財界という関係からはアウトサイダーだということが最も大きいのです。アウトサイダーが資金を集める時に、地域に存在する建設業との関係が出てきたのは、政治の構図としてははっきりするのではないかと思うのです。そのことがいいか悪いかは別ですけれども、これからどこに政治資金のソースを求めるかが、政治家たちにとって必要なのではないですかね。経団連とか企業もだめで、建設業もだめというと、美しく個人献金なんてなってしまうわけです。だけど、個人献金で政治はできませんよ。

――六〇年代半ばは、革新自治体が出てきた時ですけれども、美濃部亮吉さんを含めて革新自治体の市長とか、知事とかと議論をして印象に残ったというようなことはありましたか。

美濃部さんとも議論したし、神奈川県知事の長洲一二さんとも親しかったし、随分革新系の方と会っていますよ。それで革新系の方のほうが穏やかなというか、合理的な意見を聞くことが多かった。自民党とつながりの強い知事は、国と直結する方向だけで議論していますから、アイデア的な議論としてはおもしろくないというか、地元をいかに国の基準に合わせるかという知恵比べみたいになるでしょう。

ところが、革新の知事の方は、政権をもっている自民党にすると革新のところには薄くするというふうな政治力が総体として働いていますから、自分で知恵をださなければならないでしょう。だから、知恵合戦としては、革新系の首長の方がおもしろかった面はありますね。しかし、思想的にはやや混乱していたのではないでしょうか。革新としてのイデオロギーと、首長になった行政の代表との間に谷間が大き過ぎたのではないでしょうか。

北海道知事の横路孝弘さんとも随分長い付き合いですけれども、原子力発電所なんかに知事の立場は実に複雑です。賛成も反対もできない立場というのは、行政としたら苦しいですよ。沖縄でも屋良さんが革新系でしたけれども、非常に骨を折っておられて、いろいろな議論をしました。屋良さんがおもしろいのは、福田さんと割に話ができたということです。福田さんと屋良さんとでは、随分政治的な交流があったのではないですか。沖縄自民党というのは、発生からいうと、本土の自民党と少し性格なり生いたちが違いますから、西銘知事が出た頃から、本土の自民党的な政党になっていくわけでしょう。

——美濃部さんは、どんな感じでしたか。

分権化で思い出すけれども、ごみ処理を、厚生大臣ではなくて知事がやるという議論にだんだん傾斜していくのですけれども、美濃部さんの発言が大きな影響を持っていたと思うのです。ただ、都知事がごみ処理の責任を背負ってから、住民との関係が難しくなったのではないでしょうか。知事が先頭に立って、住民のために厚生省と闘っている構造において革新系があったという感じがするのです。ところが、自分が権限を持ってしまうと、どうするかというのはちょっと論理が変わらなければならないのです。そのあたりは、分権化論争の難しさにならないでしょうか。日常生活のものを地方公共団体の長が権限として持つなんて、論争の余地がないですよ。あまりにも当たり前すぎてしまって。

——美濃部さんは、それで第一次ごみ戦争を経験したわけですけどね。

そうですよ。

10　生活大国をめざした宮沢総理

——最後に宮沢総理についてどうですか。

宮沢総理とは長いお付き合いで、宮沢さんが初めて経済企画庁長官として閣内に入られた一九六二年からのことです。

宮沢総理は経済政策についてはもちろん専門家ですが、都市と土地の問題に大きな関心をもっていました。都市については、都市計画法の改正について新都市計画を策定するよう主張され、異例なことですけど経企庁長官が改正要綱を閣議了解にすることで、建設省が立法することになったんです。土地については土地信託制度に関心をもって研究されたんですが、最終的にはまとまりませんでした。しかしこの時期にもっともはなやかなのは、新産業都市の指定問題でした。経済政策の専門家として工業立地政策には強い関心をもっていましたが、海岸は市民の海水浴のために保全しておきましょうという意見には驚きの目でみておられました。

その後、生活優先から社会資本ストックの倍増論を論じ、日米構造協議や内需拡大政策ともつないでいきました。

総理になってからは、生活大国論を展開され、経済大国からの脱皮を考えていました。生活大国の問題として、住宅問題と労働時間の問題はユニークな政策論として受けとられていたと思います。しかし、吉田総理の秘書官から総理までの政治生活に一貫しているものは、戦争のための軍備を排していかにして平和と自由を手にするかを政治課題としていると思います。

——吉田から宮沢への道はなんであったのでしょうか。

太平洋戦争の終結のあと、自民党による五五年体制ができあがり、幸運にめぐまれながら奇跡的に経済発展を遂げ、世界の経済大国になった日本ですが、二十一世紀に向けて吉田から宮沢までの戦後の政治史が過ぎ去っていくのではないでしょうか。さらに明治以来の政界（与野党とも）、官界、学界、財界ともに東京帝国大学に学んだ人々がつくりあげた日本の体制がゆらぐ時代に入って、新しい秩序を求めて苦悩する時代に移行し始めているといえるのではないでしょうか。

このようなときに国土政策も大きな転換期を迎えていると思うのです。

8

大都市対策と遷都論

――東京への一極集中については、前にも触れましたが、地方の活性化ももちろん重要だけれども、より重要なのは大都市対策ではないかと思うのです。例えば、一極集中を止める上での都市の成長管理政策です。経済企画庁の二〇一〇年研究会なんかも、パリの首都改造計画をにらんで集中規制の例を挙げて、どういう方法をとったらよいか提言しています。そういった意味で、アメリカの大都市でも、レーガノミックス以降、規制を求めるための成長管理政策というのが一般的になっていますけれども、成長管理政策について、どのようにお考えになりますか。

コスト増と費用負担

東京が過密であるという現実からすると、過密がもたらすコスト増をどうこなすか、というのがテーマです。環境をどう解決するか、そのための費用負担がテーマなのです。そうなれば、企業も個人も政府も、再立地を選ぶところまで追い込まれると思うのです。この間、経済同友会が、東京都心のビジネス事務所は、コスト高で維持できないのは、土地代だけではなくて従業員の通勤や、環境に対する投資が大きくて、採算に合わないという議論をしだしたのです。政府も遷都論という形でやりだしたので、大都市の環境に対してコスト論というところまできたのが最近の特色なのではないでしょうか。

これまでは、外部経済の内部化というあたりまでの議論はしていますけれども、コスト負担比較として議論するという立地論は、まだこれからなのでしょう。

――経済同友会の研究会では、おそらく、下河辺さんも話をされているみたいですが。

この間その研究会の方向ができたから行ったのですが、不徹底だという話をしたのです。ただ、同友会が議論をしはじめたということは、東京論にとって意味は大きいですね。いままでだと、水道がないと国が群馬県から水を持ってきてあげたり、道路が地方公共団体でできないと、首都高速道路公団でやってあげたりとかいって、国家依存で東京の社会資本は整備されてきているでしょう。つまり費用負担をしないから余計過密になり、集中度が高くなって、こういう事務所街になってしまったというところをこれから反省しなければいけないわけで、個人も企業も政府も、環境に対する費用負担をどうするかということで、大都市の過密なり、環境問題を考えるしかないところへきているでしょうね。

——首都改造計画では、遷都から始まっていろいろな首都改造の方策を提言していますね。その中に休都案というのがありました。いずれ社会資本はピークに達してパンクしてしまう。おそらく、いまのままでは避けられないでしょうし、その意味では休都案というのは一種の成長管理策かなと思っているのですけれども。

そうですね。休都案は新全総の総点検の中で割に力を入れたものの一つで、佐藤内閣に言ったことがあるのです。お金をかけない方法は休都論ではないかと。

首都改造の方策

通勤なんかも、ピークに合わせて鉄道を整備するのでは、年間平均すると採算が合わないので、むしろ、時差通勤をやった方がいいのではないか。電力も、ピークの夏場は電力が要らないようにした方が、それに伴う発電所をつくるよりもいいのではないかということを、かなり言った時期があるのです。

だけど、みな一緒に通勤したいとか、夏は冷房をしたいとかいう「わがまま」には勝てないでいます。だから、そういう意味ではまだ環境問題が、死ぬほど深刻でないことを意味しているのかもしれません。電力会社でもどうやら間に合わせているし、水だって渇水期にも間に合わせているという意味では、ピーク対策にむしろ対応しているという見方があるかもしれません。だけど、快適な都市環境というテーマからいえば、そのへんに挑戦しなかったらだめでしょうね。盆や暮れは、帰る人で交通はピークになるけれども、大都市の中の環境はよくなっちゃう。だから、三千二百万人の都市でも、一割の人が休んでくれたらかなり楽という感じです。

——首都改造計画では、休都のほかに改都とか分都を提案していますけれども、イギリスやスウェーデンは分都という方式ですね。あれはやはり国土状況からいって納得し得る一つの首都機能の移転の方法ですか。

首都機能の移転の方法

ある側面から見ると合理性があるのだけれども、やはり不合理性も目立っていて、ロンドンでもストックホルムでも、分都したことがいいというふうには評価されていないのではないですか。やはり問題が多いという言い方をされていると思うのです。

新全総当時、われわれが改都とか分都とか、遷都というふうに選択するプランとして分けて議論していますけれど、いまは、そういう議論でなくなってきていて、プログラムとして改都から始まるのは当たり前という現実性があって、それが展都になり、分都になり、遷都になりという時系列的なプログラムとして認識するようになってきたと思うのです。休都・重都というのはちょっと別の次元ですね。

——遷都論というのが、ここへきて現実味が増してきたのは、いろいろな首都機能移転の方法があるけれども、その中で最も合理的なのは、費用もかかるし時間もかかるけれども、遷都じゃないだろうかというようなところに議論が落ち着いてきたのではないか。おそらく、国会等移転調査法を制定した国会の認識は、そういうところにあるのではないかと思うのですけれども、そのへんはどうお考えですか。

遷都論

いま言われたような考え方が、国会レベルで常識的に理解される言い方だとは思っているのですけれども、私個人はちょっと違った次元で考えています。

明治維新で江戸が東京に変わったというときの議論としては、明治の近代化された日本の首都を東京という名前にしたけれども、その東京をどこへ置くかは別の議論で、結論としては江戸に置い

▽——遷都論　国土庁のまとめによれば、明治以降の遷都論は最近の本格的な遷都論を含めて次の六つの時期のものがあったとされている（国土庁レポート'92／'93）。

①関東大震災直後の遷都論、②一九四〇年代の遷都提言等（高橋登一、石川栄耀氏らによる過密東京への抜本対策としての提言や防空上の観点からの政府内部の首都機能移転論）、③高度成長期における提言（過大都市東京の抜本的改造策としての遷都論であって、磯村英一氏の富士山麓への移転、天野光三氏の新首都建設提案等の学識者のものもあるが、六四年には建設省が新首都の構想を発表している）、④七〇年代後半の提言（三全総が二十一世紀に向けての首都機能移転再配置についての国民的規模の論議の必要性の提起）、⑤八〇年代の提言等（八四年の村田敬次郎衆議院議員の新首都の建設および地方首都育成の提案、八五年の国土庁の首都改造計画等、四全総の遷都問題への言及、東北経済連合会や東海銀行等の首都移転論、地価高騰対策としての中枢管理機能の移転論等）、⑥九〇年代の展開（国土庁長官主催の「首都機能移転問題に関する懇談会の開催とその中間的とりまとめの発表、国会等の移転決議と「国会等の移転に関する法律」の制定等）。

たと思うのです。そして戦後になると、新憲法のもとで経済大国の首都を再び東京に置いたと思うのです。

だから江戸と東京という政治センターをつくり旧憲法下のセンターになり、戦後新憲法下のセンターをつくり、経済大国のセンターとして再び東京が首都になったけれども、二十一世紀が生活大国かどうかはさておき、新しい日本で、新しい憲法のもと首都をどうするのかという議論をしたいと思ったのです。そのイメージが出てきた時に、再び東京なのか、東京を出た方がいいか。東京を脱出しなければ新しい日本の首都にはならないというので、私は遷都論者の方に入れられてしまうけれども、それをつくるのには相当な時間をかけなければならないと思うのです。

だから、遷都論と言われたら五十年というテーマだと思うわけです。そうすると大部分の人が、じゃあまあどうでもいいやという話になってしまう。だけど、新しい日本の新しい首都論というのを五十年問題として議論するのは、私にとっては当たり前だと思うのですけれども、五年か十年間で工事が終わらないと気が済まない人がいて困る。

――これまでも遷都論には、一九五〇年代半ばに磯村英一さんの富士遷都論、佐藤内閣の時には早稲田のグループの北上遷都論、最近は、地価がピークに達した八〇年代後半に日向方斎さんをはじめ、いろいろな方々が提案しているわけです。やはりこの遷都論というのは、その時代の背景を映していると思うのですが、いま特にどういうことが挙げられるのでしょうか。

フィジカルプランナーとして言えば、いままで出てきた構想は、大部分が、ある日突然一晩で建設されたら成り立つというようなプランが多いのです。逆に言うと、建設に三十年かかるなんてなると、成り立ちようがないプランが多いのです。ブラジリアもそれで苦労したけれども、日本の場合に、そういう苦労をしきれないと思うのです。

だから、その建設というものがマスタープランであるよりも、プログラムとしてきちんと組まれていないと現実性がなくて、企業と違って政治とか行政というのは一日も休めないですから、いま引っ越し中なので五年間官庁はお休みです、なんていうわけにはいかない。

そうすると、現実の東京の首都と、長きにわたって二重に首都機能を配置する以外に、プログラムは成り立たないのです。その前提で考える条件というのが、いままで出てきたプランと少し違った実務的なテーマということがあります。しかし、最近になって政治家や公務員について、生活のスタイルをかえることが行政改革、政治改革の基本ではないかと思い始めたわけです。

霞が関でわれわれがやっていた頃は、徹夜作業が当たり前で、通勤となると、二時間。下手すれば、家族の面倒も見られない。遊びは、飲み屋かマージャン屋ぐらい。そういう生活の貧困が政治改革や行政改革をつまずかせるというような見方を、一方ではじめているわけです。

だから通勤時間三十分で、自然環境の中で家族と一緒にのびのびと話しながら政治や行政ができるという環境をつくることが、二十一世紀の首都にとって非常に重要なのではないか。しかも、帝国憲法のもとでできた国会議事堂というのが、そもそも建築的に密室型なのではないか。権威主義ですね。与野党が芝生の上でゴロ寝しながら討論を繰り返すなんていう形が必要ではないかとか、役人でも政治家でも、昼休みにテニスやプールぐらいあった方がいいのではないか、というようなことを思うわけです。そういうあたりの豊かさが、政治や行政をよくするという視点で新しい遷都論を考えたい、というのが一つは出てきたわけです。

——文明論的な発想、国土論的な発想といいますか。そういう意味で、これまでの遷都論の中で唯一説得力があるかと思いましたのは、北上遷都論で、これは第二国土軸をつくるのだということをはっきり言っている。

実はおもしろいのは、一九六〇年ですか、丹下健三が、東京湾上に新都を設計したことがあるでしょう。あれは、丹下健三の思想としては、東京湾上である必要はないのです。東京を軸にして梯子状の国土軸をつくって、それに東京の機能を広げていくという思想なのですから、それを図面を書く時に、東京湾上に書くと自由で誰にも非難されないというのが東京湾のプランなのです。だから、神奈川県に向いたり、埼玉県に向いたり、栃木県に向いたりしても、思想的にはいいのです。ただ、過密が過大になってきていますから、あまり短い梯子だと過密の拡張でしかないから工夫が要るでしょうね。だからといって、北上まで行ってしまうと本当に大丈夫かというのは、距離的には少し気になっているのです。やはり、飛行機のレベルではちょっと輸送しきれないと思いますから。鉄道と自動車と併用して工夫しなければならないわけですけれども。

——その理由づけですけれども、堺屋太一さんが、『新都建設』(文藝春秋)という本の中で、東京一極集中の問題の根源は、一九四一年以来、いわゆる翼賛体制以降の官僚主導、業界協調体制にあると言っているのですね。つまり、霞が関と経済界の関係を指しているのでしょうけれども。

まずそういった社会を変えて、新しい文化とかライフスタイルをつくるには、やはり首都を新しいところに建設するしかない。それが結局、官僚主導、業界協調体制を超える新しいものの仕組みをつくるのだ。その最も現実的な方法が、新しい都市を、首都を建設することだということを、繰り返し、あの本の中で言っているのですね。

十六年体制というか、昭和十三年（一九三八年）の国家総動員法以来の行政システムについて語る時に、私はもうちょっと複雑な気持ちでいるのです。それは何かというと、ナショナルプロジェクトをこなすためのシステムとして議論すると、今後もあまり変わらないのではないかと思っているのです。

ナショナルプロジェクトが、戦争のためというところで挫折しているということはあるのですけれども、高度成長のためという時も、行政システムとしては同じだったのではないか。ナショナルプロジェクトを否定する論理だと、集権制はいいシステムではないけれども、ナショナルプロジェクトが必要な時には、行政システムとしてはやはり、中央集権でなければできない気がするのです。

▽――第二国土軸　国土軸とは、わが国の社会、経済、文化等の諸機能展開の基幹部分であり、東京圏から西へ名古屋、大阪、福岡へ至る機能の軸を第一国土軸とよばれており、それに加えて最近では二つの第二国土軸論が打ち出されている。その一つは第二国土軸構想（西日本）であり、東京から伊勢湾口を経て紀伊半島に達し、さらに紀淡海峡、四国、豊予海峡を経て九州長崎に至る新しい国土軸である。もう一つは第二国土軸（東日本）であり、東京から東北を経て北海道に至る、一千キロの面上に形成する新しい国土軸である。最近では、北海道から長崎県の日本海沿岸地域を縦貫する、日本海国土軸構想も打ち出されている。

分権化の中でナショナルプロジェクトなんていうことになりませんから。

それから、「ナショナルプロジェクトを必要としない」という議論ですが、ナショナルプロジェクトと、ローカルなあるいは個別なプロジェクトというのはいつも両方存在していて、ナショナルプロジェクトが要らないという時代を考えることは、日本としてはちょっと飛躍し過ぎるのではないですか。遷都論なんかもナショナルプロジェクトでしょうし。

――国土庁の首都改造計画でも、遷都というのは、司法、立法、行政の三権を移すことだと言っています。これまでのわが国の遷都の例も皆そうです。そういう司法、立法、行政の機能を区別していますよね。

三権というものを司るのは人間であって、人間の豊かさが前提で初めて三権が健全である、という考え方をどれだけ言うかというテーマだと思う。大都市がそういう環境に耐えられないと言うなら、移したほうがいいと言う。それは政府や国会だけではなくて、本社機能でも学校でも同じかもしれない。

――東京一極集中を解消するというだけが遷都の唯一の理由にはならないだろうと申し上げたのは、例えば、国土庁の報告では三権に携わる人たちやその家族、およびサービス人口はどうしても六十万人ぐらいの新首都になる。三千二百万人の中から六十万人が移っても、一極集中の解消にはつながらないですからね。

もっと根本的に、大規模な都市でなければ充実しないという思想から離れないと、永遠にだめだと思うのです。私は国土で過密・過疎を論ずる時に、五万人都市が生きる道ということに何か先が見えてこないと、何言ってもだめなのではないかという気がするのです。みな、百万都市とか中核都市をねらってしまうという方向だから。多極分散ではなくて、多極集中型国土になっていってしまうわけでしょう。

遷都論でもフィジカルプランとしたら、五万人ぐらいの都市への魅力として議論をしはじめたいのです。だから、もし首都機能が六十万人だったら、六万人の都市を十つくるというぐらいの議論をして、十の都市がどういうふうにネットワーク化されるかという議論をすべきではないかと思うのです。

経済大国で巨大都市ということで、これまでの日本の経済と東京を評価してもらっているわけでしょうけれども。その新しい都市の環境の素晴らしさというのは、日本の政治の発現として意味があると思うのですね。二十一世紀日本の目標とは何なのかと答えた時に、どうも大都市ではなくて、小都市の魅力が言えることになったら素晴らしいと思うのです、プランナーとしては。

だから、国会移転と聞いた時には、私はひそかに喜んだのです。まず国会だけの五万都市をつくってみたいと思ったわけです。官僚が国会を訪れるということを、ほとんど必要としない政治体制なんていうのも興味がある。だけど、これは若い政治家が言い出すべき問題です。フィジカルプランナーから言い出すのではなくて、若い政治家が、俺たちの政治はこうだと言い出してくれると一番ハッピーなんですけれども。

――だけど、国会がこういう問題に関心を持ってきたのはいいことだと思うのですけれども、ただ、経済界は日向さんが非常に熱心だったけれども、おしなべて東京の経済界は冷淡ですよね。

いや、経団連も検討を始めましたよ。

――そうですね。一方で三井不動産の坪井東さんあたりに聞くと、新首都建設なんて、三井不動産は出張所ぐらいは置きますけれども、経済活動は東京でするといってます。

それは、もちろんそうでしょう。ただ、経済同友会も丸の内移転論が出はじめているわけです。百キロ圏への分散で、首都委員会が言い出しているわけです。

それはすでに、都心の本社がスペースが足りなくて、本社のスペースを分離しはじめているのです。その分離が都内近辺なら、幕張がいいとか、浦和がいいというところまできはじめている。それが幕張とか大宮に行ってみると、どうせなら仙台とか何かの方が子供の教育にもいいのだという議論が現実に出始めるのです。企業は、市場の論理から分散ということが出てきてしまうのではないかと思うのです。

ところが、政治と行政は市場からの議論がありませんから、政治的命題として出るというと、もたつくのではないでしょうか。

――企業による成長管理が自ずから始まるというわけでしょう。

ところで、先ほどブラジリアの話が出ましたが、ブラジリアに勤める役人とか企業の出張所の社員は、週末になると皆サンパウロへ一斉に帰る。だから、週末と週初めのブラジリア～サンパウロ便はもう大変な混雑で、なかなか切符が取れないと聞いていますけれども。

ただ、それは年寄りではないですか。ヤングは定住しはじめている。だから、都市というのは時間かけて定住性が出る。将来は若手が相当自分たちの町をつくってしまうのではないですかね。これは筑波でも同じです。教授は通勤、助教授は住むという。若い人たちは、東京に住んで通勤しようなんて思わなくなっているのではないでしょうか。むしろ筑波から東京への通勤が猛烈に増えてきているのですよ。

都市の定住性

ただ、企業などはそういうので時間を稼いでもいいのだけれども、政治・行政というと、ちょっとそういう選択を許しませんよね。だから、最初からある方向を持たなければいけないから、設計としたら難しさがあるかもしれませんね。

——いまの話では、ブラジリアとか筑波なんていう新しい都市の建設は、まず成功という評価をされているわけですね。

最初に申し上げたけれども、われわれの仕事に成功と失敗はないんですよ。「失敗ですね」と言われると、「本当にそうです」と言うし、「成功ですね」なんて言われても、「本当にそうです」というしかないのですよ。

——しかし、若い世代が定住しつつあるということは、都市にとって望ましいわけですから、そういう意味では成功と言えるのではないですか。

プランナーが成功したのではなくて、住む人の手垢なのですね。都市というのは建設からは生まれていなくて、そこに行った人の手垢で都市になるというのは原則なのではないですか。だから、その手垢がつくのを、非難に耐えて待っていなければならない。

――これまでの遷都論は、皇居については全くタブーらしくて触れていないですね。ただ一つ例外は、ワコールの塚本幸一さんが言っているもので、天皇に京都へ戻っていただく還都論ぐらいです。実際問題として、新首都建設、新都というものが具体化してくるとしたら、その過程で皇居をどういうふうに考えたらいいですか。

皇居の位置

それは皇居論の前に、霞が関と永田町と丸の内が出た後の東京論をやる必要があると思うのです。東京が消えてしまうというビジョンは私にはないのです。むしろ、永田町と霞が関と丸の内が脱出してからこそ、東京の二十一世紀をつくりたいと思うのです。やはりどちらかというと文化的な世界都市という感じがあって、「文化人にとって快適な国際的な町」というビジョンを持って、三千万人の世界都市をつくるという壮大なビジョンを描きたいのです。

もしそういうことがあった場合に、憲法でいう日本の象徴としての天皇は、政治・経済を超えて文化的象徴ということへの思いが私には強いのです。文化的天皇の象徴性というものは、国際関係の中で非常に重要なのではないでしょうか。世界中の人が日本で信用というか信頼されるのは、天皇という見方が整ってきているのではないでしょうか。

そこから後のフィジカルプランはどうにでも考えることは可能ですから、むしろ、東京論というところに重点を置いているわけです。

――いま思ったのですが、江戸幕府の時代にも、その当初において天皇の地位はすごく低かったし、みな知らなかったけれど、平和な時代が続くと、長いということ自体が価値になって、それで徐々に京都の天皇の地位が上がっていって、それで幕末に急速に展開していく。

それと似たような現象が象徴天皇にも起きていると思うのです。昭和天皇の功罪はいろいろあるでしょうけれども、一九四六年以降、日本国憲法に制定された象徴天皇としての昭和天皇の、いわば落ち着きとその長さみたいなものが定着して、そのこと自体に価値が出てくるという、そういう時代を迎えているわけです。これは江戸時代との比較で考えてみてもおもしろいと思います。

おもしろいですね。お出かけも多く、接する人々や地域との交流が国際的にも進みますし、天皇家の知的集積は世界的なレベルではないかと思うのです。

——天皇を日本の文化の象徴としてとらえるとしたら、例えば、塚本さんが言われるように、東京へはちょっとお出かけになっただけなのだから、京都へ戻っていただくのが一番いいのではないか、という議論にも一理あるのですね。

それはもちろんでしょうけれども。また、京都派に怒られてしまうけれども、京都が日本の象徴になりますかね。東京こそ日本の象徴になり得る可能性があるけれども、現在の京都はあのままでは古都文化財とさえならないという危険を伴っていると思うのです。京都というのは、日本の都市としてどういう展開をしますかね。

——先ほどの遷都論に戻ると、生活の豊かさと遷都論とが非常に密接不可分である。同時に、下河辺さんの議論の延長線上に見えてくるのは、遷都をすることによって、これから二十一世紀の日本の、行政を含めた政治体制、仕組みを考える絶好のチャンスであるということになるのでしょうね。

そうだと思います。激しい言い方をすれば、制度や思想上革命的な変化を必要としているのではないでしょうか、遷都という論理には。

遷都論の前提

――ある種の運動論がないと、遷都できないと思うのですけど。

まさにそうだと思いますし、意味もないでしょうね。

――それと関連するけれども、首都機能の移転を議論しようと、三全総で問題提起されてからもう随分経つわけですけれども、今後この問題について考える場合に、どういう手順でどういう議論を、どう進めていったらいいとお考えですか。

行政実務的に言うと、いまの首相官邸は、国際級の施設に建て直しを急ぐべきだと思うのです。それは、遷都を待っているほど悠長ではないと思う。世界中の国賓が来ることを受けて、世界中と国内的な情報処理をできる官邸がなくてはおかしいですよ。そして国土庁的に言えば、六十キロ圏内に都心を複数化して、都心一つということを解除することも急がなければなりません。そして、中央官庁の一部の移転をモタモタしながらやっているのも急がなければならないでしょう。

そしてその次は、地震がきたらどうするかというようなことを急がなければいけません。そして、計画的に次々と国会を移転するとか、中央官庁を移転するということで、五十年間、行政上の計画が実務としてキッチリ組まれる必要があると思うのです。そのプランの中のどこからが遷都かということは、あまり議論しても意味がない。五十年経ってみたら遷都していたよということでよいのではないか。

――国会等移転調査会では、まずそういった側面の調査をしようということですね。

非常にしがない見方をしてしまうと、三年間土地の調査をして、三年目から着工して、十年目に工事が終わるなんて思ってしまうと、何か納得できない。遷都論というのは、調査すると結論が出るというよりは、建設が終わってもなおかつ調査している、というテーマではないですかね。

そういう意味でも遷都論というのは、五全総でどう処理するか大変です。何かの方向性は出さないとまずいでしょう。

国土庁の懇談会で報告書を出したのですけれども、その報告書の一番のポイントは、「遷都論は国土庁の仕事ではない」ということを明快にしていることです。だから、これはもっと次元の高いところで審議してほしいというのが国土庁懇談会の最後の結論です。それで今度調査法ができて、それで調査会というから、国土庁から見れば、そのためにできたと思っているわけです。ところが、法律を見ると、必ずしもそう思っていない。

——問題は、その調査会でどういう方々が議論するか。先ほどのブレーン論ではありませんけれども。

国会議員と学識経験者ですね。調査会では二十一世紀の新しい日本を語り、新しい首都のイメージを描いてみなければならないと思っています。

▽——国会等移転調査会　一九九二年十二月に制定された国会等の移転に関する法律には、移転の範囲や移転先の選定基準等について調査審議するための機関として、総理府に国会等移転調査会を設置することが規定されており、この調査会は下河辺を含む衆議院議員八名、参議院議員六名、学識経験者十八名の委員で構成されている。

9

社会資本論

――「社会資本」という言葉は戦後生まれたものですけれども、実は明治以来ずっと、この社会資本の整備はわが国にとって最大の課題だったわけです。まず明治・大正については第一章で国土政策との関連で述べていますので、ここでは主に、戦後の社会資本整備についてお話いただきたいと思いますけれども、戦後の日本列島というのは、明治以降戦前までの社会資本を元手にして復興に入るわけです。そういう意味で、戦後復興に大きな役割を果たすことになる、戦前までに蓄積された社会資本について振り返るとしたら、どういう評価でしょうか。

戦前までの社会資本の評価

明治の最初のころの近代国家をつくるということでやった社会資本とか、あるいはその時にやらなくとも考えられたプランは、二十世紀の日本を決定的に決めたという気がします。東京一極集中になる必然性も、もうその時の考え方に基礎がある。

高度成長してからの社会資本というのは未来のためであって、現実のその日の経済成長のインフラにはならないのです。だから明治以来のインフラの上に経済大国の花を咲かせたといっておかしくないと思うのです。それは飛行場でいえば羽田でしかないし、港でいえば神戸と横浜、道路といえば東海道というメインストリートでしかないし、それらはすべて明治がつくったインフラです。ですから、新全総の時の発想というのは、その時の経済成長のためというよりは、将来への二十一世紀のインフラをつくりたいということだったのですけれども、なかなか国民には受け入れられなかったかもしれません。

――戦後の社会資本整備についてですが、まず一面の焼け野原をどう復興していくか。戦災復興計画から社会資本整備が始まったと考えてよろしいですね。

戦災復興期の社会資本整備

そうですね。戦災復興の一つの柱は「道路整備」なんです。この道路整備というのは、実は私は占領政策との関係で見ていく必要があると思っていました。マッカーサーが日本へ連れて来た軍隊は陸軍が中心で、しかも、その陸軍は車輛部隊なんです。だから想像もしないような車輛装備された軍隊が上陸してきたわけですけれども。その当時の日本列島は道路整備がほとんどできていなくて、トラックが走れるような道路は本当にわずかしかない時代なんです。それを司令部としては、列島全体を車輛によって管理することにしたために、道路整備を急ぐというのはGHQの至上命令なんです。

私も手伝いましたけれども、警視庁に専門家が集まって、全国の道路現況図をつくったものです。どこをどのくらいの車輛が通れるかということで徹夜作業をしました。

おもしろいのは、GHQは交通量主義、つまり交通量と道路の水準とを合わせることが道路整備の方法論だということを言ってきたわけです。それまでの日本は、当時の道路というのは第一章でも触れましたが、国家の権力の形式として決めるので、一級国道、二級国道といって、国家の重要性で決めるのです。だから極端に言えば、東京と伊勢の大神宮を結ぶことが一番であったり、軍司令部と結ぶことが重要だったりというような道路法なのです。新憲法になって初めて産業を支える道路として、新道路法ができるわけです。その過渡期でしたから、GHQが交通量主義を言ってきた時は、われわれは非常に新しい勉強をすることになるわけです。道路に一日何台通るかというような研究をしはじめた時なのです。

ところが、その当時日本には自動車がないのですね。極端に言うと、あるのは米軍の車だけですから。要するに、それをチェックすると、軍事用道路だけ急ぐという結果になっている。しかし、それが戦後の道路整備の出発点であった。それ以来日本は、交通量と道路整備という、高度成長期もその思想で貫かれていくわけで、そこで社会資本ということとつながっていくわけです。戦前は、産業と道路ではなくて国家権力と道路ですから、社会資本とは見ないわけです。公共事業でしかなかった。

――しかし、交通量主義のGHQでさえ、今日のモータリゼーションは予想だにできなかったわけですね。

全然できなかった。日本にこんなに車がふえるなんて誰も思わないわけで、ましてや、一般市民が車を持つなんていうことは考えなかったですから。

戦災復興で、もう一つの柱は「戦災都市の復興」です。これは区画整理事業によって復興するという手法が基本です。特に駅前の区画整理事業を中心にして戦災復興をしていくという方式で、あくまで鉄道の駅が中心です。自動車時代が来るとは思っていない。だから、小さい駅前広場をつくってバスが来るという程度に考え、そして商店街をつくって、そこに町の基本をつくるということで、全国の都市を一律の設計基準で復興をするわけです。一日も早く夜露をしのぐ都市にしたいと願っていましたから、これも道路と同じで、毎日のように仲間は徹夜して、地方都市の図面をチェックしたものです。

そしてそれなりには復興したのですけれども、問題になったのは、それまでは政府が生活に干渉しないということが結果として地方都市を特色あるものにしていたわけです。植わっている木から、人々の服装、お酒、町の家の形まで。それが全部焼かれて、内務省型の戦災復興都市に変わるわけです。これは人々の生活の最低保証としては緊急、応急のものとしてよかったと思うけれども、一度落ち着いてみると、地方都市の個性を全部潰してしまったのではないかと、何か苦痛を感じる点なのです。

だけど逆に言うと、京都のように焼かれていない都市の苦痛というのが一方ではあるわけです。何か古いまま老朽化してきていて立ち上がれない。立ち上がろうと思うと、何か異様な建築が建ってしまったりとかでトラブルがありますね。だから、何がいいのかわかりませんけれども。

そこへ持ってきてもう一つ困ったのは、車がこんなに増えると思わないで設計していますから、駅前が小さくてどうにもならないのです。名古屋で百メートル道路なんていうと、気違いじみているなんて言っていたのが、百メートル道路でも渋滞するような時代ですから、地方都市はもう全然動かないのです。そうすると、あわてて歩道橋なんてつくってしまうから、ますます混乱してしまって。

戦災復興の道路政策と都市政策というのは、何かやはり大変なことだったなと思います。でも、その頃はまだ社会資本という考え方はなくて、国家が戦災に対して責任を取るという形の事業ですから。いわゆる公共事業で、終戦にともなう公共事業と言っていいんでしょうね。

——道路とか戦災都市の復興と並行して、水を含めた資源開発に大きな目が向けられますね。

それは一九五二、三年頃からですね。それまでは、いま言いました戦災復興型ですけれども、五二、三年になると、少し経済政策的な意味が出てくるのです。日本の経済復興のためにはどうしたらいいかという議論があって、テーマとして出てきたのは、洪水治水対策。当時毎年のように洪水がひどかったですから。もう一つは食糧不足で、食糧増産対策。それからもう一つは、工業化を始めるためには電力ということで、水力発電。

経済復興期の社会資本整備

これら三つを河川総合開発という形の公共事業にまとめていったのが、戦災復興の次に出てきたわれわれの大きな仕事で、二十一地区ぐらいの特定総合開発地域をつくって、経済復興の基礎にしようということをやった時期が来るわけですね。北上川でも何でも、河川単位にそのことを議論した。只見川、利根川、筑後川等やったわけです。ある程度成功して、それからはあまり大きな洪水がこなくなったことも手伝って、河川管理の工事は随分進んだかもしれません。食糧増産のほうは非常にうまく進んで、灌漑用水が整って、耕地整理ができることにもなったし、水力発電ができて、戦後の工業電力を供給できたという点では成功した面が大きいと思うのです。

――道路整備でＧＨＱの交通量主義に非常に影響を受けたのと同様に、ここでもアメリカのＴＶＡ開発から影響を受けました。

ええ、ＴＶＡが非常に大きな影響を与えた。それぞれの受益者とアロケーションをしようという考え方がこの時に出てくるわけです。アロケーションという考え方が出たところは、公共事業プラス社会資本というような時代なんです。治水の方は公共事業と言うけれども、利水の方は社会資本として見ていたのでしょうね。

――建設省は、TVA方式については批判的だったわけですか。

批判的かどうかわからないけれども、公共事業は直轄事業、補助事業、単独事業の三つに分けて考えるというのが基本的な構図なのです。そのために直轄事業派が言う話と、補助事業派が言う話と、単独事業派が言う話が、いつも食い違うわけです。われわれはどこにも属していませんから、三者に対して調整的に意見をいうのだけれども、何といっても直轄事業派が強かったですね。

だから、道路行政をやると、一級国道が主であって、あとはサブの仕事のようにさえなりますし、河川でも一級河川が中心になってしまう。そこは大きな議論です。全部が国家の主権との関係ですから、経済と産業とのつながりから考えるということが、まだその当時では少なかったですね。

それが、アロケーションというようなことを通じて、農林省や通産省や運輸省が出てくると、内務省の公共事業の思想というものが経済の方向へ向いて、修正を余儀なくされる時が、このあたりから少し出てくるわけです。しかし、治水事業で見ていると、洪水をいち早く海に流して都市や農地の安定を図るということで、馬力をかけて工事をしましたので、工事の中心が河川堤防になるのです。

河川堤防主義については、いまや基本的に疑問だと言う人がいるわけです。その当時疑問なんか思う人はいなくて、命がけで堤防を急いでつくって、何とか安定させようと思ったわけです。そうしたら「万里の長城」のような堤防ができたり、堤防があるにもかかわらず洪水で壊れたりというようなトラブルが続くので、堤防主義の治水論に再検討の余地が出てきたわけです。

農地はまた減反政策というところまできてしまいましたから、命がけで水田開発したことが何であったのかというような気持ちも残ったわけです。そして人々は農地からどんどん都市へ移住してしまうわけで、土木工事だけが寂しく残ったような景色もあるわけです。それから発電所の方は、火力が中心になって水力はサブの位置づけになったでしょう。だから、この時の三大事業というのは、今日になると一体何であったのかということの一つの議論でした。

――その三大事業に石炭開発は加わりませんでしたか。

エネルギー開発は、公共事業じゃないので、ずっと外していましたけれども、石炭の開発も経済復興としてはテーマでした。けれども、これも結局は、閉山するという方向へ終わっていくわけです。だから、戦災復興があって、経済復興があってということだけれども、二つとも今日から見ると、問題を残して終わっていったわけです。

――ちょっとうかがっておきたいのですが、河川総合開発の問題が出ましたけれども、あの時期北上川の開発等の東北開発をやりましたでしょう。たしか経済企画庁の方で財前直方さんという方がおられましたが、財前さんが平貞蔵さんの「記念文集」に随分発言しておられるのですけれども、あの財前さんという方はどんな方ですか。

あの人は満州から引き揚げてきた人だと思います。われわれもちょっと一緒にいたのですけれども、非常にユニークな意見を言う人でしたが、やはり満州派だと思います。安本には、戦前からの企画院系統の人と、満州からの引き揚げ者とが両立していた時代で、財前さんも満州から帰って来た人だと思いますけれども。経済企画庁では東北開発を担当していました。

――一九五七年に新長期計画ができ、一九六〇年には国民所得倍増計画ができますけれども、か。

戦災復興、経済復興は、言ってみれば、戦後の緊急対策であったととらえていいのでしょう

戦災復興は緊急対策で応急対策だと思うのです。だけど、経済復興の方は緊急対策も半分だけれども、あとの半分は日本経済を発展させる中心的基礎的課題だと思ってやっていくわけです。傾斜生産という言葉も出てきていたわけで。

傾斜生産の一環としてこういう開発事業が進んでいくわけです。石炭を含めて出てくるわけで、「鉄」をテーマにしていくというプロセスへ入っていくわけです。所得倍増ができる頃から、もう完全に経済と産業を中心に計画を考えていくというふうに変わっていって、思想的にも、その時に初めて「資本」という概念で公共事業をつかまえるということが確立された時期なのですね。

——新長期計画と所得倍増計画が、その後の社会資本整備の骨格みたいなものをつくるわけですね。ここでは、もう高速道路、新幹線鉄道は出てきているわけですね。

出たのですけれども、運輸省や建設省から出たというよりは、意外と経済政策論者から出た。どうしてかというと、建設省の道路行政は直轄型一級国道主義なのです。そのために、有料道路は例外的なものという思想です。特定有料道路制度があったけれども、これは国土整備が間に合わない

▽——平貞蔵　一八九四年（明治二十七年）山形県に生まれ、一九七八年没の社会思想家。東京帝国大学在学中に新人会に入り、東京月島で労働運動に参加。大正期には「社会思想社」の編集にかかわり、満鉄参事もつとめている。また戦前には昭和塾を創設し、大来佐武郎氏らの経済人、政治家を育てたといわれている。戦後は科学技術庁資源調査会委員等をつとめた。

時に、観光基地などで有料道路をつくろうというイメージなのです。国土の骨格を成す高速道路というようなことについてはあまり積極性を持っていなかった。経済政策の方がむしろ高速道路の必要性を訴え出したという時期が、一九五四年あたりから出てきていました。

ガソリン税をつくって一兆円道路計画をつくった頃は、道路行政には高速道路論というのはないと言ってもいいぐらいでした。鉄道の方は国鉄派は電化、複線化であって、新幹線というようなことは技術畑のテーマでしかなかったという時代でした。

国鉄では、電化をいう時に通りが悪かったものです。国鉄の役員の大部分が石炭派なんです。だから、稲葉修三さんが国鉄の電化、複線化の提案をするというので手伝った時に、国鉄の連中からは、「余り激しく言わないでくれ」と言われたものです。

——日本ほど全国土くまなく電化されている鉄道を持っている国はないでしょうね。アメリカとかイギリスは、相変わらずディーゼル機関車が主力ですから。

その国鉄の体質の問題ですが、碇義朗さんという方が、この間『超高速の夢』という本で東海道新幹線のことをお書きになって、どうも新幹線をつくった技術陣は、もともとの鉄道技術陣ではなくて、戦後、陸軍や海軍にいてお払い箱になった技術将校が飛行機をつくったりなんかした体験から、絶対線路の上でもある程度以上のスピードが出せる。そういう技術論をやり出して、鉄道技術者の連中に冷たく見られて、「そんなはずはない、鉄道屋にしか鉄道のことはわからない」と言われて、相当ギクシャクしている中で、最終的にはああいう「こだま」ができて、という話になっていくのですけれども。

何か国鉄の持っている古さというか、体質というのは、そういう意味では二度出たという感じがするのですね。その時は技術の問題で、それから今度は経営の問題で、あれも最後は国体護持派が出て敗れていくという過程ですよね。

運輸省と随分付き合って、いつもそう思いましたね。それは飛行場についてさえ未だに保守的ですから。それは一般論として言うと、技術専門家の保守性ではないかと思うのです。自分の持っている技術の範囲で考えるというのが当然でもあるために、進歩した技術に対して許容しないという習慣はどこでも出てくるのではないでしょうか。

技術進歩と技術専門家の保守性

私が世の中に提案していつも叱られるのは、下水道技術の進歩が弱いと思っているのです。新幹線ができて高速道路ができてということからいうと、下水道は広域下水道というふうに面的に広がっただけで、技術の質的な転換がないのです。だから、極端に言うとナポレオン時代からの技術のままでしかないので、ハイテク時代におかしいのではないかという。これからも巨額な投資を要するなら下水道について、一兆円をかけて研究開発の投資をして、いままでと全く違ったシステムを開発することが優先するのではないか、というようなことを言うとするでしょう。そうすると、在来の下水道技術の人たちにしてみると驚異的な話になりますから、そういうことはあり得ないということとか、現在を急がなければいけないとかいう話になるので、それは鉄道でも道路でもみな同じだと思うのです。そのへんの技術の保守性というのは避けられないのではないでしょうか。その人が高齢化して絶えるまで技術を運んでいくというか……。

——なるほど。その世代がその技術を持っていくわけですね。

そうなのですよ。これは計画においてもひょっとするとそう言えるのかもしれない。私たちが持っているジェネレーションの技術というのは、どこかで保守的なのではないかといつも思いますけれども。

専門技術というのは、そのしがらみからなかなか逃げられないかもしれない。それは本当に石炭屋さんと電気屋さんで、国鉄をどうするかと論争したのをどこかに記録があるでしょうけれども、きっといま見たら笑い出してしまうかもわからないような議論をしていました。何しろあの頃国鉄に電気でいた人は、役員では調査役一人しかいなかったのです。その役員は何をやっているかというと、信号機の電気システムの専門家。シグナルが電気になったというので、ものすごい進歩と考えた時期の電気なんです。電気機関車なんてなると、むしろ鉄道側よりは外の技術の方から入ってくるわけです。新幹線の時も、新幹線調査会というのがやっとできた時は一歩前進したと思いましたけれども、調査会に行ってみると議論は空回りしていまして、進歩に対して整然とというのはなかなか大変だったわけです。

高度成長期の社会資本整備

――ところで所得倍増計画では、産業基盤整備のために最低限の社会資本をとりあえず整備するのだということを考えているわけですね。これは例の芳川顕正の本末論、「道路・橋梁・河川ハ本ナリ、家屋・下水ハ末ナリ」という思想が反映していて、これがまた今日まで引きずってきているのではないかというふうに思うのですが。

所得倍増計画というのは、GNPを二倍にするという形で説明されているけれども、基本的には、重厚長大型の経済国家をつくると言ってもいい。だから、そのために傾斜して政策の重点化が進んだのです。公共事業もそういった意味で社会資本化して、重化学工業化を促進する社会資本にプライオリティが高いという時代に入っていったことは確かです。

ですから、重点性というのが生活環境に対して非常に手薄になっていくという点はあったかもしれません。ちょうどその頃、基本的なテーマは重厚長大が国内資源を使わないで、輸入資源に切りかえるというところが立地の大転換の時代と遭遇するのです。だから、天然資源のあるところへ官営企業をつくった明治の工業立地が、所得倍増の時代には、基本的に輸入資源の加工基地として工業基地をつくり直すことになった。

その時に港から考えると、東京湾、伊勢湾、瀬戸内海という内海が圧倒的に優位性があったから、重化学工業にとって、太平洋ベルト地帯は条件がよかったということにつながっている。外海性の海では、重厚長大の工業基地をつくることが港として不利だという考え方が影響したと思うのです。しかも、市場と近いこともあわせて便利ですから、必然的に東京湾、伊勢湾、瀬戸内海に重化学工業基地が群立するというか、たくさんできていくという時代であったわけです。それを支えるための道路であり、都市でありということで、国土計画の実際の面というのが動いていく時代であったわけです。だからこそ、格差を是正したり、国土の均衡論を政治的には論じていくということは出てきたわけですけれども。

ただ、これもわれわれが悪戦苦闘したのは、所得倍増時代に想定していたスケールメリットの水準が桁外れに狂ったわけです。五万トンの船なんていうと夢に見るように大きかったのが、五十万トンまで出てきてしまうわけでしょう。製鉄所でもわれわれが考えたのは小さいのだけれども、最後は三千トンの高炉が何基も立ってしまうような状況でしたから。

——だから、公害も激化したのです。

公害の対策を講ずるだけの余裕がないのです。ですから、あの頃大変な思いをしてやったけれども、いまは重厚長大時代ではありません。変化の激しい中で計画を考えるというのはどれほど大変なことか、と思い知らされたような時代です。

——戦後の社会資本整備で特に見逃せないのは高速交通と、通信のネットワークが全国土に張り巡らされたことではないかと思います。かなり地域格差は解消したし、東京と地方の間が縮まりましたし。それは新全総の計画主題だったわけですけれども、一全総から四全総までの中で、その計画主題が計画どおりにいったというのは、この高速交通と通信ネットワークはもう典型的な例ですね。そういう意味でも、非常におもしろいと思うのですけれども。

いや、やはりうまくいかないんですよ。なぜかといいますと、交通・通信すべてが社会資本化したということと、「小さい政府」というような議論がつながっていますから、採算が取れないものを後回しにするという考え方になってしまうのです。そうすると、東京発という形で高速道路、鉄道、通信が始まってしまうのです。このことは、東京一極集中の道具立てにもなっている面が大きいのです。だからといって、採算の合わないところから工事しようというのは、政治家は言いますけれども、実務家の方はその度胸はないのです。そうすると、国土政策として空回りする点があるのです。ネットワークができないのですよ。だからツリーシステムというか、東京を起点とした枝葉がついてくるという形で高速化と情報化が始まってしまうということは、ちょっと苦痛に満ちているのです。
ですから、少し先行的に当面需要がなくても国土として体系的な交通通信体系ができて、ネットワークの準備ができるということを優先したらどうかというのが、国土計画の発想なんですね。だけどこれは、明治の初期なら通ったでしょうけれども、経済大国ではなかなか通らないわけです。そうすると、どうも国土管理上はあまり肯定的にわれわれがなれないでいるという点は、まだ克服できないですね。

——しかし、国土構造を随分変革しましたでしょう。

それはもちろん変わりました。戦後から見れば、われわれにすれば夢みたいな話です。四つの島が陸路でつながってしまったなんていうのは、懐疑的に思いながらやってきたことだけれども、できてみると感動的ですね。

——新全総での中核都市への三時間一日交通圏をつくるということが実現したわけでしょう。

逆に、それがまたストロー現象みたいなものをつくったという事実もありますけれども。

本四架橋三本なんていうのはどれほど無駄なことかなどの議論を重ねていったわけです。それが今世紀から来世紀にかけて完成するでしょうけれども。そういう意味では、もう断然変わったと言っていいでしょうけどね。しかし、このことを二十一世紀になってからよかったと言えるか、悪かったと言えるかは読めないですね。

——しかし、それにしても本州と四国の間に三本の橋というのは、言われたように無駄ですね。どうしてこれを阻止できなかったのですか。

（1日交流可能人口比率の推移）

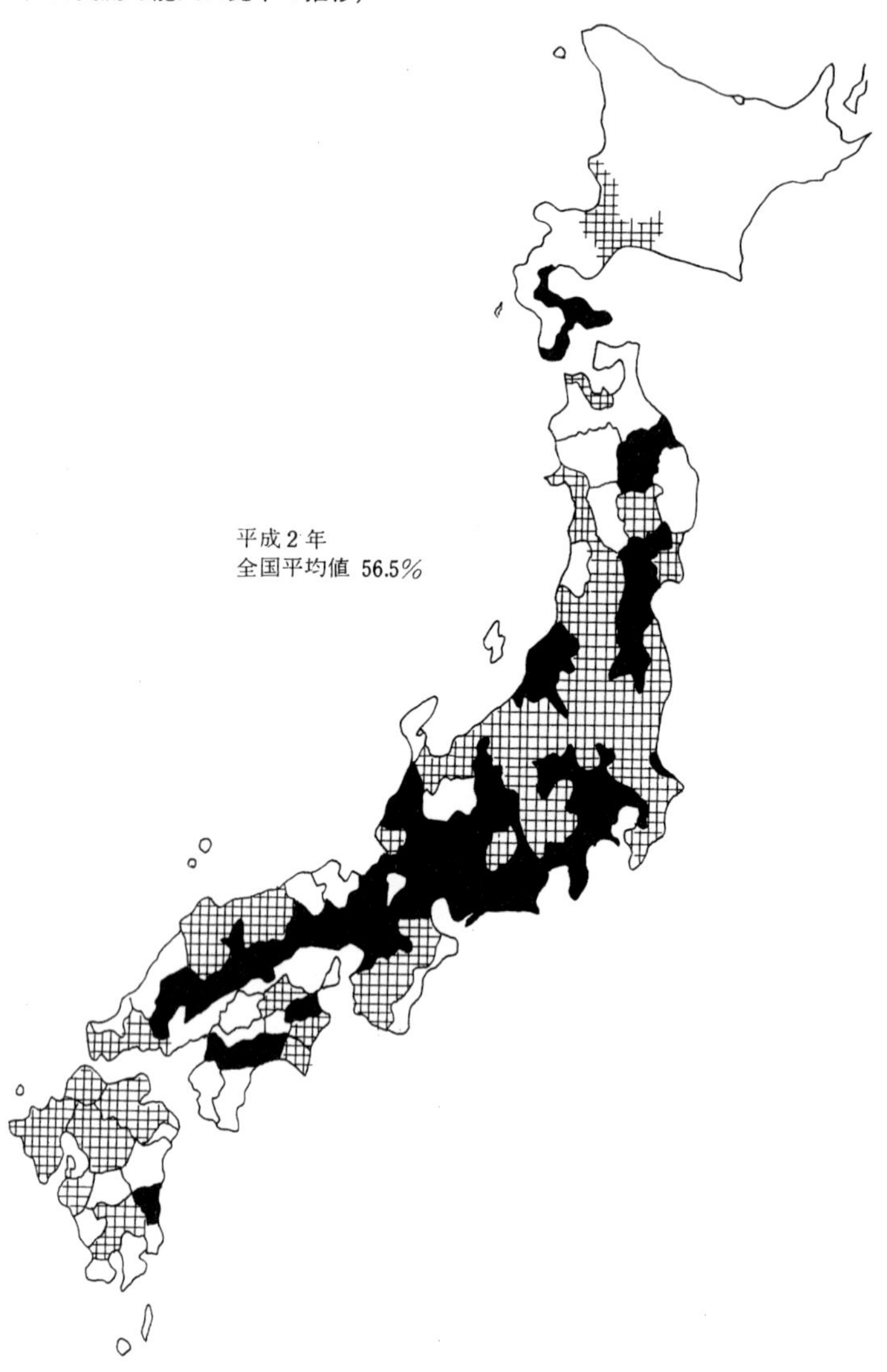

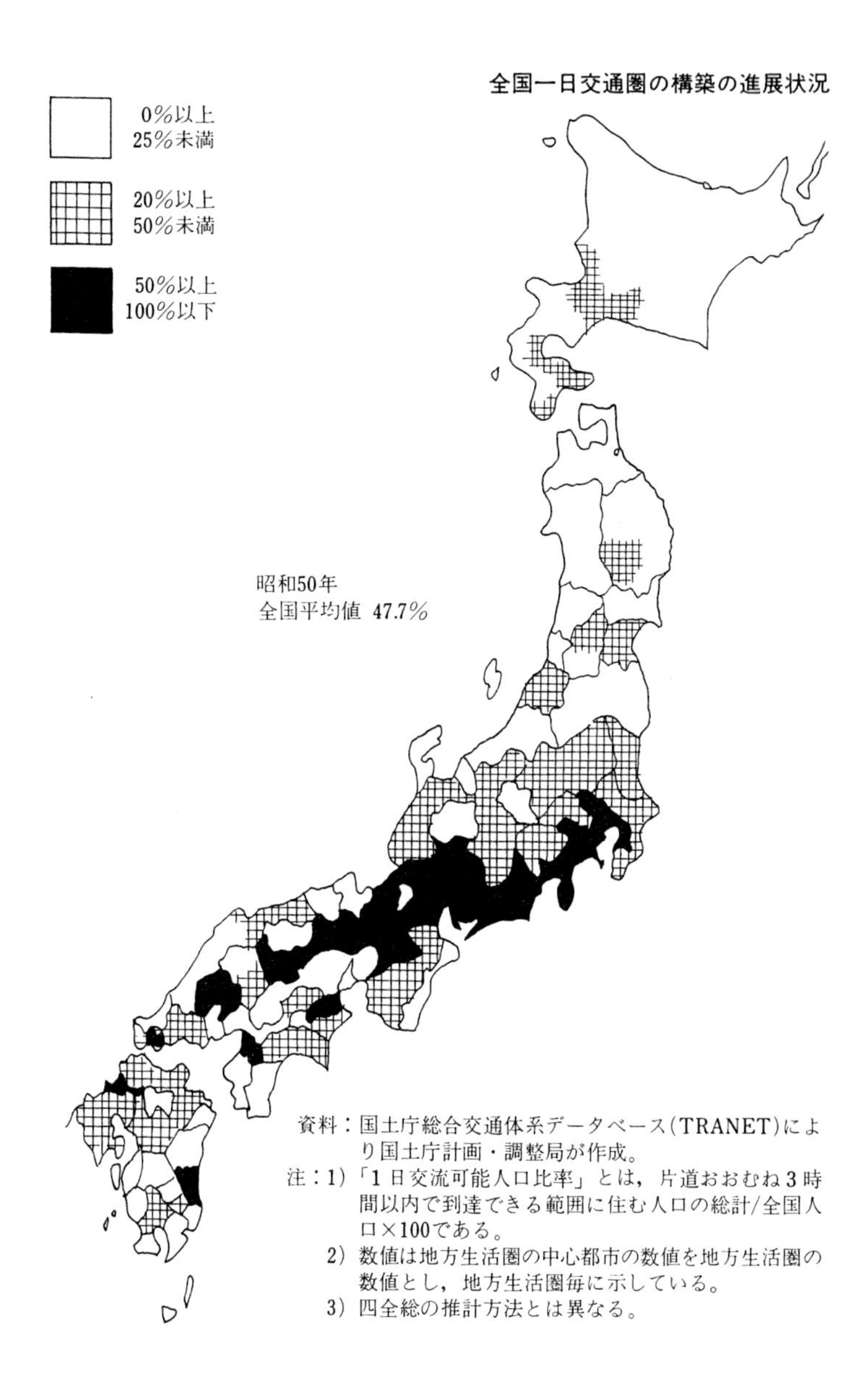

全国一日交通圏の構築の進展状況

資料：国土庁総合交通体系データベース(TRANET)により国土庁計画・調整局が作成。

注：1)「1日交流可能人口比率」とは，片道おおむね3時間以内で到達できる範囲に住む人口の総計/全国人口×100である。

2) 数値は地方生活圏の中心都市の数値を地方生活圏の数値とし，地方生活圏毎に示している。

3) 四全総の推計方法とは異なる。

利根川は二十本ぐらいかかっているんじゃないですか。瀬戸内海はちょっと太い川でしかないわけで、「関西、中国、四国、九州をつなぐ橋が三本とはお粗末な」という言い方を私なんかはするわけです。だから、紀淡海峡から豊予海峡まで交通路があっておかしくないよという感じがしているのです。ただ、経済政策的に言えば無駄じゃないかという。それはあくまでも、短期的な経済政策上の観点でしかないんじゃないかと思っていますけれども。

――第二国土軸の文書なんかには、言われたような紀淡海峡とか豊予海峡まで橋を架けて一体化すると言っていますね。

和歌山と四国は南海路といって、交通の往来はかつてあったわけです。弘法大師が高野山から四国の巡礼をした道でさえあるわけで、いろいろな歴史的なルートがあるわけです。そういうものをもう一回考えることは歴史的な意味があるなと思うのです。

「儲かったらやりましょう」なんて片づけられてしまうと、「そんなことでいいのか」という感じが残るわけですね。生活の豊かさというものは一体何なのか、ということがまだ問われているのです。

官民の役割分担

――戦後の社会資本整備を通じて、官・民の役割分担というのは適正だったのかどうなのか。特に都市とか、あるいは住宅関連については非常に曖昧なままであると思うのですね。

そうですね。戦後の新憲法のもとで住宅に公共性を認めるというのは、いま考えると当たり前のように言われているけれども、思想的には大変なことでした。

住宅というものが公共事業だという思想が確立されたのは、新憲法のもとでの一つの特色ではないでしょうか。私有財産制の中でそれを確立したわけで。それまでは厚生省が本当の弱者の救済としてだけやっていたわけです。しかし、一般の低所得者のサラリーマンに向けて公営住宅を供給するという制度が確立されて、やがて住宅公団でさらに強化するようになっていったという意味では、住宅が公共財としての位置づけを持ったということは言えるでしょうね。公営住宅については田中角栄の発言が大きかったと思いますね。

そのことが果たして、日本の不動産業に対してどういうプラス・マイナスをつくったかは、やがて議論されていいテーマかもしれません。住宅公団が供給すれば、一般の不動産業はなかなか営業が苦しかったでしょうね。民業圧迫論がよく言われるけれども、そういう感じも一方で出てくるわけです。

——住宅公団が牽引車である時に、多分そうでなかったら発達したであろう弱小の不動産業は、おそらく、取り残されていったわけですね。そして公団の方は、今度逆に行き詰まった。そうした時に、それまで弱小だった民間の不動産業は、あっという間に近代化しなくてはいけない。だから当然、その近代化された不動産業というのは、結局、裏と表と両方持たざるを得ないわけですね。

それが度重なる過剰流動性の山と遭遇しましたから、不動産業とすると、健全に発達する環境がなかなか得られなかったと言っていいと思うのです。

もう一つの民の問題として私なんかが重要視しているのは港湾事業でして、なぜかGHQは鉄道と道路のことは言ったのに、飛行場と港湾事業とはあまり言わなかったわけで、国内対策だけ議論したと言えるのかもしれません。国外との関係の深い港湾と空港をあまり取り上げませんでした。それで、港湾屋さんたちは悪戦苦闘したのです。他の公共事業と違って、工業港とか専用港ということで、民間負担の公共事業を一番先に開発したグループなんです。しかも、航路をつくる時の浚渫の砂で土地をつくって、売ることで財源を得るというようなこともやって、官と民とのつながりを港湾事業が一番持っているのです。しかも、港湾管理者というのは国がやっているのは一つもなくて、皆、地方が管理者という制度を持っているので、港湾事業は戦後の公共事業としてはちょっと特殊なテーマを持って動いている。

つまり、地方主義で、官・民の融合体としての社会資本ということを確立しているわけです。これが東京湾のウォーターフロントまでやるようなところにまで展開していったわけですよ。

それからさらに言えるのは、重厚長大の計画時代の中で、工業用地の造成とか団地造成とか、工業用水道というような、企業のインフラを公共事業が受け持つ面が出てきたわけです。ですから、大正時代には企業自らがやったことを、戦後の高度成長期には、公共がインフラをお膳立てするというようなことになって、それによって日本の経済大国の基礎ができ上がっていくと言ってもいい。しかし、これは経済摩擦から考えると、企業への補助金として問題にされるんでしょうね。

——だから、七〇年代の公共事業の伸び率は年率一〇%を超えてしまっているわけです。いずれにしても下河辺さんが口火を切って、社会資本がいかにあるべきか論じられるようになったのは、一つには、社会資本ストックが先進国としてはいかにも貧しいんじゃないか、こういうことがあると思うのです。特に生活関連社会資本の面については遅れている。

アメリカのネオケインズ主義者たちによると、社会資本ストックという外部性の存在で、一国の経済成長に非常に大きなインパクトを与えると言っているわけですけれども、そういう観点からすると、例えば、日米構造協議で、「今後十年間にわが国に四百三十兆円の公共投資をする」なんて約束をしたことは、これからの生活関連社会資本整備と同時に、経済成長にとっても非常にインパクトを与えるのではないかと思うのですけれども、その四百三十兆円の意味について、どういうふうに考えておられますか。

四百三十兆円の意味

四百三十兆円というのはマクロベースの話で、GNPが数パーセントで順調に成長していく時には、四百三十兆円ぐらいの支出をすることがGNPの支出のバランスとしては適正だろうというようなことから出てきたわけで、必要額とは違うのです。経済政策上のマクロベースの投資額ですから、私はあまり重要視していないのです。

ただ、日本の社会資本が不足であるというのは本当か、という議論を必要としていると思うのです。社会資本の不足論というのは、政府の仕組みから出てきている面が大きいのです。すべての施設の公共事業の担当課は、いかに不足かということを証明しないと、予算が大きくならないというのがテーマなのです。

▽――**日米構造協議**　日米間の貿易不均衡を是正するために、かつてのように関税や輸入制限を問題にするのではなく、両国間の制度や仕組みの構造を改めようとする協議であって、一九九〇年六月に終了した。ただ、そのフォローアップ作業は今日も続いている。日本側に求められている主要な改善要求には、今後十年間での四百三十兆円の生活関連公共投資、市街化区域内農地の宅地化促進、年収五倍で住宅取得を可能にする等がある。

それで私が建設省でそういう仕事をした時に、世界で一番遅れているという数字をつくることを思いついて作業をしたわけです。ところが、比率というのは分母と分子というものがあるわけで、分母と分子を何にするかでいかなる数字も出るのです。それで、あまり低いと担当者が無責任と叱られるわけですが、「世界的に遅れている」と言わないと予算が取れないというので、ちょっと頑張ると大丈夫だという数字を探すことになるのです。だから、二〇〇〇年ぐらいには大体国際水準なんていうことで、丼勘定をすると合うように計算するわけです。

たとえば、東京で公園が少ないというのは間違っていないのです。だけど、これは都市公園法上の公園の面積が小さいということを言っているのです。そして、公園の必要面積の分母の方は、行政区域全部をとったりすれば低くなるに決まっているわけです。ところが、皇居も緑だとか言うとお寺なんか全部緑にしてしまったりなんて言いますと、緑が世界の都市の中でも稀なほど豊かだという数字もあり得るわけです。下水道も、市町村別の面積で都市人口なんかで計算しますと、山間部が分母に入るわけですから、やたらに低くなるわけですね。そういう意味では、「普及率」という言葉は論理的には問題が残っているわけです。

ただ、必要なものは確かにいっぱいありますから、結論は間違っていないのだけれども、「あの分母と分子でつくった比率で国際比較するのは、もうそろそろやめてほしい」と、宮沢総理にも申し上げたことがあるのです。そうしたら、「もう手遅れだよ。わが国の社会資本が低いから、内需拡大には社会資本というのは世界中が言い出していて、日米構造協議も内需拡大が経済的に必要で、社会資本整備を進めるというのはもう常識になってしまって、実は……なんて言えないよ」ということで。「私はそれに反対しているわけじゃないからいいです」とは言いましたが、その種の数字を使われるたびに実はちょっと嫌なのです。

——四百三十兆円は大した額ではないとおっしゃったけれども、「四百三十兆円マイナス土地代」なんてなると、ますます大したことなくなってきますね。

そりゃあ、そうですよ。ですから、もし数パーセント成長したら四百三十兆円よりずっと大きくなると思いますね。アメリカは四百三十兆でいいと言ったのでこれで収めてありますけれども。けれども、数パーセント成長が不可能だということが一方でありますから、四百三十兆円でも大き過ぎるかもしれないという前提は持った方がいいとは思うのですが。順調なら四百三十兆円以上になってしまいますよ。

——その四百三十兆円の使い道ですけれども、わが国の社会資本がバランスが取れた形で整備されてこなかったという一つの原因に、配分率があると思うのですね、公共投資の配分。明治以来、あるいは戦後四十数年以来続いてきた従来の配分でいきますと、ますますこれはアンバランスが際立ってくるという気がしてならないのですが。

それは生活に偏り過ぎたという意味ですか。

——いや、例えば、道路とか河川とか配分率が大きいでしょう。

ただ、ここ五年というとシェアは変わっていないけれども、五十年なんてスケールで見ると、道路と河川のシェアを下げることでしかないのです。下水道は本当になきに等しかったし、公園も同様、住宅はゼロだったわけで、そういうのが非常に大きくなって、四百三十兆円の中身というのは、生活ものが基本です。そのことがいいか悪いか、そろそろ議論しなければならないと思うのです。

思い出しましたけれども、たしか昭和四十一年頃水質保全法に基づいて建設大臣と大蔵大臣に経済企画庁長官が下水道整備が立ち遅れていることを指摘し、早急に整備を急ぐ措置をとるよう勧告したことがありました。国務大臣が国務大臣に勧告することは異例なことでした。しかし両大臣合意の上で下水道整備費を大幅に増額したことがありました。

だから、遅れているから多かったというだけで、多くていいという議論とちょっと違うと思うのです。だから、本来的な公共投資のバランス論というのがそろそろ必要なのではないですかね。その時に一番困るのは、生活関連が下がると思うのです。下がると、世論は認めないのではないか。そのあたりが、公共投資のバランス論を思い切ってやることの難しさにならないでしょうか。

――高知県知事の橋本大二郎氏は、「例えば高知県では」という話をするわけです。漁港が何百とある。それが五カ年計画の積み重ねで、毎年費用をかけて漁港を整備している。しかし、翻って考えてみると、小さい漁港を整備するのは大事だろうけれども、それのお金を一度にまとめて空港でも一つつくった方が、よほど地域振興には役立つのではないかと自分は考えるが、どうしてそういうことが行えないのだろうかと。これは結局、公共投資の配分を変えるしかないのではないかと。

今後の社会資本整備のあり方

それは思想を変えることから始めなければならないんです。配分ではないのです。「生活優先」という思想を深めない限りだめだと思います。漁村に住む人たちにとっては、漁港は生活優先の表現なんです。だから、それを全部やめて飛行場をつくろうなんていう話は、世論も賛成しないのではないかと思うぐらいなので、社会資本の配分論がそのあたりで難しさがあるのです。

いま私が国土庁とか経済企画庁に言い出しているのは、四百三十兆円の配分論を縦割り施設別に議論することをやめたらいいのではないか、ということです。プロジェクトベースの議論に切りかえて、一つのプロジェクトの中に下水道もあれば住宅もあるし、道路もあるということになるのであって、地域から見ると、部品である縦割り施設で配分を考えるぐらいおかしなことはない。だから横割りの配分に直すべきだと言うのだけれど、これは各省を超えていくので、国土庁がよほど立派にならないとできないかもしれない。しかし、縦割りのままだったら、選挙をした民主主義というのは、生活優先の目先の施設整備から逃げられないのではないですかね。

――高齢社会とか、あるいは生活大国とか、そういった社会の到来に備えた社会資本整備のあり方をお尋ねしようと思っていたのですが、いま言われたことがそれに当てはまるわけですね。

そうですね。高知県の話が出たけれども、高知県で何をするのかという議論が必要で、橋本さんは高知でシンクタンクをつくったでしょう。高知県だけではなく全国的に地方のシンクタンクが相互に協力しながら活動する時代になってきています。これは縦割り行政、施設別補助金交付に対して、地域としてのまとまりのある事業の提案をすることが仕事になりつつあります。こうしてだんだんと補助金行政の改革が進むと思います。

――ここへきて、総合経済対策なんかで「新社会資本」という言葉が出てきましたね、「新」

という。例えば、学校教材用のコンピュータなんかもその中に入っているらしいのです。これは極めて曖昧な概念なんですけれども、その新社会資本について何か一言おありでしょうか。

新社会資本の意味

私は電気通信政策審議会の委員だった頃、NTTの民営化の議論というのを手伝ったのです。その時に電電公社だと、公共事業プラス民間事業というものであったのが、民営化した時に、「公共事業の部分はどうするのか」という議論が残っていたわけです。それを民営化して、NTTに責任を持たせる形で法律ができているのです。

それは民間企業として競争で、第二電電その他と競争するということであった時に、既存施設が巨大なNTTは圧倒的強さがあって競争にならないということがあって、その部分を公共事業性を背負わせるという構造なのですね。ところが、民営化した株式会社のNTTが、損することでやるのは背任行為ではないかというのは絶えず言われてしまう点です。株価だってやはり上がった方がいいでしょうから。

そこで、九一年ぐらいに私が郵政省に、「公共事業を持つべきだ」という提案をしたわけです。そして郵政省も全くそうだと言い出して、戦後初めて郵政省が公共事業の予算要求をしたのです。それで最初は夢が大きかったけれども、大蔵省の査定を経て、弱者救済型の公共事業だけほんのちょっと認められたのです。だから、穴だけ開けたという感じのものになったわけです。

ですから、そこは依然として五全総の課題でもあるのです。郵政省に公共事業を認めた時期に、クリントン大統領が出てきて、ゴア副大統領が、「通信で公共事業の内需拡大を図る」と言い出したのがまた刺激になって、郵政省としては、光ファイバーでデジタル型の情報スーパーハイウェイとしてネットワークを先行的に全国土につくろうということとか、電信電話を地下に埋設しようとかいうことで議論し出したわけです。それが新社会資本として新しいテーマになったのです。

その時に通産省も元気を出したし、研究開発ということとつなげようということになって、「土木工事から知的な技術へ」というテーマが出て、「新」という字がついたのでしょうね。

——それからもう一つの社会資本で、大学と高等学校もさることながら、小学校をたくさんつくっていって、その小学校の地域を中心にコミュニティがつくられていくという時代があって、そこからその地域が発展していくというか、地域の人たちがそこで交わるという。これも、そういう意味ではソフトの面の社会資本みたいな感じになるのですか。

ありますね。だから、われわれの都市計画を勉強した出発点のコミュニティというのは、小学校コミュニティなのです。小学校の配置ごとにコミュニティができてくるということで都市の構造を決めていくので、明治の学校基準というものがそのまま都市へ反映していったわけです。学校の規模とか教育の仕方というのがコミュニティの基礎に全部できてきましたから。尋常高等小学校というのは、町づくりには欠かせないポイントでしたね。

——とにかく、明治維新の改革で何が起きたかというと、普通ああいう改革があると、政治家で大土地所有者が出てくるものなのですね。イギリスなんかはもう伝統的に貴族はみな大土地所有者で、大きな所領を自分で経営していて国家も経営するという形です。一人の人間、何とか公爵と何とか伯爵というのが出てきて、総理大臣になって、という話になるのですけれども、日本の場合は維新の元勲と言われる人たちも、そんなに大きな土地を結局所有できないままだった。何人かもちろん農場を開いたりした人は、いまでも那須の塩原に行きますと山県農場なんてあって、山県有朋の子孫がやっていますけれども。あれも結局、山県さんの子孫がそのまま政治家になったというのではなくて、政治からは完全にリタイアして、農場だけを受け持ったという形です。そのへんのところが、イギリスなんかの場合だと必ず継いでいくわけですね。継いでいって、さらに自分の所領を大きくすることと、国家の政治に関わることがすごくパラレルに出てくる。日本の場合は、完全にそれは分かれてしまっている。だから、一人の政治家が自分の目で見て都市をどうするとか、所領をどうするとか、そういう目が育たなかった。育たなかったことがいいか悪いかは別なのですが、少なくとも日本の今日の社会資本のあり方みたいなものを決めてしまったような、つまり、雑多な人が雑多なことを考えていろいろやっているうちに何となくできてきたというふうになるのですよね。

そうですね。だから地方を見ると、学校制度でも河川の管理でも藩というものから脱却できていないのです。学校制度でも藩校というようなものがベースにどうしてもあって、藩校がしっかりしたところは、やはり明治の国営の学校でもいい学校ができているとか、治水事業でも藩時代の事業の継続をやっているのです。だから、どうも制度としては廃藩置県でも、国土計画的にいうと藩の宿題が継承されている面というのは明治に大きいですね。それで藩にこそ、そういう専門家がいたりして、一部の人が脱藩して東京をつくりましたから、東京というのがむしろ力がなくて、地方にいろいろな力があったのでしょう。

——明治がスタートした時はそうだと思いますね。

それでも鉄道なんていうのは、衆議院の本会議の席上で陳情の演説があって、鉄道大臣が感激したのでやることにしたいなんていうことがあったりして、いい時代ですよね。

——そうですね。鉄道会議の議事録を読んだことがあって、まさに鉄道が本当に社会資本の基本だったなと思うのは、鉄道会議に大体出てくる人は、陸軍、海軍、それから、それぞれの官僚の代表。後にその政党政治家になっていくような人も全部入っているのです。そこで皆で日本をどうするかという議論をしていて、どこに鉄道を敷くかという大議論が出ている。一方で日本主義者みたいなものが入っていて、「絶対鉄道なんか必要ない」という議論をし、やっさもっさの中で、最終的に鉄道をどこに敷くかというものを決めていくみたいな、雰囲気というのがやはりありますね。明治の社会資本はかなり先のことまで考えてつくったという感じにつながるような気がちょっとしました。

政治的な構図としては、明治の鉄道派が闘ったのは船舶経済で発展している地域の実力者なのですね。そして大体はその地域の実力者に敗けていくのですね。ですから、その敗けたところは鉄道が迂回していたり、建設しなかったのですね。その地域がいま疲弊しているわけです。

だから、明治政府に勝った実力地域というのが、いまは何か沈滞しているというのは、歴史としては皮肉な形になっていて、四国なんていうのは鉄道は圧倒的に遅れたし、大分とか宮崎なんかも圧倒的に遅れるわけです。国としたら、四国も東九州も鉄道をやりたかったわけですけれども、船問屋さんたちの経済力にはちょっと勝てなかったのではないでしょうかね。
東海道でも知立なんていう宿場町はとうとう断って、鉄道があそこで曲がってしまうのですね。そうすると、知立が滅びて岡崎の方が発展するとか、そういうようなことになるのは、政治の争いとしたらいっぱいあったかもしれないですね。けれども、いまは考えられないけれども、軍事都市論というのは鉄道は相当重要な配置をしていて、軍部に鉄道がないというのは考えられなかったということがあると思うのですね。

——それにしても二十世紀後半の社会資本投資は驚異的なものといえますね。

そうですね。二十世紀後半、一九八六—二〇〇〇年の間に約一千兆円を超える社会資本投資をすることになるでしょう。これはアメリカの投資水準をはるかに超えたものとなるでしょうし、日本の歴史の中でも特筆すべき社会資本整備の時代といえると思います。

10

全総計画と森林問題

——下河辺さんは「森とむらの会」をつくっておられますね。そもそも森林に関心を持たれるようになったきっかけというところから伺いたいと思うのですけれども。

国土プランナーとして一番基本的に興味を持っていたのは、木の文化ということをもっと勉強したいというのが出発点なのです。伝統的な木の文化を日本の国土にあてはめる時にどういうことが問題か、というのに興味をもったのです。そこでやっている

木の文化の視点から

うちに、木の文化というのは、日本固有のものではなくて、実は人類すべてが木の文化であって、コンクリート文化に切りかわった歴史というのは、むしろ浅いという感じがしたわけです。だから、木の文化として国土全体を見ると、つまり、森があり畑があり、沼や池があって、都市があって、というような国土の構造それ自体全体を、木の文化という角度から見直してみようという関心を持ったのが、新全総の作業の最中だったと思うのですね。

当時、すでに環境破壊が出てきた時ですけれども、私はそのダメージをどうするかという環境問題よりも、もっと根本的な問題に取り組みたいと思った時に、木の文化論をやることが意味があると考えたのが出発点ですね。木と人間との共生の関係を議論すると言えるのかもしれません。

江戸時代を見ていると、森林が自分の生活の近くにあることの意味がとても大きかったわけです。それは薪や炭を使うわけだし、建物も木だし、ましてや船とか桶とか樽とかいうものがすべて木であって、都市が成立したのは木の使い方によってようやくできたといっても、人類としてはいいのではないかと思うのです。だから、木がない国土計画というのは考えられなかったと思うのです。しかも、その木材を供給する距離には限界があって、ある地域性を持って木が供給されて、かつ、

その木が利用されて、その都市が成立するというような構造を議論しようとしたのです。

——少なくとも、戦前までは都市と森林との距離は短くて、木の文化がありましたからね。

この床はどこどこの杉とか、この柱はどこどこの檜とか。

特にお寺というものが大きな木造建築を持つ代表なわけでしょうけれども、お寺は境内に必ず杉・檜を管理しているのですね。山の中のお寺が遠くから巨木を運ぶということは不可能ではないけれども、経済的には大変ですから、建て直すまでに次の木が成長していることを期待しているのだと思うのです。だから五十年とか百年持つ建築物をつくって、建てかえる時には周辺の木が育っているというようなことですから、仏教の思想というのは、そういう木の文化の循環についてある思想を持っていたのだろう、そういうものを日本人が体得して生きていたと思うのです。

——いずれにしても、森林というのは、これからの国土計画で大きなキーワードではないかと思うのです。といいますのも、森林の面積というのは国土の七割近く占めるわけですから、非常に大きい面積なわけです。

ところが、少なくとも、いまお話に出た新全総で森林のことも触れていますが、三全総ぐらいまでは国土計画の中で、森林というのは正当に位置づけられてこなかったのではないかという気がするのですが。確かに戦後復興の時は、荒れ果てた山を回復させようということで、拡大、人工造林政策が取られまして、かなり積極的に森林と取り組んだ時期もあったわけですけれども。

そうだと思いますけれども、まともにとは言えない程度には毎回取り上げていて、一全総の時は大造林、植林ということが大テーマで、戦争中の空白を埋めようという努力は歴史的な規模のものだと思います。その第一次全総計画時代の林業が、二〇〇〇年前後で非常に大きな成果をあげることは確実だと思います。

一全総から四全総までの取組み

新全総になると、森というものが日本人から遠のいていくのですね。薪や炭を使う人がいなくなったから、薪炭林が要らないとか、プラスチック材が出てくるとか、木材も外材に頼るし、コンクリートアパートになるから木が要らないとか、木というものと人間の関係が、最初に私が興味を持ったような形では崩壊してしまっている時の仕事なのですね。

その時に新全総が一番議論したのは利水論なのです。水が必要だということと森林との関係を論じているのです。いわば、水資源涵養林です。それからあわせて国土保全。新全総としては、そういう見方をしていたと言ってもいいんじゃないか。その時やはり木の文化が近代化して形骸化してしまったことと裏腹に、新全総ができているというふうに見るわけです。

ところが三全総になると、定住圏ということで、江戸時代の藩制時代の人と水との関係で森を見るということに切りかえていったわけです。だから、流域の全生活との関係から森を見るということを提案した形が三全総なんです。ところが、計画はつくったけれども実態としては成功しませんでした。それは地域の人たちの森や水からの気持ちの離れというのは、われわれの想像以上でした。だから、流域でもって森を管理しようという話はみな素晴らしいと言うけれども、行動に結びつけていかないということで、三全総が終わるわけです。

四全総のレベルになるとどうやったかというと、定住圏型の流域構想をもう一度言う元気がありませんでしたね。しかし文化として見るというところまで成熟してきたために、再び都市から上流の森を見ようという意見が出てきたと思うのです。国土保全として触れている程度だけれども、森を文化財として見るという見方が四全総にちょっと出たかもしれません。

その四全総が出た頃から森林法が改正になって、森林を所有者別の管理から、流域別に管理することに変えたのです。しかし、これも現実にはなかなか容易ではなくて、林業というものが水系に依存しないで道路に依存しているわけです。そのために水系型の森林管理が、言うべくしてそんなに簡単でないのです。そのために流域型の広域管理というか、広域化したということは確かなのだけれども、流域化ではない要素があるために、まだまだこれからという仕事なので、一全総から四全総まで続いた森の管理論を五全総で完成させてみたいということで、いま議論しはじめたというプロセスです。

――先ほど、森林法の改正で森林の管理を所有者別ではなくて流域別にとらえるように言われましたが、一口に森林といっても国有林と民有林、あるいは天然林と人工林という分け方もありますけれども、国土計画の観点から言うと、それぞれ問題点があるわけですけれども、何が一番大きな問題だというふうにお考えになりますか。

林業経営の問題

国土計画ということよりも、林業経営上の問題にどうしても引きずられてしまうわけで、国内ではとにかくいま市場が不安定で、かつ相場が安くて外材に価格が押されているために林業経営が苦しい。苦しいからどうしてくれるか、という話にどうしてもなっていく。特にその中で国有林が一番経営的に赤字を生み出す構造になっているので、それをどう改善するかということの方が、国土管理上の森林として議論する前に、経営問題を片づけないとどうしようもないところがあるのではないでしょうか。

しかし、私から見ると逆であって、国土管理上の何か一つビジョンを持つことから経営の改善策をつくらないと駄目なのではないかと思うのですけれども。

——要するに、一番の問題というのは、林業では食べられなくなったということですね。これはそもそも戦後の木材需要が大きくて、木材価格が非常に高い時代に外材を輸入しようということで、一九六一年に外材の輸入自由化が決まるわけです。外材元年と言われているのですね、この年は。それ以降ずっと外材が怒濤のように入ってきて、逆に今度は国内の木材価格は外材に太刀打ちできなくなってしまったわけです。それで年々林業は衰退していっているということですが、国土政策の観点から言うと、この外材の輸入自由化は非常にまずかったのではないかと思うのです。

例えば、新全総の総点検でも、「森林というのは超長期的に見なければならない」という言葉を使っているわけですが、その観点からすると、輸入自由化は余りにも目前のことにとらわれすぎたのではないかと思うのです。

それは一つの側面として言えるのですけれども、その当時われわれが心配したのは、コンクリートジャングル化を避けようとしたということもあるのです。やはり木の文化を継続することへの執着心があって、住宅も木造住宅一戸建ということがテーマなのです。マンションでコンクリートというような構想では、その当時は全然ないのです。

小学校でも、ラワン材が入らなかったら木造校舎はできなかったと思うのです。ですから、外材によって初めて六〇年代、七〇年代の日本の建築がどうやらやれていた。それがやがてツーバイフォーという形で、木の文化というよりは、むしろ部材として外材が入ってくるという事態にまで行くという系列があって、それを否定してしまうという感じには、ちょっと議論にならないと思うのです。

——それで新全総へきて、主要計画課題の中に、森林を取りあげているわけですけれども、そこでは「森林の計画的培養」という言葉を使っているのですね。これはもちろん水資源の涵養という意味もありますけれども、木材資源の培養という側面が非常に強かった。それで、いずれ二〇〇〇年には外材に太刀打ちできるような森林をつくりたいということであったわけですか。

そうですね。けれども、戦後の造林で二十一世紀初頭に復活していくという非常に緩やかな長期のスパンというのが、山にいる個人生活のリズムとあわなくなるのです。だから、山は健全化の方向に向いても、人の生活の方はちょっと苦しい状態に陥るでしょう。だから、いま山を下りる人が多くて、年寄りだけが残った時に、蓄積から見ると、二十一世紀にある蓄積量ができることはわかっていても、それをどういうふうに林業として成立させるかというところは、別の工夫をしないといけませんね。依然として輸入材の方が合理的で安いということさえあり得ますよね。

——確かに山は残っても、山で働く人がいなくなったらもう森林は駄目になるわけですが。

例えば新全総で、「山村の日常生活環境整備」なんていうことを取り上げています。これは言ってみれば、山村で働く人たちの定住をねらったものなのでしょうね。

そうですね。山村の定住とは何かという議論を随分しました。例えば、通勤型林業はあり得るか。つまり、山の人たちを里に下ろして、仕事の時だけ車で山へ入るというように切りかえることが是か否かと。そうまでしないと、なかなか村が経営できないところまで来ています。まず最初に小学校の統廃合から議論しはじめて、そしてスクールバスまでいったけれども、それさえも難しくなるという事態になっています。だから、学校教育が成り立たないという村の子供たちを考えた時に、やはり親と一緒に町場へ下りてきていい教育を受けるべきだ、というものは一つの意見だろうと思うのです。けれども、山の人たちは、日常住んでいなくて森は管理できないという思想はどうしてもあるでしょうからね。

山村定住化の条件

――新全総の山村の日常生活環境整備では、山村生活センターとかつくったはずなのですが。にもかかわらず、どんどん山を下りていくというのは……。

基本的には教育だと思うのです。小学校が成り立たないこともありますけれども、高等学校に行かない子供って考えられないと思うのです。そうすると、山を下りる以外にどうにもならない。山にいる親たちにしてみると、自分たちはいいけれども子供は高等学校ぐらいにはやりたい、そして優秀だったら大学にまで行かせたいと思って不思議はないわけです。だから、教育と山との関係が一番私にはテーマなのです。山にいても高等教育ができる、ハイテクを利用してやれるかという議論になるかもしれません。山村生活センターも高齢者の養老介護型のものとなってしまいます。

——たしかに日本の場合高学歴化が他の国より進んでいますから、大きな問題ですね。

結局は、年寄りだけが残っていくので、山が高齢化のために経営できないところが出てきて。ですから、それに対抗して、ものすごいハイレベルなビジョンというのも現実に議論になり始めたのです。それは、病院も学校も商店もなくて暮らせる山村の住宅論。全部電話とかテレビとかマルチメディアを活用して、病院の機能からショッピング、銀行、学校の機能までやっていこうという。ハイテク的には可能性が出てきているわけです。その時は高齢者の林業ではなく高学歴の若い世代の人たちの林業のイメージなのです。そして、現実には山へ入ってコンピュータで林業をやりたいというような人が、少数出てはきたのです。

——全総計画が、森林は単なる木材の供給源としてではなく、多角的な視点から取り込むようになったのは三全総からですね。森林の持つ水資源涵養とか、国土保全とか、自然環境としての保全とか、いろいろな視点から森林をとらえようとしていますね。第一次産業としての森林を論じるよりも、もっと幅広い視野から森林を見て、その中で同時に第一次産業として成り立つような林業を模索していこうという、そのへんの意図みたいなものを。

都市からのアプローチ

まさにそうなのですけれども、三全総以降われわれがねらったのは、都市化した人々がもう一度、森林にどういう思いを抱くかというテーマにしたかったのです。これまでは、山の人とか林業関係者がもっぱら心配して議論していたのを、それでは十分な力にならないということで、都市の側から森林を見るということをやりたかったのです。過去においては都市の側が森を必要としていた。薪炭も必要だし木材もそうでした。それがいまやガソリンや電気にかわって、薪炭もいらなければ、家も鉄筋だとなると、周りに森がある必要を感じないのです。水道だって、どこの森から来ているかなんて関係なくて、蛇口をひねれば水が出るというような構造でしょう。

それを実はそうではなくて、人間というのは森と共生しないとだめなんだよということを、いろいろな角度で議論したかったわけです。その時にまず森林浴がいいよとか、森を散歩するといいよとか、森林学校をつくるといいよとか、手短なことから始まって、本来的な森と人間の共生論にいこうというので、林野庁や環境庁も張り切って始めた。

——森と都市の関係論というのは、つまり川上、川下論ですね。三全総の頃から、水源地の水道料の方が東京の水道料より高いのはおかしいのではないか、あるいはまた、森林に関わる費用を川下で一部負担すべきなのではないか、というような議論も起こりました。

そうですね。ただ、おもしろいなと思うのは、情緒として森を見ていたというのは、日本の森の文化の一つとして大きいのです。人間がつくった檜の森とか杉の森というのは「美林」と称して、林業的にもいいけれども、見た目の美しさというものを非常に評価しています。だから、緑という認識よりは、檜なんか見ると薄墨のような色彩感覚だろうし、雑木林だと、やはり錦絵のような美しさで紅葉を楽しみます。その美的感覚というのは、「緑」ということでくくられないようなもっと深いものがあると思うのです。そういうものを忘れてしまった都会の人間にもう一回接してもらいたい、というような文学的な気分というものもちょっとあって、言い出したわけです。

だから、高木文雄さんと「森とむらの会」をつくった時の最大のテーマは、都会の人と森との関係を復活させることを重要視して、メンバーにはできるだけ都会の人たちに入ってほしいという形で始めたのです。

——先ほど森林法改正の話が出まして、そこで水系別の森林管理を打ち出したということですが、そもそも水系、流域という発想で国土管理、国土計画を考えるのは、この三全総の発想でしたよね。ところが、下河辺さんのお話だと、いまや森林というのは水系にではなくて道路に依存しているのだから、水系別というのはどうなのかという疑問符をつけておられましたが、何か森林法の改正についても疑問符がついてしまいますね、これだと。

若干ついてしまいますね。確かに、昔のように木材を輸送する手段に河川を利用していた時は水系型なのでしょうけれども、トラックで輸送するとなると、河川に沿うよりは等高線に沿った道路の方が合理的であることは当然なわけで、道路という概念と水系という概念は直角に交わってしまうわけです。そこらへんは具体的にはいろいろな議論になるけれども。ただ、生態系として見ると、水系主義を貫いておかないと管理できないだろうとは言えると思います。

——それで四全総になりますと、国土計画における森林の位置づけはさらに幅広くなってくるわけです。例えば、「国民的資産」という言葉が出てきます。国民参加の森林づくりの必要性を提言しているのですね。ここで「国民」という言葉が出てきたのには何かわけがあるのですか。

国民的資産の意味

基本思想として森は国民の共有の文化財であるという認識だと思うのです。そこで、都市人口七千～八千万人が森を管理するというシステムをつくりたいと思ったわけです。

具体的に出てきたのは、国民森林基金をつくって、この基金によって管理しようという議論と、都市に住む七千～八千万人の中から山を管理するボランティアを求めたい、というようなことを言った時期があるのです。そのへんが国民という言葉とつながっていったとは思うのです。

国民一人千円としても千二百億の基金ができるから、それでやろうと言ったわけです。けれども、いまは「緑と水の森林基金」として一応つくりましたけれども、全く小さな基金で終わっています。ただ、神奈川県のように県自体でやるという動きも出てきていますから、何も中央だけでなく、各県やったらいいのではないかと思ったりもします。

――国有林野だけで二兆何千億円かの累積債務がありますね。もう国の手には負えない。だから、国民の負担に仰ぐしかないという意味で、国民的資産である。国民参加の森林づくりしか残されていないことを強調したのではないかという見方もあると思うのです。

臨調で土光さんと国営企業の民営化の議論をした時があるのです。土光さんはＮＴＴとか、日本たばこ、ＪＲ。さんざん議論して最後に私に、「民営化の一番基本的テーマは森林だよ」と言いまして……。たばこや鉄道はともかく、森だけは人間にとってなくてはならない。したがって、国有林の赤字をどうするかは臨調の究極のテーマだと。

私に、ＮＴＴやＪＲや日本たばこはともかく動いてきたのだから、森林をきちんとやってくれと言われたのが、土光さんが私に仕事を言った最後だったですけど。

――日本興業銀行の中山素平さんが、国有林野の民営分割論というものを文書で出しましたけれども、その元は、土光さんにあるわけですか。

そうです。ただ、中山さんの案には私はあまり賛成ではないのです。それは何かと言ったら、先ほどの公共事業論と同じで、森林を社会資本として見たり、経済財として見て経営を健全化しようという案だからです。

私はそうではなくて、所有を超えた国民資産として、公共財、文化財としての管理の論理ができないかということで、中山さんの案と本質的なところで違うのです。

ところが、国有林の労働組合の思想というのは、今度はまた森よりも労働する人々の救済策の方へ行ってしまうのです。そうすると、また違うのです。それは、いまいる林業労働者たちが生活できなくては困るというのはよくわかりますし、その策を講じたらいいと思うけれども、そのことは国民の森林資産、公共財の論理とは本質的には違ったテーマで、どうも三派に分かれていると私は思っていまして、この論争を詰めなければならないのです。

——これからの一番大きな議論になるでしょうね。

なると思います。河川とか森とか、国土にとっての公共財をどのような論理で考えていくかは、

▽——緑と水の森林基金　一九八六年三月に高木文雄氏や下河辺が参加した「二十一世紀の森林づくり委員会」は国民一人ひとりが森林づくりに参加する緑づくり運動を国民的運動として推進することを提唱している㈳国土緑化推進委員会「二十一世紀へ——国民参加の森林づくりを」)。それを受けて、わが国の森林問題を都市住民を含む国民的課題としてとらえ、二十一世紀へ向けての運動推進の基金として、八九年三月に二百億円目標の「緑と水の森林基金」が㈳国土緑化推進機構に設置された。この基金の発足にあたっては、関係行政機関の協力についての閣議了解が行われ、寄付金の免税措置等の特典もある。

経済主義に陥り過ぎてしまうと、きっとだめと思うのです。

——いずれにしても、森林は一人前に木が育つまで百年かかるわけで、だから、新全総の総点検作業や三全総でも、「超長期的視点の必要性」を言っていると思うのです。

一方、いまの中山さんの主張とか、あるいは林野庁にしてみると、国有林については目の前の累積債務の解消が先に立つわけです。あるいは民有林でいえば、木材価格をどうするかということに目がいってしまって、国土政策としての森林というものと、国土政策の対象としての問題がありますね。

JRの民営化の時に議論したのは、赤字を棚上げして、そしてJRを全国的に分割して、採算が取れる企業に健全化しようという考え方ですから、その会社が経営的に不能な鉄道は廃止するということとバランスさせていって、いまある意味では、成功しているのかもしれません。

しかし、森の場合に、不採算性の森は潰してほかの代替というようにできないわけです。しかも、採算が悪いからやらないかといったら、そんなことはないということになりますから、NTTとかJRとか日本たばことは少し違った、経済財でない公共財としての意味をここでは議論しなければいけないので、公共財としての公共事業論と、社会資本論とのつなぎが、森林について一番端的に出てくるテーマなのです。しかも、時間がかかる。だから土光さんが「臨調の最後は森林だ」というのは名言だと思います。

全然別の話ですが、中国が「社会主義市場経済」という言葉を使ったことについての論争が要るように思うのです。「市場経済」の頭に「社会主義」という言葉がいいかどうか別として、公共性ということを市場経済がどうこなすかという議論をした方がいいと思うのです。

中国人に聞くと、社会主義市場経済という時の社会主義的な特色を、資産の集団所有制に求めるのです。資産の私有財産性を可能な限り小さくして、基本的なものは共有財として議論しようというのが社会主義と言っているのです。その時に土地についても共有性ということを基本にしていると言っているのですけれども、私は日本の場合に、森林というのが基本的に共有という議論をする必要があるのではないかと思っていまして、そのために、財産相続でも何でも共有財としての特色のもとでいいのではないかという気さえするのです。そのあたりは、法制論的にはおもしろいテーマです。何しろ国土の七〇%の土地の管理ですから、国土管理としてみると基本的なテーマです。

——いずれにしても、森林というものを二十一世紀の子孫にどういう形で残していったらいいかというのは大きな課題だと思うのです。それは林業、自然保護、それぞれ立場は違いますけれども、共通して言えるのは、先ほど下河辺さんが言われた木の文化といいますか、わが国固有の文化としてどう引き継ぐかということにかかっているのではないかと思うのですね。

そうですね。ただ、私が先に言った木の文化というのはかなり部分的な話で、都市の環境の中での木の文化論を言っているに留めた形ですけれども……。

本質的には、人間の全生活と森林の関係論をやりたいと思っていたところが、最近鹿児島県の知事に誘われて、屋久島の勉強をしはじめたのです。結果的には屋久島は、世界遺産条約に登録されるところまでいきましたが、屋久島の生態系と人間との関係を一回きちんと論じてみようということとにしたわけです。一千年、七千年というような屋久杉と人間との交流がどうであったかなんていう歴史を勉強したり、今日の状況で島の人がどうやって食べられるかとか、島として総合的に人間と自然の環境を論じて、その中での森の位置づけを議論しはじめたのです。これはモデル的な研究であって、そこから何かの成果が出てくると、国土管理に関する一つの考え方が、あるいは出てくるのかもしれません。屋久島というのは二千メートル級の山もある、生態系としたら実に複雑でおもしろい島ですから。屋久島を通じて、人と海と森の共生を考えてみたいのです。

——地球的規模で言いますと、熱帯林はいずれ、破壊し尽くされるのではないかと言われています。シベリアや北米、カナダの森林は過剰伐採。それから欧州の森は酸性雨で非常にダメージを受けている。いろいろ問題を抱えているけれども、日本の森林の問題は、結局人手にかかっているわけです。ということを考えると、例えば、中学校とか高校の教育を通じて、年に何週間か森林に入るというようなカリキュラムをつくって、徴兵制度ではありませんけれども、森林に携わる義務的時間というものを課して、そういう教育を通じて森林の人手を解消すると同時に、森林文化に目を向かせるというような試みがあってもいいのではないか、と思うのですけれども。

人手がないのは

ただ私なんかは、やり方次第で楽観的だと思うのは、日本の林業というのは、林業就業者が十何万人かでしょう。だから、十万人の新しい若い林業労働者をつくろうということを本格的に考えた時に、公募したらいっぱい来るのではないか。東京にいて、もういやになっている青年というのはいますから。だから、いまや六千五百万人の労働者の中から十万人林業に移動するなんていう話は知恵の問題であって、人材がいないなんていう話にはならないと思っているのです。

だから、林業に携わってどういう生きがいがあるか、どういう生活環境が保証されるかということの方が先であって、十万人のオーダーで人を集めることは、募集の魅力の問題でしかないんじゃないでしょうか。いまや山は悲惨だと言いながら募集したって行く人はいないと思うのです。だから、新しいビジョンを描くべきだと思うのです。

——そのビジョンというものを描いてみてください。

だから、「新しい山」というテーマで明るいビジョンを描くのが、五全総にとっては最大のテーマで、やる気のある若い林業経営者を激励することを考えなければならないという気はしているのです。

人生五十歳時代と人生八十歳時代とで基本的に森が違ったと言っていまして、先祖が植えた木を現在使って、子孫のために木を植えるのが人生五十歳の哲学なのです。ところが、人生八十歳の時代になると、小学校の時に植えた木が、自分の還暦の時に木材になるという長さなんです。だから、小学校の二～三年の低学年に全部自分の木を植えさせるということを小学校の教育にして、還暦が来るまで自分の植えた木を観察し続ける、そして還暦の時に切って自分の家の木材にしていくとい

▼——世界遺産条約　各国政府が保護すべき文化財や自然をリストアップして、国際的な監視体制をしくことで破壊から守るためにユネスコ総会で採択された「世界の文化遺産および自然遺産の保護に関する条約」。わが国では文化遺産として法隆寺と姫路城、自然遺産として屋久島と白神山地が登録されている。

うようなことがあると、人間と森との関係がちょっと違って見えてくるのではないかという議論もしているのです。田舎の小学校なんかそれをやったらいいのではないかと思うし、東京でも林野庁が八王子あたりの国有林でやってみたらいいと思います。

――東京都も、五月に「東京都民の森」というのをつくってボランティアを募集するそうですけれども、何か事前の問い合わせがすごいそうですね。

いっぱいきますよ。ただ、専門的に言うと、林野庁が顰出すほど面倒見が大変なのです。一本一本丁寧に指導しないとすぐ枯れてしまうような植え方をされてしまう。都会の人にそういう知識が皆無の状態なのです。ただ、時間をかけて教育していけば大丈夫とは思うのですけれども。

――要するに、国民と森林の間の距離を縮めようという。そういう意味で、林野庁の森林都市構想なんていうのは、どういうふうにご覧になりますか。

生態系を生かす小都市論

森林都市構想は、国有林をどう使うかということと、巨大都市が緑を失ったというこことドッキングさせて、国有林の中に小さなエコポリスをつくろうというテーマです。だから、それは大いにやったらどうかと私は思っていますが、急ぎすぎると、森の専門家と都市の専門家と不動産業の専門家がドッキングし、結果としては、あまり好ましいことにならない危険があるのです。だから、行動しながら討論とかいうことに少し時間をかけた方がいいと思う。何か国有林の中に従来の建売り型の別荘地帯ができたような結果になったのでは、趣旨にあわないですから。

だけど、いまや二十一世紀は巨大都市の時代ではないということは結論づけたいと思っていまして、小都市が中心の国土管理が基本的にあって、その小都市論というのは生態系が生きていなければ意味がないわけです。それをエコポリスと称してやりたいと思っているのです。林野庁も一役買いたいと。だけど、エコポリスという小都市をつくる技術は、これまでの都市建設技術とはちょっと違うのです。

いままでこの分野に関する日本の大学は、土木工学と農業土木工学、造園工学とに分かれて、三つが別の体系で進歩してきている。そして農業土木は、生態系と土木技術をドッキングしたという意味でおもしろいのですけれども、これが農業経済とドッキングしすぎてしまうと、生態系が軽視されてしまう。都会の土木事業はどんどん自然から離れていってしまうというので、生態系と土木事業のドッキングした技術論を研究開発することが基本的なテーマです。

――いずれにしても、森林をどう守るかというよりは、どう活用するか。その中で林業をどうやって食べられるようにするかは、やはり最大のテーマですね、これから。

▽――エコポリス　一九八五年つくばで開催された人間・居住・環境をテーマとする万博のシンポジウムで初めて各国間でエコポリス論が論じられた。それ以降、環境問題への対応策として各省庁で打ち出されるようになった。たとえば、環境庁は八九年からエコポリス計画を都道府県および政令指定都市を対象に提案している。その内容は都市のシステムを自然の生態系にある自立的安定的循環的な仕組みに近づけようとするもので、地域の環境負荷を軽減するための地域冷暖房、ごみ発電等のハード面の整備やリサイクル活動等の環境にやさしいライフスタイルの形成等のソフト面の整備が求められている。また、九二年に建設省がエコシティ（環境共生都市）を提案している。

だから重要なのは、森があることで人が生きていくということと、その逆の森が、人がいないと生きていかれないということと、相互関係にあるという議論をする必要があると思うのです。極端な自然保護論者は、人間が手を入れてはいけないという人までいますから。

――いま、土木工学と農業土木の話がありましたけれども、これからの森林のあり方というものは、これまでの林学というカテゴリーの中では対処できないテーマですね。これは、先ほどの社会資本論についても、アカデミズムの分野で社会資本論をまともに論じられるべースがないわけでしょう。法学とか政治学と経済学とか、縦割りの中で。例えば、慶応の竹中平蔵さんみたいにやっておられる方もいるけれども、何かアカデミズムの硬直化を何とかしないと、どうにもならないような気がいたしますね。

林学が、林業を支える論理にいき過ぎてしまうということは、大きな疑問があるところです。林学自体が人間と森林の関係を論ずるべき学問であってほしいという気がするのです。その中にもちろん林業という要素は一部あるでしょうけれども。

――先ほど話が出ましたけれども、いまは人生八十年だから、若い時に植えたのが還暦の時に伐採できると。昔、イギリスの貴族というのは、苗木を必ず子供に植えさせて、それで言い聞かせるのは、この苗木が本当に立派な木になって、いまこの城のここから見ているランドスケープが、実はこういう具合にかわるのだよという絵を見せてやって、だけどその時おまえはいないのだ。その時はおまえの何代か後の人がそれを見ることになる。けれども、こういう素晴らしいランドスケープをつくるために、必ず小さな苗木を植えていこうという教育をするという。だから、本当に何世代か後のために考えて苗木を植えるという行為が、それがやはり森や林を大事にするという発想とつながっているという部分があると思うのです。それを、ある種の感動を持って聞いたことがあります。

そういう長いタイムスパンのことを、いま一度考える時期にきたのかなという感じと、それから逆に、生活時間というのは急速に短縮されて、おそらく、二十一世紀の国土計画というのは、ハイテクの粋を集めた部分のところと、そうした長い時間、自分の時には実現しないというものをどう絡ませるかというのが、最大の課題なのではないかというのをちょっといま思いました。

その時に、われわれは公共事業というのは、長期の論理で支えられたいと思っていて、短期の経済に振り回されることは計画としてはよくないと思っているのです。短期の経済とそれをあわせるのは、投資を調達する時にだけ必要な論理だと思っているのです。しかし、もう一歩離れて考えると、英国もそうだし、日本もそうだし、いろいろな歴史がそうだけれども、歴史に興と亡があった時に、興の時は長期化するけれども、亡の時は短期化するという歴史的な必然性があって、人間はそれを繰り返すのではないか。だから、イギリスが興の時代で大英帝国に誇りを持っていた時には、非常に長期の教育が実っているけれども、最近のように亡の時代に入ると、すべてが短期化するという。

この日本の歴史の中で、七~八世紀の国土から見た成長期と、十五~十六世紀と十九世紀、二十世紀という時に、国土建設期の展開があるのですね。そして、そのあと文化・芸術が花を咲かせるのです。つまり、その日の豊かさというのがテーマになって、ひょっとすると二十一世紀というのは、豊かさと文化の中に日本人が埋没していくかもしれないという気もしているのです。

ですから、長期的な社会資本論というか、公業事業論から見ると、また違った面というのが短期、長期論としてあるかもしれません。

——そういう意味でも、森林の話というのはなかなかおもしろいと思います。

そうですね。森林で議論すると、ものを見るスパンが違ってきますから、議論しやすくなるという点はあるかもしれません。

11

第五次全総計画にむけて

1　計画行政のあり方

――最後に前に触れなかった国土計画のあり方、計画行政のあり方についてお話いただきたいのです。行政計画の中で、全総計画、つまり、国土計画ほど時代にあった特色をつかまえながら、連続性を持った計画はないのではないか。そこで改めて、計画期間について触れていただきたいと思います。

計画には、三～五年という短期的なもの、あるいは十年くらいを目途とした中期的なもの、三十年から五十年、あるいは百年を考えた超長期的なもの、いろいろ考えられるわけです。公共事業は、ほぼ五カ年計画ですけれども、国土計画の場合のほぼ十年というタームはどのへんから生まれたのでしょうか。

理想の計画期間　本来的に、都市計画でも、国土の土地利用計画でも、時間の観念というのがなかったと思うのです。空間計画と位置づけていたんです。それを時間の要素と組み合わせるとなったのは、戦後の経済復興の時と、国民所得倍増計画の手伝いとしての国土を考える時に、経済の時間軸とドッキングしたというのがあるわけです。そのために、五カ年というと、国土や都市に投資する規模と経済成長とをバランスさせるという時間的経済軸と、空間的な国土軸とを調整する仕事として出てきたのが現実だと思う。

だけど、いかにも五年では短過ぎるということで、所得倍増計画がたまたま十年だったんで国土計画がドッキングしやすかったけれども、あとは、経済がほとんど五カ年計画であるために、本当のところは空間軸との接点があまりにも短過ぎて話し合いが難しいのです。

国土計画になると、二十年から五十年というのが標準ではないかと思っているので、その長さに耐える空間計画論をどうやってやるかというのが、国土計画に課せられた仕事になってきていると思うんです。

ただ、二十年、五十年という計画期間を設定する際に、「二十一世紀は」とか、「百年後」とか、「五百年後」ということも、思想の中にはあるのです。だから、五年、十年という経済の時間軸との調整と、空間としての二十年、五十年の問題と、長期の未来像は百年から五百年、場合によると、千年というようなテーマと三段階になっていて、都市計画とか、国土計画の中心的テーマは二十年から五十年あたりを狙うべきものではないか。そういう意味では、五年、十年の考え方と、二十年、五十年の考え方とは、根本的に違った思想体系を持たざるを得ないと思っているのです。

——最近、都道府県の中では二十五年ぐらいを見通して基本計画をつくり、その下に五年ごとの実施計画をつくって、それを積み重ねていくという計画のあり方を取りつつあるところもありますが、今度の五全総では、計画期間というのはやはり十年タームなんでしょうか。それとも、二十年タームでしょうか。

やっぱり二十年から三十年タームではないでしょうか。それで五十年を見通して作成する方が、個人的にはいいと思っているんです。それは、五年、十年でやる経済は、余りにも未来が不安定過ぎて、その不安定の上に計画をつくると、朝令暮改的に計画を変えなくてはいけないという欠陥が、非常に大きくなるのではないかと思っているのです。あまり経済の激変に影響を受けない空間という議論をした方がいいと思っているのです。

——計画期間と内容というのは、非常に密接な関連があります。期間によっては内容もまた異なってくるわけですから、あえて期間というものをお伺いしたのですが。といいますのも、内容に関して、戦後の計画行政そのものについての疑問がちらほら出てきている気がしてならないので、五全総を策定するタイミングは、計画行政のあり方そのものを考え直すいい機会ではないかと。

そうですね。五全総を新しくつくるにあたっては、計画論それ自体も議論をした方がいいですね。計画というものに「上からの強制的な権力」としての計画の斉合性というものを、一方では期待する面があるわけですが、他方では危険を伴うのです。それとは反対に「下からの住民参加」によって計画がつくられていくということは、国土にとっては極めて重要な方式なんです。ところが、これは一つのコンセンサスが得られるかどうかというあたりが問題になります。結局は、上から、下からということで考えることにはなりづらくて、上からも下からもということを計画の策定段階で繰り返すことにあるのではないかと思うんです。

新全総の時には、十三次計画ぐらいで閣議決定したわけで、五全総でも修正を繰り返すという度胸がないと、いい計画はできないかもしれません。

——いま各省庁でいろいろな公共事業の五カ年計画を持っているわけですが、それと全総計画の関連についてお伺いしたい。

閣議決定に係る社会資本整備長期計画一覧表

(平成5年5月現在)

計 画 名	根 拠 法	計画期間(年度)	計画規模(億円)	閣議決定
第11次道路整備五箇年計画	道路整備緊急措置法	H5～H9	760,000	5. 5. 28
第3次急傾斜地崩壊対策事業五箇年計画	—	H5～H9	11,500	5. 5. 28
第4次土地改良長期計画	土地改良法*	H5～H14	410,000	5. 4. 9
第8次治山事業五箇年計画	治山治水緊急措置法	H4～H8	27,600	4. 9. 1
第8次治水事業五箇年計画	〃	H4～H8	175,000	4. 9. 1
森林整備事業計画	森林法	H4～H8	39,000	4. 4. 14
第5次都市公園等整備五箇年計画	都市公園等整備緊急措置法	H3～H7	50,000	3. 11. 29
第7次下水道整備五箇年計画	下水道整備緊急措置法	H3～H7	165,000	3. 11. 29
第7次廃棄物処理施設整備計画	廃棄物処理施設整備緊急措置法	H3～H7	28,300	3. 11. 29
第5次海岸事業五箇年計画	—	H3～H7	13,000	3. 11. 29
第8次港湾整備五箇年計画	港湾整備緊急措置法	H3～H7	57,000	3. 11. 29
第6次空港整備五箇年計画	—	H3～H7	31,900	3. 11. 29
第5次特定交通安全施設等整備事業五箇年計画	交通安全施設等整備事業に関する緊急措置法	H3～H7	20,150	3. 11. 29
第六期住宅建設五箇年計画	住宅建設計画法	H3～H7	730万戸(うち公的資金370万戸)	3. 3. 8
第8次漁港整備長期計画	漁港法*	S63～H5	24,100	63. 2. 12(国会承認63. 3. 31)
第3次沿岸漁場整備開発計画	沿岸漁場整備開発法*	S63～H5	4,800	63. 3. 29

注：根拠法欄の*は，法律上期間を明示していないもの。
　　国土資料による。

公共事業の五カ年計画はなぜ必要であったかというと、公共投資は、「多々ますます弁ず」という言葉が言われたように、総花的に、「多々ますます弁ずればよりよくなる」という考え方が背後にあるわけです。ただ、それでは投資効率が悪くなるということで、「投資規模の枠をつくった中で」ということにしようとなったのが、公共投資五カ年計画をつくった最初の動機だと思うのです。

これは五カ年でしかありませんから、二十年、五十年の計画をつくろうという時には、五カ年の公共事業の枠に拘束されない方がいい。むしろ、長期計画ができたら、そのうちの最初の五カ年はどのくらいやるかという議論で関係すると思うのです。

それからもう一つの公共事業五カ年計画の考え方の背後には、簡単に言うと、ミニマム概念というものが基本にあって、ミニマムを整えることに主眼があった時に、五カ年計画で、どの程度の整備水準を整えるのかという意味は大きかったと思うのです。しかし、今日になると、一つ一つの公共事業のミニマム概念ではなくて、地域として総合した時の組み合わせ方にむしろ特色が出てくるというふうに思うと、公共投資五カ年計画で国土の地域の特性を生かす考え方とは少し違ってくるかもしれないとは思うのです。

公共事業と国土計画

さらに、五カ年計画で国家プロジェクトとして新幹線なり、高速道路なり、大規模な公共投資を着工するかしないかを決めるという要素もあるわけですけれども、本来的には、もっと上位計画で決めて、着工が決まった上で「この五カ年はどのくらい投資する」と決めるべきでしょうから、国土計画とか、都市計画は、公共投資五カ年計画との関係では非常に密接でありながら、国土計画は実は完全に上位的な性格を持っていて、五カ年計画というのは財源対策的な実施手法であるというふうに、私は思っているのです。

——従来、そのように進められてきたとお感じになっていますか。

先立つものはお金だから、五カ年でお金を決めることが、むしろ、現実に対して意味が大きくて、二十年、五十年の話というのは、日本人にとっては、何か空想的なものとしてしか受け取られない要素さえあったでしょう。

公共投資五カ年計画というのは、担当した部局がつくった五カ年分の事業計画を全部集計してみて、日本経済の中でどういうふうに収めるかという、揺さぶりをかける作業をするわけです。だから、平等にやろうとすると、出てきたのは全部同じ率で下げればいいというような話にもなるし、いま現在、悪口として聞かれるのは、シェアが変わらないということになっていますね。

だけど、公共投資が伸びない時は、シェアがあまり狂わない方が、皆が幸せだということもあるけれども、最近のように、経済対策ともあわせて公共投資が増えるとなると、何に重点を置いて増やすかという政策論がどうしても必要になります。それはひょっとすると、個別の公共投資五カ年計画では議論できなくて、国土計画という土俵の中で、もっと議論を詰めていいテーマではないでしょうか。

——それからお伺いしたいのは、全総計画の上位法ともいうべき国土総合開発法という法律の概念が、新全総計画以降、実際の国土計画と乖離してきているという指摘があるわけです。つまり、法律と計画がずれてきてしまっている。このあたりは今後どうあるべきかということとです。

法整備と体制づくり

時代の政策テーマと関連させながら、第一次から四次まで、とにかく、悪戦苦闘しながらここまできたという伝統は、続けてもらいたいという気がするんです。だから、法律の内容いかんにかかわらず、日本としては空間軸の国土計画を今後も繰り返しつくっていったらいい、ということを前提として思うのです。それをつなごうとする時にどうしたらいいかというと、国土総合開発法を全面改正しなければだめということも確かだし、場合によると、国土庁という行政体をどのように再編していくか、ということにもなっていくわけです。

ですから、計画をつくるだけではなくて、計画を継続的につくっていく時の法令の整備は絶対に必要でしょうね。国会においても、国土総合開発計画についての審議は、建設委員会では私は少し限界を感じてきていて、もっと国政として総合的な土俵で論争すべき政治的課題ではないだろうか。

国土総合開発法は、いずれにしても、近いうちに全面改正すべきだし、それをやると、一九七四年にできた国土庁の設置法もきちんと見直すべき時がくるので、五全総は、その問題と絡んでくると思うのです。私は五全総の方向が出た上で、その方向に合うように改正をした方がいいという気はしているんです。

――ところで、通産省の工業再配置政策とか、農水省の食糧政策とか、あるいは最近では九二年に「地方拠点都市法」ができました。最近、指定が行われたわけですが、そういう各省庁のさまざまな施策と重なり合うのですが、そういう施策の関連と同時に、さまざまな地域開発関連法制度がありますでしょう。例えば、山村振興法とか、過疎法とか、これらとの関連はどういうふうに考えたらいいのでしょうか。

戦後にできたたくさんの地域開発関連立法を、今日的な形で見直して、再編成しようという提案はいつでも出てくるのです。ところが、それはあまり成功していないのです。

考えてみると、基本法である国土総合開発法の改正もしないのに、細部の法律をいじるということがいかがなものか、親法をきちんと直すというところに手が届かなければどうにもならないという気は、一方ではするわけです。

しかし、他方では、たくさんの地域立法というのは、大部分が議員立法なんです。このことをどう見るかという議論もしなければならないと思うのです。地域を代表して、国会が立法することは決して悪いことではないわけで、これからも地域に関する法律が、議員立法で出てくることに私なんかは賛成なんです。それだけの力が日本の議会にもっとあっていいという気はするわけです。それが発達すると、実は過去に自分たちがつくった議員立法をどういうふうに処理するかということにもなってくると思うのです。

そういう考え方が、本来は理想ではないかと私は思っているのですけれども。ただ、現実には、いまある戦後の地域立法の大部分は、その使命が終わっているものが多いのに、財政とか金融とか

▽──地方拠点都市法　東京一極集中の是正と地域活性化の推進を目的に一九九二年に公布された「地方拠点都市地域の整備及び産業業務施設の再配置に関する法律」であって、三大都市圏以外の地方圏の主要都市と周辺市町村を地方拠点都市地域に指定し、その地域を対象に道路、住宅、通信設備等を重点整備する制度。これまで全国で四十四地域が拠点都市地域として指定されている。

税制的な優遇措置が残っているために、継続しなければいけないものがかなり多いと思うのです。

私は、それらを一括処理できないかという気がしていましてね。何らかの形で部分的に継承するけれども、立法それ自体は終わっていくというようなやり方がないだろうかと。また地方自治の制度とあわせた議員立法の集大成みたいなことを努力してみることは、無駄ではないなという気はしていますけどね。

これは、一市町村一億円という「ふるさと創生論」をやった時の根拠の一つでもあるんです。一つの市町村がたくさんの法律に絡んでいて、何をどうやっているんだかよくわからないという悪口さえあるわけです。それらを少し整理統合できたらいいんじゃないかと思います。

——国総法の改正と関連して、国土庁の再編を考えなければならないと言われましたけれども、これは森林問題の章でお尋ねすべきでしたが、例えば、いま森林の半分以上を占める国有林を所管している林野庁が、林野行政という形でやっているわけです。これもまた、一方的な行政になりましたね。やっぱり国土庁とか環境庁も森林行政に携わらなければ、なかなか森林の整備なんて進むはずはないのであって、三庁合併なんていうのは、早く行われてしかるべきではないかと考えるんですけれども、そのへんはどうお考えになりますか。

国土庁設置法ができた時に、林野庁と環境庁と国土庁を一体のもとでつくろうという議論が出たことがあるのです。結局、環境庁も林野庁もあまり賛成ではなくてできなかったですけれども、現在になると、林野庁と環境庁の中でも、国有林と国立公園の部局が提携すべき事業はいっぱい出てきたと思います。

しかし、残念ながら、国土庁でそういうものを扱う部署はどこかというと、土地だから土地局かとなっても中途半端で、地方振興局というテーマでもないし、まして大都市圏局でもない。そうすると、計画・調整局かとなると、計調局はもうちょっとマクロ的なものだとなって空回りしちゃうんです。

だから、国土庁の組織も、五全総に向けての体制をつくるというような議論をしなければならないでしょうね。今年、国土庁は創設二十周年です。二十周年記念というのは、そのへんにメリハリ付ける年ではないかと、後輩には言っているんです。

――都道府県や市町村計画との関連についてですが、自治体計画は、国土計画のフレームの中で立てられ、展開されるのが好ましいのかどうなのか。全総計画との関係についてどうお考えになりますか。

国土計画と自治体計画の関係

国土総合開発法ができた時に、全国計画は経済企画庁で、都道府県計画は建設省でと任務分担を決めたために、経企庁がつくった全国計画を建設省に渡すと、建設省はその計画を基本にして、四十七都道府県計画を指導する立場に立ったのです。

私も、建設省の立場でやったことがあるのですが、そのことは前に述べました（四九ページ以下）。ところが、新全総になった頃から、各都道府県はもう建設省との関係を完全に捨てて、経企庁と直接やり出すわけです。最初のうちは、それでもやっぱり中央に対する陳情的な要素が大きくて、地域の特色という感じではなかったんです。

それが三全総の頃になると、各県独自の特性を出そうと骨を折るんです。ところが、四全総になったら、そのキーワードが四十七都道府県ほとんど同じになるということになって。潤いとか、豊かさとか、快適さとか、美しさとか、人にやさしい、地球にやさしいとか二十か三十のキーワードで説明できてしまう。

だから、五全総の時には、何とか全国計画と地域の都道府県計画は、次の段階に持っていきたいんです。極端に言うと、対立するポイントみたいなことがテーマになってもいいのじゃないかと。そこは日本の風土の中で、宿題でしかないかもしれません。都道府県計画との関係は、ずうっと付き合ってきたけれども大変でしたね。特に「地方の時代」ということが革新首長のテーマになった時は七〇年代で、当時の県計画は国の計画とは違うということを随分言ったんだけれども、結果として、やはりつながりを見せないと決まらなかった。

——都道府県それぞれに地域ごとの総合計画ないし長期計画があるのに、その上、なぜ全国総合開発計画かという議論もあるんじゃないかと思いますね。地域計画の二重構造、三重構造といいますか、果たして有効なのかどうなのか。

二つの点で出てきているのは、一つは、土地利用の総合性が必要だという考え方。土地を利用するのは行政であったり、企業、市民であったりと、利用する主体は複数化するのだから、その総合性を土地利用計画としてきちんとした方がよいという考え方はオーソドックスにあって、その土地利用計画の基本を示すべき全国総合開発計画が必要だという思想は、いまでも生きているかもしれないわけです。

もう一つの発想は、国家が国土に対してプロジェクトを持つことは当然なので、都道府県や個人が持つものではなくて、国家がやるべきものを明快に国民に示す義務があるという点で、国土計画を考えようというものです。

だから、土地利用の総合性からくるものと、国家プロジェクトをはっきりさせるということと、二つの目的はいまだにあるとは思うのです。

——つまり、いま言われたことに先進国では稀な全国的な国土計画を立てて、それを展開している必然性があると。

その稀に見るところについて言うと、国家プロジェクトだけであれば、ほかのアメリカでもフランスでもやるわけです。日本はコンプレヘンシブというところがユニークなんです。これは一全総からいつも空回りしてきた点なんです。

一番無責任なのは、ナショナルプロジェクトを言わずに、市民の希望したものを美しく書き並べると、評判だけいいという計画になるんです。それは国土計画としては避けるべきかもしれません。何しろ計画というのは、行政側からは迷惑施設をオーソライズするのが基本的テーマなんです。皆が喜ぶものについてまでごちゃごちゃ言うことはないわけです。だから、都市でいえば、ごみをどうするとか、交通でいえば、幹線道路を入れるとか、国際空港をつくるとか、ニュータウンをつくるとか。裏返すと、迷惑施設を説得するための計画と言えないことはないのです。

——そこで伺いたいのは、すでに何度か触れておられる「計画の意図と結果」ということです。つまり、国土計画は実際に可能なことだけをまとめるだけでは計画とは言わない。できないかもしれないことに挑戦するから、国土計画なんだということですが。

そうです。計画というのは意図でしかないのです。それで現実にはいろいろな利害関係もあれば、住民の人たちもいるわけだから、計画どおりいくとはプランナーは思っていない。だけども、なぜ、そういう計画をつくったかという意図だけはよくわかってほしいということはありますね。いままで自分の経験としては、意図どおりの結果が生まれるなんて、むしろないですよね。時代も違ってしまうわけですし。

計画の意図と結果

だから、「意図と結果」というのはプランナーにとってはいつでもテーマで、四六時中自分の意図に対して結果がどうなってきているかという勉強を怠るとだめなんです。どんどん総点検して、調査をして、意図を修正していく努力を繰り返すわけです。だから、いつでも失敗だったんじゃないかと言われると、失敗を否定する気にはならない。しかし、意図と結果が違ったことで、こちらがおじけてしまうと、新たな意図が生まれてこない。

——下河辺さんはこれまで、四次にわたるすべての全総計画にタッチされているわけですけど、ここはこうあるべきだった、あそこはこうした方がよかったのではないかという思いが、そして、当初の意図が、例えば、時の政治権力によってかえさせられたこともあったのではないかと思います。そういうところを振り返って、あるべき国土計画とは何かを絶えず追求してこられたのではないかと思いますが。

現在の心境を聞かれれば、正直に言って、意図と結果の繰り返しにもっと真剣であることを続けることだという気がします。意図がいい結果を生むということが保証されると考えるのは、少し甘いかもしれません。真剣に意図を考えれば考えるほど現実には難しさがあって、思うような結果が得られない苦しさを絶えず身に感じている必要があるのではないでしょうか。これは環境問題でも、いつでもそう思います。

人間にとって、そう簡単に答えが出せない問題に、計画というのはある意図を持って決定していかなくてはいけない宿命にあるわけですから。生まれかわったら評論家側に立ちたいと思いますね。

——下河辺さんにとって、国土計画の理想といいますか、あるべき国土計画はどういうイメージでしょうか。

非常に傲慢な言い方をすると、意図した時に理解されずに、むしろ、非難を受けながら、百年後に過去を振り返って人々が褒め称えてくれたら嬉しいという精神構造にあると思うのです。だから、私なんかは、法隆寺だとか、いろいろなお城を見たりする時に、すぐに尊敬の念をおぼえるのです。「こういうものを意図した連中というのは、やはりすごいんじゃないか」と。

近年のことを言えば、横浜とか、神戸の街をみても、やっぱりすごい先輩だとかね。歴史の中に、われわれの先輩の尊敬すべきものを見つけるわけです。東京の緑も、緑を生かしてきた先輩たちがいっぱいいるんです。そういうふうになりたいと思うけれども、どうなりますか。

——国土計画のあり方というのは、プランナーのあり方ということにも通じるんじゃないかと思うんです。翻って、一全総以来四全総まで見てきますと、プランナー自体がかなり変質してきているんじゃないかということが、計画の内容から伺えると思うんですね。例えば、計画そのものは、主張から調整へ、より色彩を強めてきている。

非常に嫌な言葉で言うと、プランナーの意図をはっきり出すことを最近では怖がるようになったんです。だから、調整といっても、意図を持って厳しく調整するというよりも、足して二で割るとか、談合とか、玉虫色とか、そういう言葉の方がふさわしいものに陥りがちなんです。

だから四全総は、各地方なり、各専門家から出てきたもののカタログ集だと、悪口言ったことがあるんです。いろいろな人の意見を非常によく整理してはありますけれど。だけど、それではどこにプランナーの意図があるのかというと、「多極分散型」という言葉の中に、その思いを埋め込もうとしたわけでしょうけれども、中身はというと、「いろいろご覧ください」というような話になっていますね。計画というのは、全員が賛成するようなことを目標にしたら、余り成り立たないでしょうね。

――プランナーの役割について、さらに補足的に、もう少しストレートにおっしゃっていただければありがたいのですが。

政府の動きを見ていると、国土計画のプランナーを育てるという意思がないと思うんです。人事的に管理されていて、建設省の人、大蔵省の人、通産省の人、農水省の人、運輸省の人ができて、たまたま国土庁へ出向してきて、二、三年手伝ってくださるというので、細分化された専門性のところでは国土庁が進歩するわけですけれども、それらを一緒にした国土計画のプランナーが育つような体制にあるかというと、いまは否定的ですよ。

私たちの時代は、各省庁に冷飯を食ったグループがいたように思うのです。私なんかもそうで、建設省で建築を出たなんていうと、土木や法律や経済を出た人とは違った扱いといってもいいかもしれない。しかも、土木の一部で、やっぱり地域に関係した人たちは、そう恵まれてなかったということがあって、逆に勉強したといってもいい。しかし、この頃はそうではなくなって、みな、各省庁のトップレベルが自分の個別の専門を持って国土庁へ来ますから、そういう特色になったのですね。

それで一九七九年から、国土庁自身の職員採用を始めましたから、いま十四、五年ですか。だから、二十一世紀にならないと、その連中がプランナーとして育たないんです。だから、私個人は、そのプロパーの連中が本格的な国土開発のプランナーに育つことを期待していて、そのグループのトレーニングをどうやるかというのに最大の興味を持っているんです。

そのことは、計画期間の時に話したように、空間に対して専門家ということは、経済の知識も必要だけれども、政治学とか、社会学とかも相当勉強してもらわなければ困るということもあって、本格的には、これから国土計画のプランナーといえる人を育てる時代なんじゃないでしょうか。六全総段階にならないと、専門家はできないと思います。

――いまの中央省庁の縦割りシステムの中で、国土を全体的な視野で見ることのできるプランナーは育ち得るでしょうか。

環境よりも、個人の素質だと思っているんです。新しい専門家をつくるといっても、いい環境があたえられるはずはないわけですから。だから、プロパーとして採用した職員の中で、やっぱり人材が出てくることへの期待は持っているんです。

同時に思うことは、私の時代はプランナーが信念だとかに頼っている面が多くて、科学性とか、計画性という点では問題を残しているんです。だから、五全総で間にあえばいいんですけれども、六全総で専門的プランナーができると同時に、国土に対する科学的な学問体系が必要だろうと思っているのです。

まずは、国土情報のデータベースができて、それを処理するノウハウを持つ時期がきていいんじゃないか。だから、私の時代と違って、プランナーが、そういうデータベースのシミュレーションができる能力が、要請されてくるなと思っています。いますでに、データベースを少しずつつくりはじめていますけれども、その構築に相当の時間と費用がかかります。だから、国土庁のプロパーをつくり上げるのと並行してやりたいテーマです。何とかして神がかったプランナーだとか言われないような、もうちょっと計画的な人間像というのを、国土計画のプランナーに求めたいと思います。そうしないと、国土の生態系の管理なんて、現実的にならないのではないでしょうか。

——お話に出た国土に対する科学的学問体系というのはどうなんでしょうか。イギリスやカナダ、アメリカ、スウェーデンなんかでは、地域計画とか環境計画とか国土計画というのは、ちゃんと一つのアカデミズムとしてあるわけですけれども、日本の場合は、帝国大学発足以来の縦割りの学部間に埋没してしまって、独立にこういう問題を研究するようになっていないわけです。大学も変わらなければならない。

環境という名前が付いた学科、学部というのはかなりできましたが、しかし、基本的な原理に遡って成果をあげているかというと、環境問題の部分に対して専門分化しはじめているんじゃないでしょうか。

もう少し人間と自然との関係が理論的なレベルで高くなってくると、国土計画を指導する力が出てくると思うんですけど。何しろ、現場と意思決定する計画との間に、学問の縦のつながりが国・地方というつながり以上に、私には重要に見えているんです。

——これまでの全総計画の策定過程を見ますと、国土庁周辺の、例えば、国土審議会の役割が非常に大きいのではないかと思います。政府全体の審議会がいまのままでいいはずはないのですけれども、特に国土審議会については、どういうふうにお考えになりますか。

審議会のあり方

政府の審議会一般に言える問題として、行政が説明すると、その説明に質問をして、多少意見を言って、そして政府側が委員からいい意見をもらったので、「ご意見を参照してつくります」と言って終わってしまうタイプが多いんです。それよりはもっと委員の積極的意見が、行政計画に対して大きな影響を与えるという審議会に変えていこう、という点では全くそのとおりです。

ただ、国土審議会でいうと、例外的なのは、衆参両院とも与野党議員が入っているのですが、行政と、立法権とを分離させるためには、審議会に代議士が入ることには否定的意見もあるんです、いつも論争になる。

かつて、臨調で議論して、審議会とか委員を整理しようという時に、できるだけ国会議員には遠慮していただこうという話が出ましたが、私としては、国土審は代議士が入ってくれた方がよいという意見を述べた経験があるんです。それはなぜかというと、国会議員を市民扱いすることは疑問だけれども、審議会で市民の発言を求める場合、誰がいいかという初歩的な議論をした時に、選挙で出てきた人たちは、広い意味で市民の代表者という理解でいいのではないかと思ったのです。主婦とか、市民といっても、委員として選ぶ時は難しさがある。だから、党の代表というよりも一地域の代表として、いろいろ議論してくださるといいとも思ったわけです。

もう一つは、与党だけではなくて、野党が国土政策に発言することの意味は大きいとも思ったわけです。だから、国総法を改正しても、審議会では代議士も入ってフリートーキングの懇談会という形ができた方がよいと思うんです。これは、ほかの政府計画よりは、少し特色があるかもしれません。

2　五全総にむけての視点

――これは、次の五全総につながることですけれども、国土計画論として、今後の国土計画にあたって必要な視点は何でしょうか。

小都市論

いま私が一番関心を持っているのは、何度も言いますが、小都市論です。日本の国土計画の中で、大都市問題はもちろんいろいろな形でやっているし、拠点都市はやっているし、まだまだ宿題があるにしても農林水産業とか、過疎山村や離島なども多少なりともやっているのですが、どうも小都市のところが空白地帯のようになっている。

小都市は、国勢調査で見ると人口衰退地域で、問題があるということになっている。関係省庁とも拠点都市論にいってしまうので、小都市をむしろ、切り捨てるような雰囲気さえ出てしまう。ところが意外なことに、小都市が活性化する自信がつけば、過疎地域に対しても、過密都市に対しても、よいインパクトを与えるのではないかと思うのです。

過疎地域が過疎のまま活性化することには難しさがあって、最寄りの小都市との関係で、もうちょっと豊かさを得るというような必要があるでしょうし、大都市も、道路の渋滞に任せっぱなしで拠点都市化するというのではなくて、小都市の素晴らしさを生かすということで、過密・過疎ともに小都市に興味を持つべきだと思っているんです。

しかも、生態系からいえば、小都市において生態系を生かしていく道が初めて見つかるわけで、拠点都市化すると、公園緑地型の議論になって、生態系の議論からどうしても離れるんじゃないかということで、小都市論に、いまは最大の関心があって、若い人たちに盲点である小都市の活性化の可能性を議論して、絶望的と言うならそれでもいい。それならそれで覚悟しなくてはいけないけれども、生きる道があるとしたら、五全総の最大のテーマかもしれないと言い出しているのは、一全総から四全総まで言わなかったポイントの最大のものなんです。

これは、二十世紀が大都市文明であるのに対して、二十一世紀は小都市時代だと言われる世界的風潮にも合致するわけで、世界中が小都市の研究を始めています。隣の中国は「小城鎮」という勉強をしはじめて、農村に小城鎮がどれだけ活性化するかということで、大都市問題も農村問題も考えていこうといっていますし、アメリカでは早くから都市＝アーバンではなくて「パーク」という言葉が出てきていて、それは小都市論なんです。日本でパークと言うと、建設省が補助金を出した公園だけをいうようになったけれども、アメリカ人のいうパークとは、自然環境を持った人間の生きる場のことです。

だから、インダストリアルパークという言葉まで出てくるわけです。ロシア人はエコポリスということを言い出していて、小さい生態系の活きた環境で、かつ知的な人間性を持ったポリスと言っているわけです。英国だったら、昔から伝統的に田園都市というのがあったわけでしょう。

そういう意味で、二十世紀の都市文明を超える二十一世紀の小都市文明というようなものを、五全総としては基本的に議論してみたらどうか。そして小都市の活性化にある見込みが立てば、国土のデザインが非常に違ってくるのではないでしょうか。

多極分散型というのは、極が少なければ少ないほど極への集中を意味していて、過疎対策に反しているんです。それが小都市が生きるとなれば、多極分散が本格的なものになるかもしれない。

——非常に即物的ですけれども、例えば、大分県の日田市とか、福島県の白河市などを訪ねると痛感しますね。そこが活性化すれば、周辺の地域の福岡への負荷が弱まるし、過疎地域にとってもプラスになります。白河でもそうです。いまは東京に偏っていますが。白河で樹立したエコポリス的な環境が整えば、何も東京へ負荷を強めることはないわけです。

それに、いまの日本人の都市論は、市民生活に必要な施設のワンセット論が中心になって、「何でも揃っているといい町」という、そしてその施設は、全部その町の市民のためという考え方が出てきたの思うのです。そうなると、「ワンセット揃うためには一定規模以上ないとだめです」という議論で小都市が滅びてきたわけです。ところが、ヨーロッパの小都市を見ていると、何にもないのに、世界に誇る美術館があるとか、オペラハウスがあるとか、大学が一つあるだけで、その地方都市が生き生きとしているわけです。

日本でも、江戸時代から明治の初期ぐらいまで、そういう都市がいっぱいあったと思います。それが都市の近代化政策のもとで、市民用施設のワンセット主義になってからスケールメリットがないと都市ではないとなったのです。東北地方でも、一つの美術館が実に素晴らしい国際的活動を始めた小都市もあるわけです。Ｊリーグの都市もあるでしょう。こういう文化的施設とか、大学とか、工場が、その地域の住民のためだけという時代ではなくて、それに関心のある人々すべてのものだという考え方から、一つの文化施設を利用する人たちは、非常に広範囲な地域からくるというような前提の議論で小都市論をやる必要があるんでしょうね。

——話は五全総に入ってきているわけですが、改めて五全総について、最後に触れていただきたいと思います。

四全総の見直し作業が始まっていまして、五全総の重要性というのは、二十世紀から二十一世紀の橋渡しになる。そういう五全総の全体的な姿はどうあるべきかとお考えになりますか。

国土軸論はどうあるべきか

日本列島全体を見た時に、一全総から今日まで考えている基本に、三千三百の市町村と、四十七の都道府県と、十のブロックという行政的な地域の構造を前提にして議論してきていると思うのです。五全総がそれを乗り越えるかどうかというのは一つのテーマになると思います。

非常に広域的なことから言うと、いまや北海道と東北は一体の「ほくとう地域」として考えた方がいいんじゃないか、関西、中国、四国、九州は、瀬戸内海経済文化圏として考えたらどうか、東京も、いまや首都圏が百キロ圏ではなくてもっと周辺の県まで広がっているので、三百キロ圏の大首都圏を考えたらどうかというように、どうも十のブロックを超えたレベルで地域を意識する必要があると思うのです。

それは、行政改革とか、政治改革とか、都道府県制にまで遡る問題であるかもしれない。これは、東京一極集中を直すために多極をつくるという拠点主義にすることではなくて、もう少し地域主義的なテーマが持てないかなということともつながって、面としての地域が連帯した形で国土軸論争をやってみようと思っているのです。

これは先ほどの小都市論が生きてくることとドッキングしていくと、非常におもしろくなると思っていまして、そのあたりは五全総作成の最初のところで少し議論が要るところではないでしょうか。

——東京一極集中解決の一つの方策として、第二国土軸というのを設定して、これを中心にして国土計画を考えるべきではないかという議論が前々からありました。とすると、例えば、具体的に遷都の問題なんかもさらに明確に位置づけていかなくてはならないということになりますね。

遷都問題はこれから議論するのですが、私は国土計画を超えたテーマだと思っているのです。新しい首都論というのは、新しい日本というイメージがつかめた時に具体的に出てくるものであって、新しい日本が読めてこないと、新しい首都論が成り立たないのです。

明治維新の時に、「脱亜入欧」や「富国強兵」、「廃藩置県」、「文明開化」とかいって、鮮やかな新しい日本へのイメージがあったでしょう。それの視点を前提にして東京論というのが出てきて、東京を江戸に置いたというのはまた違った選択であって、あの時に新しい日本の新しい首都東京をどこへ置くか、という議論があったと思います。その結果として、江戸という中に東京という首都を放り込んだという印象が私にはあるわけです。だから、都市計画としても、江戸の都市計画の上に近代的なヨーロッパタイプの東京都市計画が入り込んだ形のまま、木に竹を継いだようになっているのが東京であったと思うわけです。

今後ここで、日本という国は経済大国ではないものを考えるわけで、新しい日本がもうちょっと姿が見えてくれば、そのための新しい首都はどうするかという議論があって、そんな首都なら、続いて、東京に置くか、東京から出すかというような議論に具体的になってくると思っているんです。だけど、過密都市東京から出ることが前提で議論しているだけだと、私から見ると、あんまり新首都論になっていないという気はするので、国土計画の五全総がそれをのみ込める状態にまで新しい日本論が成熟するかしないかによると思うのです。

——いずれにしましても、われわれの社会が二十一世紀にはどうあるべきなのかという文明論的な視点ではないかと思います。そういう議論をする中で、例えば、超高齢社会にどう対応するのかとか、あるいは地球環境にどう対応するのかというのは、非常に重要だと思うのです。これをどう国土計画の中に盛り込むか。そういうことではないかと思いますが、そのへんはいかがでしょうか。

環境問題と高齢化問題と、国際化問題というのは、五全総にとってかなり大きなテーマです。特にそれに関連して、外国人がどのくらい日本に住みつくかというようなことと、それにどう対応するかというようなことまで含めて。ただ、二十一世紀に日本の人口はどこまで減るだろうか、というような予測も、国土を考える時のテーマになってきたでしょうね。

——それからやはり、地方分権を視点に入れなければならないのではないかという気がします。地方分権を求める声に対し、現に運輸省あたりは、いま二千ある許認可権限のうち、一割か二割ぐらい減らそうといっているわけです。また行革審等の声もますます大きくなって、否応なしに地方分権化するのではないかと思います。ただ、それが財源とか、行政権限の単なる地方への委譲だったら余り意味がない。その点について、下河辺さんはいまの地方分権論にはかなり疑問を持っておられるらしいですけれども。

地方分権論の前提

地方に委ねたいという方向であるというのが正確かもわからない。しかし地方は、もっと複雑な事態にあるのではないか。自分で決めるということは否定していないし、やりたいと思っているけれども、できるかどうかというと大変で、それは「制度が悪いから」というのは一つあると思うんですけど、それだけではなくて、さっき国土開発プランナーがいないという中央官庁の悩みを言いましたけれども、同じことが地方でもあるわけです。国へ聞いてきて、自分の町に適用させるという行政能力は随分出てきたけれども、自分で新たにつくるということは、そう簡単でないのです。だから、やっぱりそういう地域のリーダーをいかにつくるかという議論から始まらないと、どうもだめという気がするんです。

――国土プランナーもさることながら、地域プランナーも育てていかなければならないという人づくり論になりますね。

いままでは、国との関係が強かったから、東京のコンサルタントに頼んでしまうということが圧倒的に多いわけでしょう。だから、どこの地方の報告書を見ても、見たようなことのあるものになってしまう。地方の特色が出てこない。だけど、オリジナルなものを地元でつくるという仕事をもっと粘り強くやらなければいけないですね。

だから、私は国土プランナーをつくるための何か研修センターみたいなのが欲しいと思ったことがあるんですね。そこで卒業すると、市町村の助役というのを職業にしたらどうか。優秀な助役はスカウトされるというような市場をつくったらいいのではないかと。

――アメリカのシティプランナーですね。下河辺さんは、かつてはそういうプランナーを育てる意図で大学研究機関をつくろうと、いろいろ調査して提言されたこともありましたね。

だけれども、未だそれが進んでいない。

容易じゃないです。何か市町村の助役というのは、人事的には最初から当選した市長の政治を心配する担当者であったり、場合によると、市長と政治的には戦う相手であったりで、プロフェショナルな助役というイメージは、なかなかうまくいっていません。

かつて横浜市は、専門家をつかまえてかなりユニークな動きを持った時期がありますね。大学の教授まで務まるような助役というイメージがあると、地域は動くのではないですか。

――それから二十一世紀の国土計画とか、国土管理ビジョンは、国家と地域とか、あるいは国家と産業とかという関係以上に、例えば、国家と地球という観点が非常に必要になってくるのではないかと思います。さらなる国際化社会に向けて、日本の国土をどうつくっていこうかというときに、アジアなんていう視点は不可欠だと思われます。そのへんはどう考えますか。

国際交流と安全保障論

戦後、日本は農業土木者の役割が非常に大きくて、土地改良をしてきたわけです。しかし、これは、少し峠を超えてきたというのがあります。また、ダム建設でも、これまでのように、どこにでもという感じとは違ってきたということがありますし、海の埋め立てでも、ちょっと違ってくるでしょう。

そうすると、国土開発に協力してきた専門技術屋さんたちをどうするかという議論があるわけです。そういう専門家が鉄道も同じですけれども、海外で技術者として協力する道がいろいろあるのではないかということが出てきたわけです。

だから、日本の国土開発のテーマを生み出した専門家が、国際協力へつながっていくというのは必要なテーマなんです。それでいて、先ほどから言っているように、新しい専門家をつくるということは、海外のいろいろな協力によることも必要でしょう。国土開発の関連の技術屋というものを、国際的な土俵で、こっちが教えたり、向こうから教わったりというテーマは、どうしても出てくると思うのです。こういう交流が始まるといいので、国土庁にも国際交流の芽をつくったらどうかという議論をしているわけです。

それから交通体系的に言うと、いまや五全総というのは、国際感覚がなければできないことです。日本の鉄道が朝鮮半島を通って、シベリアを通ってヨーロッパへ行くというようなことを、日本の国土計画が意識するというような議論とか、通信でも、光ファイバーの海底ケーブルが大阪、東京、仙台から、カリフォルニア、ニューヨーク、ワシントンなんていう国際軸をつくるとか。空港でも、成田と関西空港にだけ頼らないで、ソウルとか、上海とか、台北というものを利用しながら考えていこうとかね。

それから最近出てきた話としては、長江を中国が開放したんです。だから、これまでと違って、外国船が上流へ行ける状態になった。ヨーロッパとか、アメリカは遠いからできないけれども、日本なら近いから、河川の上流へ行ける船をダイレクトに運航することが可能だとすると、特に大阪湾なんていうのは、長江上流都市と交通をつないだらどうかというようなこととか、交通的に言うと、陸海空ともに国際化に対しての対応策を議論する時がきているんです。

いままでは、昔の侵略のイメージもあって遠慮していたんだけれども、五全総の段階では、相手国とも相談して、そういうことをちゃんと言ってみたらどうかという気がします。

——いま「侵略」という言葉が出ましたけれど、五全総というのは、安全保障との関係ではどういうふうにお考えになりますか。

冷戦後から今日の状態を見ている時に、国家間の戦争に対する緊張感で安全保障を論ずるということが余りなくなってきていると、楽観的に見ています。

いま一番安全保障で問題なのは、どこの国にも内在している貧困とか、犯罪、失業というテーマではないかと思っていまして、それらを自国で十分処理できるかというと、問題が国際化していて、一国内で処理できない。これはソ連でも、アメリカでも中国でも同じだし、東南アジアでも同じです。したがって、これからの国際的な安全保障論は、国家間の武力の問題よりも国内に存在するそういう失業とか貧富の格差の拡大とか、犯罪に対する問題として理解した方がいいと思っているのです。

だから、日本の安全保障を考える時に、極東ロシアなり、朝鮮半島なり、中国なり、あるいはASEANなりが、そういった問題にどういうふうに取り組むかということと無縁ではいられない。

これに対して、非常に温かい支援、援助が必要ではないかと思うんです。この点をおろそかにすると、難民、移民がいっぱい日本へ来ることにさえなるということで無縁ではないのです。だから、周辺国の国内問題だと片付けられないというところが、安全保障の問題として議論したらいいではないか。それは「総合」という字を付けて「総合安全保障論」としてもいいかもしれません。

加えて、新全総は一九七〇年に閣議決定して、七二年に沖縄が復帰して、新全総を一部改正して、沖縄を入れたということがあるわけですが、五全総を決定する前後か同時ぐらいに、北方領土問題がどう動くかというのも関心を持たざるを得ませんね。

漁業なんかで見た時に、漁業権の国際間の争いというのはやっぱりあるわけで、それに対してもどうするかというので、本質的には、五全総は総合安全保障と無関係ではいられないのです。だけども、それをどう取りあげるかとなると、なかなか難しい。どうしても、国土総合開発法が国内法規としてできているから、外交にまで及ぶことは許されないという法律論者は必ず出てくるとは思うんです。しかし、考え方としては、無縁では通らないですね。

――安全保障というのはいろいろありますね、漁業を含めた食糧安全保障とか環境の安全保障の問題とか。

環境では、酸性雨の問題は、中国と真剣に取り組まなければならないでしょうね。日本の国土にとって大きなテーマですから。

――なかでも重要なのは、食糧ではないかと思います。例えば、米をどうするか、日本の水田をどうするかということは、国土そのもののあり方を問うことにもなるわけですから。

ただ、誤解されると困るのですけれども、農林水産業が環境論をやり出したことに私は懐疑的なんです。環境は環境の問題であって、農林水産業が環境とか、公益機能によって保護されるなんていう発想に陥るのは嫌なんです。独自に産業として生きて欲しいという気があって、いまどうも人によっては、保護産業として説明をしていると思われると嫌なんです。

米の文化
木の文化

それでは、米はどうなるかというと、江戸時代、明治から今日まで、日本人は弥生文化以降の米文化をどういうふうにつくりあげてきたか、ということを復習し直すべきだと思うのです。

簡単に言うと、日本人の明治以降の米文化というのは、軍国主義をつくる時に、徴兵制度の裏返しに、貧農の息子たちに白米を食べさせるという政策と関連があるのです。それ以来、白米主義で、ひたすら生産性の高い稲への品種改良ということに日本はなったのです。

古来、日本の米文化は何百種類という米を食べ分けていた文化なんです。簡単にいえば、塩でもなめながら稲の品種を選んで食べていれば、蛋白質から澱粉、ビタミンまで皆摂取できたという食文化。だから、小さい田んぼで猛烈に手数をかけて、ほんのちょっとしかできない米を大切にしたという文化。それが大型化、生産性向上、土地改良という方向へ行ったわけで、その明治の悲願が皮肉なことに高度成長期に達成するわけです。食いたいだけ米は食えるという時代をつくった。

そういう米文化というのは、日本の国土で議論できたら、水田に対する議論の仕方が全然違ってくると思うのです。

――戦後、木材の需要が大きくて木材価格が跳ね上がって、一九六一年に木材輸入の自由化が行われました。以降、国産材の価格はどんどん下がっていって、もはや林業は成り立ちいかなくなってしまったということが、米の輸入の問題と重なり合わせて指摘されますね。

ただ、木の文化の方も米文化と同じで、私には不満があるんです。木の文化というものは、日本の風土にあって育った木をいかにうまく使うかというところにあったのです。

だから、気象条件や、環境の違う所で育った木が、日本の国土で木造として役に立たないということを乗り越えられたのですね。ツーバイフォーなんていう形で、部材として見ていて、木として見ていないわけです。宮大工に言わせれば、森に生えている木一本が、南向きの所と、北向きの所は成長過程が違うから、家に使う時も、それを正しく使わなければ木の文化でない。

そういうような議論が、食べ物だろうが、木造住宅だろうが、みな、地域の文化としてあるはずで、それを取り戻すことが地域だと私はちょっと思い込んでいるんです。

――二十一世紀はどういう社会であるべきか。いまお話に出たような要素が前提になって五全総はつくられるわけですね。

ところで、内容もさることながら、形としては、これまでの四次にわたる全総計画の形を引き継ぐようなものになるわけですか。例えば、基本目標を掲げて、主要計画課題を抱えて、その実現戦略を掲げてという……。

いま言われたような構図であれば、余り変わらないかもしれません。ただ、五全総が国土に関連して何をテーマとするかという選択のところがまず第一歩で、重要かもしれません。その時に、小都市論とか、国土軸論とか、水系主義とか、あるいは分権化された地域のイメージを中心にするかという、そのあたりのテーマで議論してみる必要がありますね。

——未来の都市に何を残せるかというのが、下河辺さんご自身の最後の課題であると言っておられますが、具体的に話していただけますか。

五全総の中に、一つでも、二つでも、そのことに応えられるものを埋め込めるかどうかと思っているんです。

超長期的な視点

いま、国土計画で見ていると、経済主義と直結したために、見方が短期的で、目先のものに対して有効性を語るという国土計画になってきているんです。だから、水が足りないとダムをつくるとか、交通が渋滞すると道路をつくるとか、経済が上向いてきたから工業用地をつくろうとかいってしまう。

そこで、少し長期の目でプランを練ったらどうかというふうに思っているんです。バブル時代にインテリジェントビルなんていうと、短期償却型のビル論ですね。だけども、バブルが崩壊した後の東京を語る時には、やはり建物が五十年なり、百年持つという前提の議論が出てきていいのではないか。それは、地球環境の資源からいってもそうだし、経済というものが使い捨てであるということを見直さなくてはだめだということもあるわけです。

だから、何とかして、百年、五百年後に残したと言われるものをどうしてもつくっておくというか、二十世紀は一体何を残したかという時に、「これだ！」と言えるものがちょっと欲しいんですね。

——われわれが五百年後の都市に残せるものといったら、何ですか。

それはわからないんだけれども、いま平城京の復元というような文化財の仕事がありますね。私が文化財の専門家に言ったのは、ものすごいお金をかけて復元するというだけではなく、それが平成の時代に再建したという意味を五百年後に問われた時に、単純な平城京の修復であるということではいけないのではないか。平成に修復した意味というのを問われるのではないかということです。

だから、平城京の大黒殿は建設された当時、どういう利用のされ方をして、日本にどういう影響を与えたかということが、建築的な文化財として重要で、平成に建てた大黒殿は、何に利用しようとしていたかというのが歴史に残るのではないかというので、たとえば、経済大国の末期に世界を考えたイベントをやるべき大黒殿を平城京に求めたということが言えないか、そして、ここで世界の平和に関する会議なり、地球環境を救うべき会議が行われたという記録が残ったら、何百年後かに建築物が残っていた時に、その建物の意義が評価されるのではないかというようなことも言っているのです。歴史的文化財というのは、そういう意味を持たせることがとても価値があるのではないでしょうか。

——五百年後には、現代の建築物でさえ歴史的文化財ですからね。それにしても、五百年後というのは、超長期的視点というよりは、まさに未来論ですね。

未来論に関してですが、例えば、コンクリートの専門家に、現在、日本に存在しているコンクリートが、五百年後にはどうなっていますか、という質問をしたいわけです。

私の非専門家としての見通しとしては、百年は持たないのではないか、特に酸性雨なんかが激しくなった時に、コンクリート肌なんて、とても持たないのではないか。したがって、二十世紀のコンクリート文明というものが、五百年という長さの中でどういう位置づけになるかを専門技術者に聞きたいのです。その時に、依然として七、八世紀からの木造建築の方が残っていたりとすると、二十世紀の日本人は、日本の国土で一体何をしていたのかと、問われる時でもありますね。

私は、二十世紀の担当者だったから、コンクリートに支えられているプランナーです。そのコンクリートの寿命が二十世紀のものだと聞くと、何か困るんです。これは山の中で林道を見ても、コンクリートが自然破壊という感情を人々に与えていると思うのです。土肌でできた道路を見ると、人間というのは生態系を意識しますけれども、河川だろうが、道路だろうが、コンクリートを使うと、何か穏やかでないというのがあるでしょう。それが持ち続けてくれるなら、まだいいけれども、滅び行く材料だと思うと、何かやるせない気持ちになりますね。

——そういう超長期的な話の一方で国土計画自体は、先ほどもお話が出たように十年タームである。十年タームの計画の中に、そういう超長期的な問題意識をどう反映させていくのか。

それから実務的なこととつなげて言うと、四百三十兆円の公共投資の配分ということに、五全総がどう触れられるかというところがテーマだと思うのです。四百三十兆円は、公共投資五カ年計画の延長線上で組み立てられているわけですね。だから、地域的なプロジェクトとか、歴史的なプロジェクトというものが、個別施設に分解されているわけです。

私の希望は、それをやめて、四百三十兆円のうち、シビルミニマムを達成すべき投資と、ナショナルプロジェクトに投資すべきものと二分して欲しいのです。ナショナルミニマムの方は重要ですから、生活優先としてどれだけ配分するかは決めた方がいいと思うけれども、ある一定の比率だけは、ナショナルプロジェクトの投資として総合化しておく必要があるのではないかと思います。

その総合的な投資の枠の中で、いま言ったような議論がナショナルプロジェクトとしてできて、しかも、そのナショナルプロジェクトの中に、超長期のテーマも入るというような構造で、四百三十兆円が動いてくるとおもしろくなると思っていましてね。それで歴代総理に、「私に何兆円という規模でナショナルプロジェクトを任せてもらえるということはないでしょうか」と聞くと、歴代総理は、「それは君、素晴らしい」と言うけれども、それだけですね。なかなか実務としては、そういう環境にはない。

それは逆に言えば、国土庁がとてもまだそれを指導するだけの力がないということと無縁ではないかもしれませんけれども。その中間に出てきたのが、新社会資本。新社会資本というのは、どうもハイテクというものを前提にして議論している段階です。それが新社会資本論のところで、歴史性、文化性、環境性というものがテコでできたら、日本も見直せるという気はしているんです。

――五全総のスケジュールについてですが、先ほど来、五全総は世の中で動き出しているという話がありましたけれども、現在の四全総は、一九八七年の六月にスタートして、いまは七年目ということになる。それで二〇〇〇年を目標年次にしているわけです。五全総のスケジュールは、具体的にどういうふうに動いていくのでしょうか。

五全総のスケジュール

それは政府が考えるんでしょうが、私個人は四全総を実施しながらも、新しい情勢に応じて五全総の策定作業に入るということを、国土庁として公表してみたらどうかと思っているのです。いまは四全総の点検ですけれども、国土庁創設二十周年記念で五全総作業に入ったらどうかと思うのです。

五全総作業は、閣議決定までに少なくとも丸二年かかると思うのですね。一九九五年が基準年次になって、それから三十年という構想になるので、二〇二五年目標になって、総人口のピークを超えることになり、もはや二十一世紀というような言葉は消えていくと思うのです。

二十一世紀というと、二一〇〇年構想というようなことでないと、言葉としておかしくなりますね。いままでは、二〇〇〇年も二十一世紀のように言ってきたけれども。ちょうど四全総も決定以後七、八年過ぎたというあたりで、これまで変えてきたのと大体同じぐらいの期間で変わっていくのではないでしょうか。だから、仕上げは九五～九六年というぐらいで、じっくり取り組んでいったらいいんじゃないでしょうか。それまでに世界も日本も、もうちょっと先が見えてこないでしょうかね。

――五全総はすでに既定事実かのようでありますけれども、二十一世紀になってから五全総に続く六全総というような国土計画もやはり存続するんでしょうか。

それは国土庁に育てたいと思っているプランナーたちの意思によるでしょう。私が考えてはいけないでしょうね。もう完全に経済大国で大都市に生まれた若者たちが担当する時期に入るわけです。これは団塊の世代も超えて、新全総前後で生まれた青年たちが考えるという時代になるわけです。

――下河辺さんは全総計画に携わるのは五全総が最後だといま言われましたけれども、ここ五年あるいは十年ぐらいの間に残された宿題というのは何でしょうか。

フィジカルプランナーでありながら、フィジカルなものを残したいと思う一方で、何か文化とか、考え方、人と森と海との関係を、日本列島でどのように考えていくかということを残したいという感じがあるんです。

これはひょっとすると、国土に関する宗教かもわからないですね。大きい自然と小さい人間という関係を、どこまで自分のものにできるかが国土計画屋だ、というのを中国ではしゃべったこともある。基本的に私の関心事なんですね。その思想の上にいろいろな実験を繰り返していくというのが国土計画ですから、それは泣いたり、笑ったり、もう大変だと思うんです。

だけども、背後にその基本的な国土に対する宗教みたいなものは、持ち続けてほしいなという感じがします。あとは現実の社会と対決しているわけですから、「意図と結果」というのがそう簡単にはつながらないというのは覚悟しなければなりません。だけど、逆にいえば、結果が食い違えば食い違うほど、自分の仕事ではあるわけでね、皮肉なことだけれども。

一全総から四全総までなぜ続いたかといえば、計画の欠陥がはっきりしたからなんでしょうね。

計画が評価もされずに終わったら、次につくるという形にならなかったかもしれない。

——宗教というお話が出ましたけれども、新全総の頃は、批判者側から、下河辺教祖じゃないかというような批判もありましたね。

あの頃は、いま考えると、私自身に基本的に体力があったと思いますが、いまはそういう意味では老化しています。やっぱりあの当時、自分の体力を頼りに、何かにぶつかっていこうという力というか、気力がありましたね。

——朝日新聞に、「朝からビフテキを食べている」なんて書かれたじゃないですか。だから、体力があったんじゃないですか。

戦災復興から今日まで、ほぼ半世紀近い間の国土計画論をお伺いしてきたわけですけれども、最後に、これだけは付け加えておきたいということがありましたらお話いただきたいと思います。

不思議な縁で、何かの座談会で本間さんから塩野七生さんを紹介されて、塩野さんと話し合うチャンスが多くなって、いまでも続いているんですね。

私は、彼女が書く歴史物にものすごく惹かれているんです。「ローマ人の物語」を一九九三年から十五年かけて十五冊、年一冊の著作をつくることにしたことに感動しました。その影響を受けたかもしれません。古代ローマからルネッサンスに続く人物の動きというのは、国土政策の花だという気がしますね。

ここまで議論してきたテーマが、歴史の中に全部入っているという気がするんです。それだけに塩野さんも、日本でわれわれ国土プランナーが何を考えているかというのは少し興味を持ったかもしれません。そういう意味では、国土庁の若手が現実の勉強をするだけではなくて、古代ローマからの人間の国土に対する営みみたいなものを勉強することって、相当重要だと思います。先に安全保障の問題が出たのも、そのことに関係するんですけどね。人間が国土の営みに取り組んだときに、歴史上戦争に無関係ということがないんです。そういう意味ではおもしろいと思っていましてね。

最後に言いたいのは、国土政策は、人と国土のかかわり合いに関する権力の政治的意図であり、これをまとめたものが国土計画ですから、政治学を学んだ人々が国土プランナーにならないかという、つまり、工学部と経済学部の仕事だけではなくて、政治学、歴史学の仕事だというのが最大の私の結論なんです。日本の政治家たちが時間軸だけで議論しないで、空間軸でもっと発言してくれていいのではないかと思うのです。百年後の日本を語る総理が登場して不思議ではない時代です。それによって、五全総も随分違ったものになるんじゃないでしょうか。

地域開発関係制度に関する年表

西暦	時代背景	国総法、国土法をめぐる動き	計画決定等地域開発に関する施策	地域開発関係立法	その他の関連制度の動向
一九四五	（戦災復興）	国土計画基本方針			
一九四六		復興国土計画要綱			
一九四九		国土計画法案要綱			土地改良法
一九五〇	朝鮮動乱	**国土総合開発法**	北海道開発庁発足 首都建設委員会設置	北海道開発法 首都建設法	建築基準法 港湾法
一九五一		特定地域の指定～五七	北海道総合開発計画	国土調査法	森林法
一九五二		国土総合開発法改正		特殊土じょう地帯臨時措置法	農地法 電源開発促進法 道路法
一九五三		特定地域総合開発計画～五七		離島振興法	
一九五四		総合開発の構想（案）		奄美群島振興開発特別措置法	土地区画整理法
一九五五	戦前水準の回復				
一九五六	（経済発展のあい路）	全国総合開発計画準備作業	北海道東北開発公庫発足 首都圏整備委員会設置	首都圏整備法	海岸法 空港整備法 都市公園法
一九五七			北海道総合開発計画	東北開発促進法	自然公園法

西暦	時代背景	国総法、国土法をめぐる動き	計画決定等地域開発に関する施策	地域開発関係立法	その他の関連制度の動向
一九五八			(一期二次)首都圏既成市街地の指定 首都圏市街地開発区域の指定 首都圏基本計画 東北開発促進計画	東北開発株式会社法	高速自動車国道法 国土幹線自動車道建設法
一九五九		全国総合開発計画中間報告	九州地方開発促進計画 首都圏工業等制限区域の指定	九州地方開発促進法 首都圏工業等制限法	
一九六〇	国民所得倍増計画 (高度経済成長の開始) (地域間所得格差)		四国地方開発促進計画	四国地方開発促進法 北陸地方開発促進法 中国地方開発促進法	
一九六一	(大都市問題)	全国総合開発計画草案		低開発地域工業開発促進法 産炭地域振興臨時措置法	水資源開発促進法
一九六二		**全国総合開発計画**	低開発地域工業開発地区指定～六五 北海道第二期総合開発計画	新産業都市建設促進法 豪雪地帯対策特別措置法	
一九六三				近畿圏整備法	新住宅市街地開発法
一九六四	東京オリンピック	第一次臨時行政調査会	新産業都市指定～六六	工業整備特別地域整備	

年					
	新幹線開通	議「広域行政の改革に関する意見」	工業整備特別地域指定 東北開発促進計画（二次） 九州地方開発促進計画（二次） 北陸地方開発促進計画 中国地方開発促進計画 首都圏工業等制限区域の拡大	促進法 近畿圏工場等制限法	河川法
一九六五			近畿圏既成都市区域、近郊整備区域、都市開発区域、工場等制限区域指定 四国地方開発促進計画（二次） 近畿圏基本整備計画	山村振興法 新産工特財政特別措置法 首都圏整備法改正	
一九六六			首都圏近郊整備地帯、都市開発区域指定	中部圏開発整備法 首都圏等財政特別措置法 首都圏近郊緑地保全法	公害対策基本法
一九六七		地域開発制度調査会議設置		近畿圏保全区域整備法	
一九六八	（過密・過疎） （高度成長の歪の是正）		中部圏基本開発整備計画 首都圏基本計画（三次）		都市計画法（新法）
一九六九	（成長の安定的持続）	地域開発制度調査会議	地方生活圏の設定	小笠原諸島振興特別措置	農振法

西暦	時代背景	国総法、国土法をめぐる動き	計画決定等地域開発に関する施策	地域開発関係立法	その他の関連制度の動向
一九七〇	大阪万国博覧会 （環境問題）	「地域開発制度整備方針」 **新全国総合開発計画**	広域市町村圏の決定 北海道第三期総合開発計画	置法 過疎対策緊急措置法 筑波研究学園都市建設法	都市再開発法 地価公示法 公害対策基本法改正 全国新幹線鉄道整備法
一九七一		国土利用基本法素案	近畿圏基本整備計画（二次）	農村地域工業導入促進法 沖縄振興開発特別措置法	
一九七二	日本列島改造論 四日市判決	新全国総合開発計画（改訂） 日本列島改造問題懇談会 関係五省庁次官会議 「土地利用法案要綱」 「国土の利用に関する総合計画法」 国土総合開発推進本部設置	沖縄振興開発計画 琵琶湖総合開発計画 首都圏工業等制限区域の拡大	琵琶湖総合開発特別措置法 工業再配置促進法	自然環境保全法
一九七三	一次オイルショック 地価高騰	新全総総点検中間報告 〜七七 国土総合利用法案 国土総合開発法案			都市緑地保全法 工場立地法 水源地域対策特別措置法

一九七四		**国土利用計画法** **国土庁発足**	地域振興整備公団発足 近畿圏工場等制限区域の拡大		生産緑地法
一九七五	(安定成長)	第三次全国総合開発計画概案			
一九七六		国土利用計画(全国計画)	首都圏基本計画(三次)		
一九七七		**第三次全国総合開発計画**	工業再配置計画		
一九七八	(地方の時代)		工業再配置特別誘導地域指定 北海道(第四期)総合開発計画 近畿圏基本整備計画(三次) 中部圏基本開発整備計画		大規模地震対策特別措置法
一九七九	二次オイルショック		モデル定住圏決定 新広域市町村計画策定圏域選定 定住基盤総合整備計画策定圏域選定 東北(三次)、北陸(二次)、中国(二次)、四国(三次)、九州(三次)地方開発促進計画		
一九八〇	(地方の人口再流出)			過疎地域振興特別措置	農住組合法

西暦	時代背景	国総法、国土法をめぐる動き	計画決定等地域開発に関する施策	地域開発関係立法	その他の関連制度の動向
				法	
一九八一			琵琶湖総合開発計画変更		
一九八二			沖縄振興開発計画（二次）		
一九八三		三全総フォローアップ作業報告		テクノポリス法	
一九八四		四全総長期展望作業中間とりまとめ			
一九八五	つくば万博（人間・居住・環境） （国際化、情報化）	国土利用計画（全国計画第二次）		半島振興法	
一九八六	（東京圏一極集中） 東京地価高騰	四全総審議経過報告	首都圏基本計画（四次）		鉄道事業法（国鉄民営化） 民活法
一九八七		国土利用計画法改正 **第四次全国総合開発計画**		リゾート法 関西文化学術研究都市建設促進法	集落地域整備法 緊急土地対策要綱
一九八八	本四連絡橋、青函トンネル供用		近畿圏基本整備計画（四次） 国の機関等の移転について閣議決定 第五期北海道総合開発	地域産業高度化促進に関する法律（頭脳立地法） 多極分散型国土形成促進法	大都市地域における優良宅地開発の促進に関する緊急措置法 総合土地対策要綱

一九八九			計画 中部圏基本開発整備計画（三次） 東北開発促進計画（四次）		土地基本法
一九九〇			北陸（二次）、中国（三次）、四国（四次）、九州（四次）地方開発促進計画		
一九九二	平成不況			地方拠点法	都市計画法改正

＊法律名は正式名称でないものがある。国土庁資料により作成。

付　記

十数年来の懸案

本間義人

　戦後国土計画にずっと関わってこられた下河辺さんにその経過を体系的に話していただくことは、私の長い間の懸案であった。これまでも様々な機会や会合で下河辺さんから断片的にその回想を伺ってはいたのだが、ありのままに、体系的に話していただけたら、それは即、当事者による戦後国土計画史になるだろうという思いがあったのである。その機会は二度あった。一つは下河辺さんが国土庁事務次官を退任した一九七九年の時点であり、さらに総合研究開発機構理事長を退職した九一年の時点である。官職や公職を離れたのであるから、もうそろそろ話していただいてもいいだろうと思ったのであるが、その都度、下河辺さんは固辞されてきた。この間に私は、戦後国土計画について私なりにまとめた『国土計画の思想』（日本経済評論社）を出しているが、これを書いているさいちゅうにも隔靴掻痒の思いでいたので、ますます下河辺さんの話を聞くのを待望していた。

　九二年末になり、下河辺さんが日本経済評論社に口説かれて、ようやくその気になられたのはいいが、聞き手に私を指名されてきたときには、私はその好意に感謝すると同時に私一人では少し荷が重い気がしないでもなかった。そこでかねて私同様、国土計画史に関心をもってこられた東京都立大学の御厨貴さんと、かつて一緒に仕事をしたことのある日本都市センターの檜槇貢さんに応援をお願いしてインタビューにあたり、下河辺さんのはじめての本として何とかまとまったのが本書というわけである。本書中の注記や図表に関しては檜槇さんをわずらわし、国土庁の藤田佳久さんには細かい事象についての確認をしていただき、正確を期した。

本書は一読しておわかりのように、下河辺さんに話を聞くという形式をとっており、インタビュアーとの「討論」を意図したものではない。したがって下河辺さんの話を私たち三人がどう判断・評価するかという点については触れていない。繰り返すが、下河辺さんが携わった戦後国土計画のほぼ半世紀を本人の言葉でありのままに語っていただいたのが本書である。したがって研究者としての私たちの仕事はこの本を土台に新たにはじまる、と認識しているし、読者のみなさんにもそう理解していただければと思っている。本書の内容については、私たちはできるだけ様々な角度から下河辺さんの話を引き出そうとしたが、とは言えないお聞き足りない部分がずいぶんあったのではないか、その意味ではまだ不十分との批判があるやもしれないが、その点はインタビュアーの力不足ということでお許し願いたいと思う。

いずれにしても今日、東京への一極集中や過密過疎など日本列島が直面している様々な問題の多くは国土計画に関連したものである。それらの問題を見極めるうえでこの下河辺さんの「証言」は貴重である。それがはじめて公にされたという意義は大きい。関係者、研究者だけでなく、多くの一般市民に本書が読まれ、国土計画についての関心が深まるのを私たち三人は願ってやまない。二十一世紀に豊かな国土を実現するうえで国土計画はどうあったらいいか、それを考えるのにこれほどの「教科書」はないだろうと思うのである。

「しなやかさ」と「したたかさ」

御厨　貴

戦後五十年。戦争はもう遠いかなたのことになってしまった。はっと気がついてみると、二十一世紀はもうそこまで迫っている。この半世紀に、日本はあらゆる面で大きく変わった。とりわけ大きく変容したのは日本の景観ではないだろうか。試みにタイムトリップをして、日米戦争直前のアメリカの東京特派員の本をのぞいてみよう。

「東京の町のほとんどは、私が横浜から来た時の道路沿いに見て来たのと同様の木と紙でできていた。日本の大半の町並みがそうだった。」（ジョセフ・ニューマン『グッバイ・ジャパン』朝日新聞社）

紙と木の景観を変えるのに、よかれあしかれ一番大きな役割を果たしたのは、戦後日本の国土計画に他ならない。ありていに言って、国土計画は〝利益の体系〟と〝理念の体系〟との二つの重要な構成要素から成り立っていた。戦後いつの時代をとっても、インプット、アウトプットの両極面で、〝理念〟と〝利益〟とのせめぎあいがみられた。かくて〝理念〟と〝利益〟とが混然一体となった国土計画を、あたかもパズルの解を求めるかのように、いかに読み解くかが、政治家や地方行政の担当者に経済人、さらにマスコミの課題となった。

同時にそれは、様々なアクターとの緊張関係の中で、国土計画を作り上げ実行に移していくいわば計画行政のプロフェッショナルが、社会的認知を受け発言権を確保していく過程でもあった。戦前とは明らかに異なり戦後日本を特色づけるものとして、国土計画をめぐる政治と行政のダイナミズムをあげることができる。実はこうした政治と行政のダイナミクスを、戦後早くから今日まで一貫して経験しているのが下河辺淳氏その人である。

今回のヒアリングからも明らかなように、下河辺氏の国土計画に対するまなざしは、複眼的である。すなわち行政のプロとして、ミクロな政治・行政過程の勘所をピタリと押えると同時に、〝官僚文化人〟とも言うべき幅の広さから、マクロな文化・文明のレベルの議論までを論ずる。長時間にわたるヒアリングを通じて、「しなやかさ」の裏にある「したたかさ」をしばしば発見して、あらためて下河辺氏と国土計画との関係について、考えさせられるところが多かった。そしておそらく今、下河辺氏が最も語りたいのは、息の長い〝文明としての国土計画〟ではないだろうか。

マスコミの国土計画と下河辺さん

檜槇　貢

わたくしにとっての国土開発の歴史研究は新聞記事の収集から始まっている。もう十年前になるが、「新聞やマスコミに取り上げられた社会資本整備だけが歴史的事実になるはずで、近代以降の新聞は国土や都市の開発をどのように扱ったのかを調べたい」との下河辺さんの意向でＮＩＲＡの

「新聞にみる社会資本整備研究」を一九八三年十一月から進めることになった。

この研究は、本間義人さんをキャップとする研究会を日本都市センター研究室に組織して、一八六九年二月創刊の東京日日新聞と八二年五月創刊の大阪朝日新聞をそれぞれ創刊時から毎日の新聞の全ページをマイクロフィルムから収集するという、とんでもなく地道で苛酷な作業をもって始まった。それでも一九六〇年までの八十八年間について、約七万点におよぶ記事を収集しその分析結果を二冊の報告書にまとめた。

ところが、それ以降の時期については、この作業方式では記事データが膨大なものになりすぎることに加えて、六〇年代、七〇年代の新聞紙上の出来事が歴史事実として扱えるのかという論議が起こった。結果としては四つの地方ブロック紙を対象に既成の時代認識を前提にとりまとめることに決着したのである。合計三冊の報告書は日本経済評論社から刊行されているが、このような経緯もあって、六〇年代以降の国土・地域開発の事実やうねりについてはもう一つ食い足りない実感がつきまとっていた。

思えば、ヒアリング対象の下河辺さんは二十世紀後半の激動の時代の国土計画づくりのすべてに深くかかわり、さらに五つ目の全総にまでも影響力をもとうとする奇縁の人である。また、この人はマスコミにさらされながら国土という権力、経済力、社会的豊かさを包含する器を造りつづけるプランナーでもある。その人物を現代の国土政策の情報媒体として、その証言をよみ取る作業に参加できたことで、わたくしにとっては、明治からの作業の六〇年代中断を補うものになったと位置づけている。

［聞き手略歴］

本間義人（ほんま よしと）　一九三五年生まれ。ジャーナリスト。主著『現代都市住宅政策』三省堂、『内務省住宅政策の教訓』御茶の水書房

御厨　貴（みくりや たかし）　一九五一年生まれ。東京都立大学法学部教授。主著『首都計画の政治』山川出版社、『歴史批評の領分』都市出版（近刊）

檜槇　貢（ひまき みつぐ）　一九四九年生まれ。㈶日本都市センター研究室主任研究員、法政大学・国学院大学兼任講師。主著『自治体の土地政策』（共著）ぎょうせい、『日本の企業家と社会文化事業』（共著）東洋経済新報社

下河辺 淳（しもこうべ あつし）

関東大震災の1923年9月東京に生まれる。東京大学在学中に終戦，戦災を受けた東京の都市社会調査を行う。1947年同大学第一工学部建築学科卒。同年戦災復興院入所より国土事務次官を経て1979年退官するまでの32年間，中央官庁で国土政策に関する仕事に携わる。1979年より総合研究開発機構（NIRA）理事長，1992年より現在まで東京海上研究所理事長。この間，NIRAでは国内外の時事問題に関する研究活動に参加，現在は企業の未来について研究をすすめている。また国土審議会委員をはじめ各種団体の役職をつとめている。工学博士。

戦後国土計画への証言

1994年3月22日　第1刷発行©

著　者　下河辺　淳

発行者　栗原哲也

〒101　東京都千代田区神田神保町3-2

発行所　株式会社日本経済評論社

電話 03-3230-1661

振替東京 3-157198

太平印刷社・美行製本

落丁本・乱丁本はお取替いたします　Printed in Japan

戦後国土計画への証言（オンデマンド版）

2016年10月20日 発行

著　者　　下河辺 淳
発行者　　柿﨑　均
発行所　　株式会社 日本経済評論社
〒101-0051　東京都千代田区神田神保町3-2
電話　03-3230-1661　FAX　03-3265-2993
E-mail: info8188@nikkeihyo.co.jp
URL: http://www.nikkeihyo.co.jp/

印刷・製本　　株式会社 デジタルパブリッシングサービス
URL　http://www.d-pub.co.jp/

乱丁落丁はお取替えいたします。

Printed in Japan
ISBN978-4-8188-1685-5